La memoria

611

Alicia Giménez-Bartlett

Un bastimento carico di riso

Traduzione di
Maria Nicola

Sellerio editore
Palermo

2004 © *Alicia Giménez-Bartlett*

2004 © *Sellerio editore via Enzo ed Elvira Sellerio 50 Palermo*
e-mail: info@sellerio.it
www.sellerio.it

2024 *Trentanovesima edizione*

Questo volume è stato stampato su carta Arena Ivory Smooth prodotta dalle Cartiere Fedrigoni con materie prime provenienti da gestione forestale sostenibile.

Giménez-Bartlett, Alicia <1951>

Un bastimento carico di riso / Alicia Giménez-Bartlett ;
traduzione di Maria Nicola. - Palermo : Sellerio, 2004.
(La memoria ; 611)
Tit. orig.: Un barco cargado de arroz.
EAN 978-88-389-1971-8
I. Nicola, Maria
863.64 CDD-20

CIP - *Biblioteca centrale della Regione siciliana «Alberto Bombace»*

Titolo originale: *Un barco cargado de arroz*

Un bastimento carico di riso

1

Garzón non capiva perché quel cadavere mi colpisse tanto, e non riusciva nemmeno a spiegarsi la natura della mia emozione. Secondo lui ormai avevamo visto più morti di Napoleone e Nelson messi insieme, e non si poteva certo dire che quella mattina il Parque de la Ciudadela fosse il campo di Waterloo dopo la battaglia. Un barbone sdraiato su una panchina, questo era tutto. Sembrava semplicemente che fosse rimasto addormentato e che, nonostante quel che gli stava capitando intorno, non si fosse ancora svegliato. L'avevano ammazzato di botte, ma nessuno era riuscito a cancellargli dalla faccia una serena dignità. Mani lunghe, barba bianca e fluente... era come re Lear nella tempesta, abbattuto dalla folgore, solo, immobile, a ricordare con la sua magnificenza che, perfino così abbandonato, era pur sempre un re.

– Sciocchezze, ispettore... – La voce del mio sottoposto mi riportò alla realtà, – ... un re della zozzeria, vorrà dire. Provi a togliergli le scarpe e a dargli un'occhiata ai piedi. Di sicuro nessun re è mai stato profumato come lui.

Perché mai dovremmo ritenere più vero il brutto del bello, quel che si vede e si tocca di quello che sta scritto sui libri, quel che si vive nella realtà di quel che si immagina? Inutili convenzioni. Mi sforzai di spiegarlo a Garzón; lo rispettavo troppo per non fare almeno un tentativo.

– Vede, viceispettore, un barbone ha una sua grandezza: è come un santone, come qualcuno che ha raggiunto la vera saggezza, o un livello superiore di conoscenza. Un barbone può permettersi di non dare alcun peso alle miserie quotidiane che ci opprimono, vive libero come l'aria, è superiore. Non paga il mutuo, per esempio, non guarda la televisione, non compra il biglietto dell'autobus… Non bada a certe cose, non ha vincoli, mi spiego?

Garzón fissava con attenzione il volto di quell'uomo, rifletteva sulle mie parole, le analizzava. Incoraggiata da questa reazione, proseguii:

– Avere davanti un uomo simile è quasi un'esperienza mistica, capisce? Un po' come contemplare una grande cattedrale.

– Capisco, sì. Ma lo sa che mi sarebbe piaciuto vederla parlare in tribunale, Petra? Lo fa così bene!

– In un tribunale non avrei mai detto certe cose, Fermín, mi avrebbero presa per pazza.

– Meno male che il giudice se ne è già andato, allora! Perché tutta questa storia della mistica e dei biglietti dell'autobus sarà anche bella, ma non vedo a cosa ci serva. Il suo santone l'hanno riempito di botte da lasciarlo secco, i fatti sono fatti, e di cattedrali per me quella di Burgos basta e avanza, quindi…

Era proprio necessario che facesse tanto lo spiritoso? Che mi dimostrasse tutta la sua beceraggine iberica? Non gli si poteva muovere altra critica, perché aveva ragione. Una gran bella scarica di botte e la morte, erano toccate a quel poveraccio. Poi, il solito teatrino: la recinzione di nastri, agenti sguinzagliati per tutto il vicinato, il giudice, il medico legale, e noi due incaricati delle indagini. Triste corteo per un re defunto.

– Con tutte le botte che ha preso, il sangue non è molto – disse il medico legale avvicinandosi di nuovo al cadavere. Lo osservò in silenzio. Era una donna giovane ed elegante, aveva posato la borsa di capretto sul marciapiede.

– È morto da parecchio? – domandai.

– Non me la sento di dire niente. È piuttosto rigido, ma le ecchimosi... Il mio collega che farà l'autopsia le saprà dire qualcosa, ispettore. Preferisco non arrischiarmi.

Garzón la guardò allontanarsi, mentre i barellieri procedevano a rimuovere il cadavere.

– Ecco come sono questi giovani, ispettore. Tutto deve essere preciso, ufficiale. Noi almeno siamo un po' più elastici, no?

– È quello che dicevano i dinosauri delle gazzelle, e lo sa anche lei com'è finita.

Il mio paragone non lo divertì. Per lui i giovani erano una banda di concorrenti sleali che veniva al mondo all'unico scopo di portargli via un posto onestamente guadagnato grazie a una vita di sforzi e alle inimitabili virtù della sua generazione.

Mi guardai intorno. Ci trovavamo su uno dei viali che delimitano il parco. Lungo l'aiuola laterale c'erano altre panchine parallele alla nostra, sulle quali i fotografi della Scientifica avevano ammucchiato la loro attrezzatura. Alzai gli occhi verso il palazzo di fronte. Erano appena le sette del mattino, ma diversi inquilini, affacciati alle finestre, seguivano ogni nostro movimento. I nostri agenti stavano già concludendo il loro giro di domande in cerca di testimoni. Uno di loro mi disse che sarebbe stato difficile trovarne fra gli abitanti dei palazzi vicini. Si trattava di vecchie costruzioni, concepite alla maniera tradizionale, con le camere da letto che davano sul cortile. Di sicuro tutti stavano dormendo quando il barbone era stato aggredito. Al suo ritorno, ciascuno degli inviati mi dava una nuova delusione. Nel quartiere, nessuno aveva sentito niente. Mi voltai verso uno dei nostri agenti, che come una sentinella se ne stava immobile accanto a un uomo silenzioso. Chiesi sottovoce a Garzón chi fosse quel tizio, e lui, senza nascondere un certo stupore, mi disse:

– Lo spazzino che ha trovato il cadavere.

Lo guardai di nuovo e capii perché il viceispettore fosse sorpreso della mia domanda. La vistosa tuta fluorescente di quell'uomo non avrebbe dovuto lasciar luogo a dubbi circa la sua professione.

Lo avvicinai. Sembrava stanco, rattristato, morto dal freddo.

– È lei che l'ha trovato?

– Sissignora. Passavamo col camion e l'ho visto buttato lì.

– Non ha pensato che stesse dormendo?

– Vede, io sto appeso dietro al camion, per rimettere a posto i cassonetti. Aveva il braccio che toccava terra e la testa piegata all'ingiù, capisce? Mi è sembrato strano. Ho detto al collega: «Cosa ti giochi che a quello lì gli è preso un colpo e c'è rimasto secco?». Allora il collega mi fa: «Sì, quello una bella sbronza si è preso, altro che storie». Fatto sta che mi avvicino e mi rendo subito conto che qualcosa non va, perché era tutto pesto e non respirava. Allora ho pensato...

Ogni cittadino di questo paese, per modesto che sia il suo livello culturale, nasconde dentro di sé un narratore capace di ricreare interi dialoghi, guarniti di metafore, digressioni, riflessioni...

Un dispiegamento di stile che per gli interrogatori è fatale. Ma prima che potessi spazientirmi, un agente ci interruppe. Se ne veniva tutto baldanzoso, quasi sorridente, come un cacciatore che conclude la sua giornata col carniere colmo di pernici. Stavolta la sua pernice era un ragazzo che camminava accanto a lui, con la testa coperta dal cappuccio di una tuta da ginnastica.

– Ispettore, un testimone! Dice che ha visto tutto. Era nascosto in un portone.

Non riuscivo a vederlo in faccia, si ripiegava su se stesso come una lumaca che cerca di rientrare nel suo guscio.

– Si avvicini e si scopra la testa – gli ordinai.

– Manco morto. Se mi vedono parlare con lei, sono fregato. Voglio che mi mettiate sotto protezione e che mi portiate in un albergo finché non li avete presi.

Garzón intervenne con una delle sue più caustiche e altisonanti risate.

– Ma dove l'hai visto? In un telefilm?

Aveva già fatto un passo avanti per strappargli il cappuccio, quando io glielo impedii fermandogli il braccio. Dissi al ragazzo:

– Sentimi bene. Non possiamo portarti in un albergo, ma se vuoi andiamo in un bar e mi racconti quello che sai, d'accordo?

Rimase zitto, domandandosi se quello che gli offrivo fosse un livello di protezione adeguato, e il suo silenzio mi fece capire che aveva colto la distanza fra i film americani e la realtà nazionale.

– Va bene – concesse.

L'agente che l'aveva trovato avrebbe voluto venire anche lui, ma Garzón lo rispedì ai suoi compiti senza tanti riguardi. Non fu difficile trovare un bar, un posto piccolo, squallido, pieno di bottiglie appiccicose in bella mostra. Dovevamo essere i primi clienti della mattinata. Ordinammo un caffè e ci sedemmo al tavolo più lontano dal bancone per non farci sentire dal proprietario. Finalmente l'incappucciato si liberò della parte superiore del suo abito. Ai nostri occhi comparve un giovane magrissimo, dalla faccia incavata, con i capelli tagliati a spazzola e ossigenati. Un orecchio era ornato da almeno dieci anelli d'argento. Mi parve un essere sradicato e triste, una bestiola abbandonata.

– Cominciamo dall'inizio. Cosa ci facevi sul luogo dei fatti?

– Io, be', mi ero seduto sotto i portici a riposare un po' e mi ero praticamente addormentato perché erano quasi le tre di notte.

Garzón staccò in tutta fretta i baffi dalla tazza di caffè per dire:

– Ti eri fatto la tua dose e non riuscivi nemmeno a stare in piedi, per questo ti sei ficcato sotto i portici. È più giusta così, no?

Il ragazzo non ebbe nemmeno la forza di ribattere. Il suo sguardo fuggì dal viceispettore e vagò sul tavolo.

– Avete una sigaretta? Io le ho finite.

Cercai il pacchetto nella borsa, frugando molto lentamente. Volevo dargli il tempo di reagire. Se Garzón gli stava troppo addosso, si sarebbe chiuso come un'ostrica. Gli accesi la sigaretta. Il mio vice continuò implacabile:

– E come mai sei rimasto in un portone tutta la notte? Eri così rintronato? Perché in questo caso non so a cosa possa servirci la tua testimonianza.

Presi la parola in tono comprensivo:

– C'è rimasto tutta la notte perché voleva raccontare quello che ha visto. Mi sbaglio?

Il piccolo topo di città mi guardò con l'ammirazione che si prova di fronte a un illuminato.

– Proprio così, ispettore. Come ha detto lei. Io alla polizia non ci vado. E mica per me, non crediate, ma perché, non so...

– È una questione di principio.

Si rianimò straordinariamente a quelle parole, probabilmente pensò che con me fosse possibile intendersi. Continuò con evidente sollievo.

– Non mi andava nemmeno di telefonare, e poi non mi sentivo in condizioni. Non ero fatto, come ha detto il suo collega, ma ero stanchissimo. Una brutta nottata può avercela chiunque, no? Ma quello che ho visto mi ha fatto così impressione, e quei bastardi erano così bastardi...

– Che cosa hai visto?

– Io ero sotto i portici, mi facevo i fatti miei; volevo riposarmi un po', come vi dicevo, anche perché stava piovendo. E a un certo punto vedo una macchina che arriva all'altezza del semaforo e si ferma. Scendono due tipi, due skin, non so se avete presente, con le catene, i giubbotti di cuoio e tutto il resto. Aprono le portiere e tirano fuori un altro tipo, quello che avete trovato morto, e lo trascinano fino alla panchina. Lo lasciano andare e quello cade giù di peso e non si muove. Allora gli danno quattro botte in testa e poi buttano la mazza dietro la cancellata. Risalgono in macchina e partono sgommando. Quel poveraccio non si è difeso, non si è nemmeno lamentato, io credo che l'avessero portato lì drogato, o ubriaco, perché mentre lo trascinavano le gambe non le muoveva. Che storia, ispettore, che storia. E così mi sono detto: se gli sbirri mi trovano glielo racconto, e se no fa lo stesso, tanto quello è fottuto...

Garzón e io ci scambiammo uno sguardo.

– Credi che fosse privo di conoscenza quando l'hanno lasciato sulla panchina?

– Io direi di sì.

– Li hai visti in faccia, gli skin?

– E come facevo? Ero troppo lontano!

– E la macchina, ti ricordi di che marca era?

– No, io di macchine non me ne intendo. Era una macchina piccola, scura. Non so altro.

Garzón insistette per un po', cercò di convincerlo che se sapeva qualcosa di più sugli aggressori gli conveniva dirlo per il suo bene, ma non ottenne niente. Io avrei giurato che quel poveretto ci aveva raccontato esattamente quello che aveva visto. Ci accompagnò, di nuovo ben nascosto dal suo cappuccio, fino al punto dove la mazza era stata lanciata verso l'interno del parco. I giardinieri del Comune avevano già aperto i cancelli. Con l'aiuto dei nostri uomini non fu difficile trovarla. Era una mazza da baseball, quasi nuova, macchiata di sangue.

Fu più difficile persuadere il nostro testimone a lasciarsi condurre davanti al giudice. Quando lo lasciammo sul furgone cellulare lui si ostinò a spiegare agli agenti che voleva essere portato in un albergo dove potersi nascondere.

– Quel disgraziato non sogna altro che un letto e un piatto caldo – dissi a Garzón.

Ma il mio vice era tutto preso dai suoi pensieri. Grattandosi il mento con insistenza riuscì a mormorare:

– Lo portano fin qui privo di conoscenza. Lo prendono a mazzate e buttano la mazza nel prato. Strano, vero?

– Tutto è strano nella vita, Garzón.

– Ci può giurare.

– Per prima cosa bisogna verificare chi è il morto.

– No, ispettore, per prima cosa bisogna informare il commissario Coronas. Mi ha chiesto di farlo immediatamente.

– Lo vede? Anche questo è strano.

Homeless, senzatetto, barbone, clochard. Tanti nomi per una sola realtà. Il nostro cadavere rientrava in pieno nello stereotipo. Non aveva addosso né carta d'identità né altro documento che ci permettesse di identificarlo. Il suo misero abbigliamento era davvero misero: diverse maglie sovrapposte, tutte bucate, un cappottaccio nero di tre taglie troppo grande, un passamontagna cacciato in una tasca, e un unico particolare in netto contrasto con tutto il resto: un paio di scarpe nuove di qualità eccellente, di misura perfetta per il suo piede. Bene, se a ciò si aggiungono una biro scarica e varie spille da balia che gli tenevano insieme i vestiti, poteva ben dirsi che era partito per l'ultimo viaggio con un bagaglio assai leggero. Tutto quel che aveva addosso puzzava. Garzón si era messo i guanti per toccare quella roba, che ora formava un mucchio sul tavolo.

– Be', almeno i suoi eredi non avranno da scannarsi – disse il mio collega.

– Se è vero che l'hanno portato fino al parco, le sue cose saranno da un'altra parte. Sa com'è, tutti i barboni vanno in giro con i loro averi: un carrello del supermercato, dei sacchetti di plastica...

– Ma le pare che quest'uomo potesse avere qualcosa di suo?

– Se non altro aveva un buon paio di scarpe, forse ci aveva speso tutti i suoi risparmi, o forse qualcuno gliele aveva regalate.

– Poveraccio! Guardi, sono quasi nuove, se le è godute ben poco. Strano che nessuno gliele abbia rubate mentre era buttato lì.

Aveva in mano un foglio con la prima descrizione sommaria inviata dal medico legale: «Individuo di circa sessant'anni. Razza bianca, corporatura robusta, un metro e ottanta di statura. Senza segni particolari né cicatrici. Dentatura completa e sana». Non disponevamo di dati clinici. Si trattava di iniziare le nostre indagini dai servizi sociali della città, il che non era uno scherzo.

– Chi si occupa dei senza fissa dimora a Barcellona, Fermín?

– Be', i servizi sociali della Generalitat e del Comune. Il problema è che ci devono essere anche cooperative e opere pie. Il che significa...

– Che in teoria tutti se ne occupano, ma loro continuano a morire per la strada.

– No, veramente io stavo pensando un'altra cosa. Quel che mi secca è dover fare il giro delle sette chiese solo per scoprire chi era quel poveraccio. E perché, poi? A cosa può servirci scoprire l'identità di qualcuno che non era nessuno?

– Avrà pure avuto dei parenti, degli amici... In ogni caso possiamo andare anche nei posti dove si radunano di solito i barboni, fare domande...

– Sarà difficile. Magari era di quelli che se ne vanno soli per il mondo e si infilano nelle scale del metrò per dormire.

Guardai le scarpe, inspiegabili fra tutti quegli stracci. Erano morbide, dall'aria comoda e robusta, di buon pellame.

– Potremmo anche fare una visita ai negozi di scarpe di Barcellona. Non sarà stato un cliente facile da dimenticare.

– Soprattutto per il commesso che ha dovuto fargliele provare!

Gettai uno sguardo di rimprovero al mio collega, che non si era fatto scrupolo di accompagnare la sua battuta di cattivo gusto con un sogghigno.

– Non prova nessuna pietà per quest'uomo, Garzón.

– Se devo proprio dirglielo, ispettore, mi farebbe più pena se fosse un onesto padre di famiglia con tre figli. A lei no?

– No, a me no. A me degli onesti padri di famiglia non me ne importa un cavolo. Anzi, penso che se ne facessero fuori qualcuno ogni anno la nostra società andrebbe molto meglio.

L'acredine e la veemenza delle mie parole lo misero sull'avviso. Gli conveniva non rispondere. E a me conveniva non continuare su quella strada. Che io provassi pietà per quello sconosciuto non doveva assolutamente trasformare il caso in qualcosa di speciale. Un cadavere è un cadavere, e un poliziotto non deve pensare ad altro che a scoprire chi lo ha reso tale e perché.

– Ha già richiesto una lista degli skinhead?

– Questa è un'altra bella rogna, ispettore. Da dove cominciamo? Con i dati d'archivio si può fare ben poco.

– In base alle informazioni che abbiamo, selezioni le bande che operano nella zona.

Annuì senza troppo entusiasmo. Era evidente che quell'inchiesta gli sembrava troppo stupida per suscitare in lui vera curiosità professionale. In effetti tutto appariva della massima banalità: una banda di skin ubriachi o strafatti di coca si accanisce su un barbone trovato per strada. Lo riempie di botte e lo carica in macchina. Poi due di loro lo abbandonano vicino a un parco, lo finiscono e se ne vanno. La brutalità non ha bisogno di ragioni. Non era la prima volta che si verificavano casi come quello. Eppure quel po' di organizzazione che si ravvisava dietro alla faccenda mi faceva nascere dei sospetti. Pestare a morte un uomo e poi trasportarlo in macchina da qualche altra parte dimostra un metodo, forse un piano. Anche il fatto che avessero lasciato la mazza alla portata della polizia era un po' strano. Bene, ad ogni modo avevamo ricevuto chiare istruzioni dal commissario Coronas: tutto quello che ha a che fare con le tribù urbane genera allarme nell'opinione pubblica. Questo significava che dovevamo dedicarci esclusivamente a quell'indagine e portarla a termine quanto prima. Altrimenti rischiavamo di essere assaliti da un'orda di giornalisti pronta a vendicare con la penna il barbone assassinato. Garzón era costretto a star zitto, disponevamo del placet ufficiale per battere tutte le strade possibili. Avremmo mostrato la foto del cadavere a tutti gli emarginati della città, se fosse stato necessario, dal primo all'ultimo. Che la curiosità ci fosse o no, le indicazioni erano chiare e dovevamo seguirle.

La collaborazione fra le diverse forze dell'ordine non è quasi mai esemplare in nessuna città, e Barcellona non fa eccezione. Non avevo nessuna voglia di recarmi ai comandi dei vigili urbani a chiedere informazioni. Sapevo che molto probabilmente mi sarei scontrata con la consueta tendenza alla lentezza e all'incomprensione. Quella volta, però, mi ricevette una giovane vigilessa completamente fuori dagli schemi. La prima cosa che mi disse vedendomi fu:

– Wow, il famoso ispettore Petra Delicado!

– Perché famosa?

– Be', sa com'è, le voci corrono.

– E cosa dicono queste voci?

– Non saprei, dicono che lei è molto originale, che non si comporta come i suoi colleghi, che non parla come loro.

Era il peggio che potesse dirmi. Non aspiravo affatto ad avere una reputazione fra i miei colleghi, né buona né cattiva, ma se per di più venivo catalogata come originale la cosa si complicava. In genere la gente esclama «molto originale!» davanti a un quadro che in realtà considera spaventoso o a qualcosa che ritiene incomprensibile. Non avevo nessuna intenzione di ascoltare una parola di più. Osservai con attenzione la ragazza. Portava i capelli raccolti con civetteria, aveva gli occhi leggermente truccati. Probabilmente aveva un fidanzato serio e lavoratore con cui progettava di sposarsi.

– Ho bisogno di informazioni sui barboni di questa città, signorina.

– Mi chiamo Yolanda.

– Bene, Yolanda, voglio sapere come funziona il mondo dei senza fissa dimora. Se disponete di un archivio o di dati su di loro. Se sapete dove si incontrano, cosa fanno, quali istituzioni li accolgono. Insomma, un po' di informazioni generali.

Alzò gli occhi al cielo e sospirò, mettendosi al computer.

– Oh, ispettore, speravo che si trattasse di qualcosa di più interessante!

– Sto indagando su un omicidio. Ti pare poco interessante un omicidio?

– No, un omicidio va benissimo, ma credevo che mi avrebbe chiesto cose più impegnative.

– Tutto a suo tempo. Per il momento devo ammettere che non abbiamo la minima idea di come funzioni il mondo in cui vive questa gente.

– Già, nessuno ne sa molto. Comunque in genere non commettono reati, e negli archivi figurano solo dati molto generici.

Batté sulla tastiera con evidente delusione. Guardò l'orologio. Mi domandai cosa diavolo si fosse aspettata dalla mia visita. All'improvviso alzò gli occhi e mi fece una domanda a bruciapelo:

– Senta, ispettore, è vero che ha divorziato due volte?

Una luce rossa lampeggiò violentemente dentro di me.

– Yolanda, tesoro, sarò molto sincera. Capisco che tu ti annoi. La vita nelle forze dell'ordine non è così appassionante come la gente crede. E non lo è nemmeno nel mio caso. Ad ogni modo, se quello che vuoi è un po' di avventura, ti consiglio di cercarla nella tua vita privata. Per esempio, scopare il più possibile dà eccellenti risultati, mi capisci?

Il suo volto levigato si tinse di un rosso intenso. Spalancò gli occhi come se non credesse a quel che aveva sentito e poi si asserragliò dietro lo schermo del computer senza dire una parola. Il silenzio si fece teso, e respirai con sollievo quando le sentii dire:

– Le stampo la pagina?

– Grazie.

Lessi il foglio che mi porse, cercando di non lasciar trasparire il mio imbarazzo.

I soggetti denominati «senza fissa dimora» hanno a disposizione due tipi di servizi: ambulatoriali e residenziali. Se ne occupano tanto gli enti pubblici quanto istituzioni private, quasi sempre vincolate alla Chiesa. Esistono ricoveri notturni e centri diurni. I soggiorni nei ricoveri notturni non possono superare i quindici giorni. Solitamente i senza fissa dimora sono sprovvisti di documenti di identità ed è impossibile localizzarne i familiari. Il loro livello di conflittualità è scarso. Gli arresti effettuati sono generalmente legati all'etilismo, che può generare stati di ubriachezza molesta, con aggressioni verbali, comportamenti pericolosi lungo le vie di transito o schiamazzi in luoghi pubblici o esercizi commerciali. In genere non vengono presentate denunce a loro carico. Se ne raccomanda l'affidamento immediato alle strutture dei Servizi Sociali.

Bene, questo poteva servire come punto di partenza, ma poiché noi poliziotti cerchiamo sempre una collocazione precisa dei fatti, avevo bisogno di sapere dove localizzare questi cittadini di terza categoria. Yolanda cercò di venire incontro alla mia richiesta con aria decisamente spaventata.

– Be', ispettore Delicado, lei sa che questi soggetti tendono a disperdersi e a vivere in solitudine. È vero, anche per nostra esperienza, che a volte formano dei gruppi, per quanto non molto coesi, e in questo caso capita che vadano a dormire in qualche cantiere abbandonato o proprietà occupata, dove può trovare rifugio ogni genere di emarginati.

– Avete individuato alcuni di questi punti?

– Credo di sì. Ora vado a cercare le informazioni e gliele porto subito. Col suo permesso.

Uscì sparata dall'ufficio, probabilmente ansiosa di perdermi di vista per sempre. Aveva cambiato completamente atteggiamento e modo di parlare. Adesso si esprimeva come un comunicato ufficiale. Ecco che cosa avevo guadagnato con il mio malumore e la mia intolleranza. E tutto perché la ragazza voleva sapere qualcosa di più su Petra Delicado. Che cosa c'era di male in una piccola mitizzazione della mia persona? Se avessi avuto un po' più di intelligenza avrei potuto perfino trarne vantaggio e soddisfazione: Petra Delicado, il poliziotto originale e diverso da tutti gli altri, con un burrascoso passato sentimentale. Garzón me lo diceva fin troppo spesso: «Sta mettendo su un caratteraccio da colonnello in pensione, ispettore». E aveva ragione. Cercavo di preservare la mia privacy come se delle mie antiche battaglie potesse davvero importare qualcosa a qualcuno. Osservai gli oggetti sulla scrivania di Yolanda: tutto in perfetto ordine, pronto per una giornata di lavoro che io le avevo già rovinato. Ma ormai non c'era più niente da fare. Come avrei potuto rimediare? Potevo forse scusarmi, assicurandole che l'avevo quasi mandata al diavolo senza cattive intenzioni?

Tornò con un foglio e me lo porse rispettosamente.

– Mi dicono che all'ex caserma di San Andreu si accampa una colonia quasi permanente di emarginati che un giorno o l'altro dovremo far sgomberare. Ce ne sono altri che si riuniscono in un terreno di proprietà delle ferrovie, all'uscita della città. Lì ci sono un paio di vagoni abbandonati e tre vecchie baracche di cantiere di cui si servono come riparo. Qui troverà gli indirizzi e le piantine per arrivarci.

– Per il momento sarà sufficiente. Ti lascio la foto di quest'uomo, nel caso qualcuno di voi l'abbia fermato o gli abbia prestato aiuto in passato. D'accordo?

– Sì, ispettore, faremo il possibile.

La ringraziai in modo davvero vergognoso, come se avessi paura di mostrare il minimo segno di cordialità o di educazione. Tanto valeva essere coerente con l'immagine funesta che davo di me, perfezionare la mia antipatia.

Uscii, in preda a un profondo disagio. Guardai meccanicamente l'ora ed entrai in un bar. Era da un po' che non bevevo qualcosa per liberarmi dei miei fantasmi interiori, e quella non era una cattiva occasione per riprendere le buone abitudini. Ordinai un gin con ghiaccio e me lo bevvi a sorsi coscienziosi, come chi inghiotte il dolore in solitudine. Non si poteva negare che la mia fosse stata una reazione ben strana. Una ragazza cerca di farmi una domanda in tono di complicità e io le rispondo con un'impertinenza: pensi a scopare se vuole delle avventure. Certo, molto indicato. Forse le stavo prescrivendo la medicina di cui avevo bisogno io. O forse, più semplicemente, stavo invecchiando. Mi dava fastidio dover riconoscere che la gioventù, con tutti gli annessi e connessi, era ancora là, mentre io me ne stavo a guardare. Agli entusiasmi e alla voglia di vivere altrui opponevo il mio scetticismo, sempre più rigido, sempre più astioso, sempre più nichilista. Rabbrividii come se un ragno mi si fosse arrampicato sul dorso della mano; ma era inutile scuoterlo via, quel ragno ero io.

Solo il suono del cellulare mi fece desistere dall'ordinare un secondo gin, i cui effetti, a quell'ora, sarebbero stati devastanti. L'importuno salvatore era Garzón.

– Ispettore, ci sto arrivando, ma non mi sento ancora di dirle niente, le faccio sapere dopo.

Chissà perché, mi venne fuori una voce rabbiosa e sprezzante:

– Cos'ha, viceispettore? Parla in codice o si tratta di un'astrazione filosofica? Si può sapere dove sta arrivando? Cos'è che non si sente di dire? Quando sarebbe, dopo?

– Miseriaccia! – esclamò Garzón sottovoce, e poi tornò al tono normale per dirmi, senza mostrarsi minimamente stupito: – Volevo solo farle sapere che sono sulla pista delle bande di skin, ma che non avrò in mano niente di preciso fino al tardo pomeriggio. Mi ha capito adesso?

– Un po' meglio.

– Cos'è successo, Petra? Ha avuto da dire con Coronas? C'è qualcosa che non va?

– Perché dovrebbe esserci qualcosa che non va? Ho mai avuto bisogno di un buon motivo per essere sgradevole?

– Mai! In questo sì che ha ragione. Be', lasciamo stare. La chiamerò più tardi, e mi raccomando, mantenga il buonumore.

Cosa dovevo fare ormai per scandalizzare o infastidire il mio sottoposto? Sfidarlo a duello? Spogliarmi nuda in mezzo a plaza Cataluña? In fin dei conti la gente se ne fregava delle mie impertinenze da vecchia isterica. La giornata cominciava male, questo era chiaro.

Avevo in tasca un biglietto col nome del responsabile dei servizi sociali a cui dovevo far visita: il dottor Ricard Crespo. Un nome come un altro. Non avevo nessuna fretta, avrei fatto una passeggiata fino al suo ufficio per riempirmi d'aria i polmoni. L'atmosfera claustrofobica degli uffici pubblici mi ha sempre tolto il respiro. Strinsi la cintura dell'impermeabile e affrettai il passo, come si fa quando si vuole passare inosservati in città.

All'altezza di calle Pelayo una donna attrasse la mia attenzione. Immagino che in altre circostanze non l'avrei nemmeno notata. Era una barbona che trascinava un carrello della spesa. Istintivamente la seguii. Era piuttosto vecchia e camminava piano. Una coperta le copriva le spalle, in testa aveva un basco bisunto. Mi resi subito conto che non stava andando da nessuna parte. Si fermava, guardava da lontano le vetrine dei negozi, poi riprendeva stancamente la marcia per fermarsi poco dopo. Mi avvicinai e, in uno degli atti più ingiustificati della mia esistenza, la abbordai mostrandole la foto del cadavere. Non appena gliela misi sotto gli occhi vuoti, capii che quel che cercavo di ottenere da lei era del tutto assurdo.

– Conosce quest'uomo? – chiesi, ormai in pieno surrealismo.

La donna non guardò la fotografia, guardò me, e non mi vide. Cominciò a farfugliare qualcosa di incomprensibile, indicando i tetti degli edifici intorno a noi. Senza che me ne accorgessi, si era avvicinato un tale.

– Non si affatichi, questa poveretta non ci sta con la testa. Io sono il portinaio del palazzo e la vedo sempre lì. Non ragiona. Le serve qualcosa?

Dissi di no con decisione, come se fossi stata colta in fallo. Era pericoloso soddisfare la curiosità di quell'uomo dicendogli che ero un poliziotto e stavo svolgendo delle indagini.

Mi allontanai, seguita dal suo sguardo diffidente. La barbona non si era resa conto di niente, mi aveva dato le spalle e i suoi passi senza meta la stavano riconducendo verso il punto da dove era venuta. Non era stato così inutile avvicinarla, ora sapevo qualcosa che pochi attimi prima non conoscevo: mi ero affacciata ai suoi occhi, e l'abisso di un precipizio senza fondo mi terrorizzava ancora. Era un nulla nebuloso, freddo come la morte, una terza dimensione che non è dato percepire nella vita normale. Calle Pelayo, affollata a quell'ora di gente che passeggiava, guardava le vetrine e faceva acquisti muovendosi a tutta velocità, si era trasformata per qualche istante in un luogo fuori dal mondo, spettrale. Lì, in mezzo a tanta animazione e concretezza, si era spalancato davanti a me un deserto di ghiaccio, di assenza, di fantasmi silenziosi e dolenti senza volto e senza vita. Ebbi paura, una paura spaventosa, perché quello sguardo mi aveva condotta ai confini di un territorio orribile che esisteva anche dentro di me. Non era quella l'angoscia che ci accompagnava sempre, nascosta fra le cose quotidiane? Non eravamo in realtà tutti quanti a un passo dalla pianura desolata? Che cosa poteva condurci laggiù? Una malattia mentale? Una delusione d'amore? Il venir meno delle forze per tirare avanti? Come aveva potuto quella donna ridursi a quello che era? Che cosa c'era nel suo passato? In che modo aveva compiuto il salto da una vita normale alla desolazione che si leggeva nei suoi occhi? Un tempo doveva essere stata una donna giovane, doveva aver amato, doveva essersi comprata un vestito nuovo per essere più bella. Che cosa l'aveva trascinata a vivere in quelle solitudini? Quando, e perché? Il cuore mi batteva. Quel che mi spaventò di più fu che nulla di tutto ciò mi era estraneo. La mia mente fu investita da una raffica di immagini: io, sola e coperta di stracci in una città incomprensibile, senza famiglia, senza amici... Fortunatamente mi controllai, ma solo fino a un certo punto, perché presi subito il cellulare e chiamai Garzón.

– Viceispettore, lei è mio amico, vero?

Di sicuro pensò che mi preparassi a lanciargli un'invettiva carica di sarcasmo, perché alzò la guardia.

– Ispettore Delicado, le assicuro che non è facile come sembra stendere una lista di skin. Molti non sono mai stati fermati, altri...

Lo interruppi cercando di non mostrarmi troppo ansiosa.

– Le sto parlando di amicizia, non di lavoro.

Neanche allora mi credette.

– Senta, Petra, perché non si decide a sparare, così capisco da che parte vengono i colpi?

Bene, questo era il risultato del trattamento al vetriolo che riservavo al mio prossimo. Neppure se lo imploravo il mio diretto collaboratore riusciva a immaginare che non avessi in serbo un cazziatone. Feci un ultimo disperato tentativo.

– Mi dica una cosa, Garzón, quando sarò vecchia e mi ricovereranno in una casa di riposo, lei verrà a trovarmi qualche volta?

– Sì, ispettore, certo che ci verrò, ma non credo proprio che quando le porterò questa benedetta lista lei sarà così vecchia. In fondo ci sto lavorando solo da stamattina, non mi sembra il caso di metterla giù così.

– Verrà o non verrà?

– Verrò, e oltre alla lista degli skin le porterò una tortina di mele, d'accordo?

Aveva un tono stanco. Non ne poteva più del mio sarcasmo. Non sarebbe mai venuto a trovarmi in nessuna casa di riposo, e nemmeno sarebbe venuto in ospedale se mi fossi rotta una gamba il giorno dopo. Me l'ero cercata. Il mio amore per l'indipendenza, il mio desiderio di solitudine, le mie battute sarcastiche, l'avversione che a volte provavo per la presenza di chiunque... prima o poi ne avrei pagato lo scotto. Eccome se l'avrei pagato, magari vestita di stracci, vagando senza meta per la città.

Entrai in un altro bar e buttai giù un altro bicchiere. Questa volta come terapia d'urto. Poi uscii determinata a lavorare, senza nessuna speranza di trovare il giusto livello di concentrazione.

L'indirizzo che avevo in tasca mi condusse all'Hospital Clínico. Il dottor Crespo era il responsabile dei senza fissa dimora per i servizi sociali cittadini. Ma svolgeva questa mansione solo un paio di giorni la settimana, e per il resto del tempo lavorava in un reparto psichiatrico. Devo dire che l'ambiente dell'ospedale non contribuì affatto a risollevarmi l'umore. Il Clínico occupa una costruzione vetusta e malandata, lugubre come una casa di carità dell'Ottocento. Studenti, pazienti male in arnese e figure in camice bianco si incrociano in interminabili corridoi che avrebbero urgente bisogno di una mano di pittura. Non fu facile trovare il reparto di psichiatria e nemmeno, una volta lì, incontrare il dottor Crespo. Un'infermiera mi informò in termini vaghi:

– Il dottore dev'essere in giro. Se vuole può aspettarlo. Non ho idea di quanto ci metterà.

– Non ha un orario fisso?

– Vede, il dottor Crespo è un uomo un po'... particolare. Ma verrà, le assicuro che verrà.

Mi sorrise enigmatica. Be', non avevo fretta, quindi mi sedetti in un angolo dell'affollata sala d'aspetto.

Fu un'attesa tormentata da visioni inquietanti. Vecchi accompagnati da infermiere in preda a un'alienazione quasi completa, donne che aspettavano immobili con lo sguardo fisso sul pavimento. Un giovane inebetito emetteva di tanto in tanto un lamento penoso, come un guaito; sua madre, seduta accanto a lui, sembrava averci fatto l'abitudine, al punto da non badarci più. Mio Dio, pensai, qualunque ambiente malavitoso è più piacevole. Cominciavo a pensare che quell'inchiesta mi avrebbe gettata nella più nera delle depressioni.

Dopo un'ora che ero seduta lì, il dottor Crespo non aveva ancora dato segni di vita. Mi alzai e chiesi di lui alla ragazza con cui avevo parlato prima.

– È vero, oggi il dottore è un po' in ritardo.

– Ma non può avvisarlo con il cercapersone o qualcosa del genere?

Sorrise con uno strano atteggiamento di sufficienza.

– Il dottor Crespo si rifiuta di usare il cercapersone. Gliel'ho detto che è fatto a modo suo.

Tornai al mio posto. Chiusi gli occhi, forse per risparmiarmi lo spettacolo grottesco della follia che mi circondava. L'effetto dell'alcol unito all'odore narcotizzante che sempre aleggia negli ospedali mi conciliò il sonno. La prima volta che riapersi gli occhi, mi accorsi che l'infermiera e un uomo in camice bianco mi stavano guardando. Balzai in piedi di colpo.

– Il dottore è arrivato.

Lo osservai con attenzione. Era alto e estremamente magro. Aveva le tempie brizzolate e uno sguardo penetrante. Sotto il camice aperto e spiegazzato, portava abiti informali: un maglione nero e dei pantaloni di velluto a coste, il tutto altrettanto sgualcito.

– Buongiorno, dottore. Sono Petra Delicado, volevo... – Mi interruppe senza dire una parola, aprendo la porta del suo studio. Mi invitò a entrare con un cenno della testa. Nella stanza regnava il caos. C'erano carte ammucchiate dappertutto, sui ripiani, sulla scrivania, sul pavimento. Due portacenere traboccavano di mozziconi maleodoranti. Si sedette, e così feci anch'io, dopo aver liberato la sedia da una pila di cartelline.

– L'infermiera mi ha detto che lei è commissario di polizia.

– Ispettore, solo ispettore.

– Per me è uguale, mi mette la stessa soggezione. Potrebbe farmi vedere la pistola?

Rimasi stupefatta. Chi mi trovavo di fronte? Uno psichiatra pazzo, o un semplice burlone? Esitai.

– Be', vede, non è una cosa che si fa di solito.

– Le cose che si fanno di solito sono sempre le più noiose. In fondo non le sto chiedendo niente di strano. Non ho mai parlato con nessuno che vada in giro con la pistola. Sono soltanto curioso.

Non avevo nessun copione pronto per quel frangente, e come un'imbecille feci quel che mi veniva chiesto. Tirai fuori dalla borsa la mia Glock e gliela mostrai sul palmo della mano. Crespo allungò il collo e la osservò come un pericoloso animale pronto a saltargli addosso da un momento all'altro. Inarcò le sopracciglia e sorrise.

– Caspita! Che effetto le fa? Porta la morte in borsetta insieme alla cipria. Una vita pericolosa, la sua!

Mi sentii penosamente ridicola e gli sferrai un primo attacco pieno di irritazione.

– Vede, dottor Crespo, non ho mai tenuto la cipria

in borsetta e, anche se lei non ci crederà, non ho mai ammazzato nessuno, né con la pistola né con altri metodi. E adesso, se pensa di aver saziato le sue curiosità, mi piacerebbe spiegarle perché sono qui.

Non ebbe alcuna reazione. Si limitò a guardarmi in modo divertito, come se quella stupida conversazione lo soddisfacesse pienamente. O detestava la polizia o era matto da legare.

– In realtà avrei molte altre cose da domandarle sulla vita di una donna poliziotto, ma immagino che lei non abbia voglia di rispondere.

– Preferisco che a rispondere sia lei.

– Ma prego! Sono già dieci minuti che è nel mio ufficio e non mi ha ancora fatto una sola domanda. La avverto che anch'io sono molto occupato, anche se non ho una pistola.

Aprii la bocca incredula, feci una smorfia perplessa e rassegnata nello stesso tempo e tirai fuori la foto del cadavere. Gliela piazzai sotto gli occhi con una certa violenza.

– Ha mai visto quest'uomo, dottore? Nel suo ambulatorio, presso il servizio psichiatrico?

La guardò serio, e dal suo volto si cancellò qualunque accenno di gioco o di ironia. Si accese una sigaretta.

– È stato ucciso?

– Sì, a botte, a quanto pare.

– Si sa chi è stato?

– Sono qui per scoprirlo. Può rispondere, per favore?

– Non l'ho mai visto, ma non sono il solo a visitare i barboni di tutta la città. Nel servizio che dirigo lavorano anche altri psichiatri. Se mi dà la foto possiamo passarla allo scanner e inviarla subito a tutti i miei collaboratori per posta elettronica.

– Ottima idea.

Si alzò e uscì. Tornò dopo pochi minuti.

– Può raccontarmi qualcosa su questo tipo di persone?

– In fondo è gente che non rappresenta un grave problema per nessuno, se vuole che le dica la verità. Questo servizio è stato creato soprattutto a titolo rappresentativo, così i nostri politici possono dire di preoccuparsi per gli homeless, come a New York. Ma nessuno rivendica niente di particolare per loro. Non costituiscono una vera e propria categoria sociale, non hanno un sindacato, non protestano...

– Mi racconti qualcosa di più.

– Molti di loro, non tutti, soffrono di disturbi mentali gravi o hanno seri problemi di alcolismo. Ma come può immaginare, è molto difficile curarli. Vengono portati qui, ma non vogliono tornare, non seguono la terapia... Noi possiamo solo prescrivere qualche ricovero urgente in caso di necessità.

– Non hanno parenti?

– Se ne hanno, non vogliono più saperne. A volte ignorano perfino il proprio nome e quanti anni hanno. Ce ne sono sempre di più, e l'età media tende continuamente a scendere.

– Emarginati dal sistema.

– Se vuole mettersi la coscienza a posto può pensare che sono loro ad autoemarginarsi.

– Lei cosa ne pensa?

– Noi psichiatri non pensiamo, ispettore, siamo una parete bianca su cui rimbalzano i mali altrui.

– Non so se ho capito bene.

– Non importa. Per lei dev'essere più o meno lo stesso, no? Un poliziotto non analizza i motivi che portano al delitto, si limita a cercare di scoprire chi l'ha commesso.

– Io ho le mie idee.

– Non servono a granché, mi creda. Lei può risolvere cento casi di omicidio, ma se ne ritroverà sempre altri cento davanti. Io posso occuparmi di cento emarginati, ma loro continueranno a vivere nell'emarginazione. Il nostro è un lavoro sterile.

– Non è molto incoraggiante.

– Infatti. Certo, io posso sempre lenire in qualche modo le sofferenze altrui, mentre lei...

– Non pretendo certo di essere una samaritana universale, ma quando arrestiamo un assassino, a volte i familiari delle vittime si sentono confortati.

– In questo specifico caso, ne dubito. È molto probabile che quest'uomo non abbia nessuno che lo pianga e che possa trovare conforto nella giustizia. Può darsi perfino che qualcuno si rallegri della sua morte. Lo Stato, se non altro: un parassita in meno da nascondere in occasione di visite ufficiali. Quello non ha nessuno, mi creda.

– Ha me.

Batté le mani.

– Brava, ispettore, complimenti! Dieci in condotta. La vendicatrice solitaria dei poveri. Dio probabilmente gliene renderà grazie, può darsi che le riservi perfino un posto in paradiso.

Mi alzai. Non volevo rispondere alle sue provocazioni, quel giorno avevo già litigato abbastanza. Sorrisi con aria di superiorità:

– Adesso devo andare, dottor Crespo. Si assicuri che tutti i medici del suo servizio vedano quella foto, e anche gli infermieri. Quanta più gente la vede meglio è. E se non le sembra di sprecare troppo tempo in una faccenda inutile, appena sa qualcosa mi chiami. Qui c'è il mio numero di telefono.

– Posso usarlo anche per invitarla a prendere un aperitivo?

Ero già sulla porta. Voltai la testa e dissi semplicemente:

– No.

Era mai possibile che la salute mentale di chiunque, per emarginato che fosse, finisse nelle mani di un tipo simile? Un cinico, un arrogante, un individuo disumano e mezzo matto, per di più con lo studio in un disordine spaventoso, gli abiti spiegazzati, i capelli da far spavento... Un perfetto cretino... Sbuffai, sull'orlo della più completa indignazione. E questi erano i cittadini rispettabili, quelli che dovrebbero rappresentare la parte sana della società. Non entrai in un altro bar perché temevo di non riuscire più a controllarmi e di tornare all'ospedale per dire a quell'essere cosa pensavo di lui. Bell'affare! Avevo sfoderato tutto il mio malanimo con una vigilessa gentilissima e non avevo aperto bocca davanti a un tipo che si meritava ben di peggio. Non ero minimamente orgogliosa di me. Chissà se ero ancora in tempo per cercare di rimediare? Ci avrei pensato quando mi fossi sentita un po' più tranquilla.

2

Due giorni dopo l'assassinio del nostro homeless personale ci trovavamo esattamente al punto di partenza. Garzón non era ancora riuscito a completare una lista attendibile delle bande urbane e nessuno aveva identificato la fotografia della vittima. Il confronto delle impronte si era rivelato negativo e i risultati del sopralluogo altrettanto infruttuosi. Non era ancora stata effettuata l'autopsia. Eppure era troppo presto perché il commissario Coronas ci chiamasse a rapporto. Per questo ci colse di sorpresa il suo desiderio di «vederci immediatamente». Garzón, esperto politologo di commissariato, trovò subito una spiegazione plausibile: i giornali. Ancora una volta i giornalisti di nera si erano dati a coltivare il cosiddetto «allarme dell'opinione pubblica» circa le incontrollate bande di skin che imperversavano in città. Anch'io avevo letto le cronache, ma non vi avevo dato troppa importanza. Tuttavia, Garzón, a quanto pare anche massmediologo, avanzò un'altra spiegazione.

L'importanza che assumevano certi argomenti dipendeva in larga misura dall'attualità nel suo complesso. Se c'erano notizie più succose da trattare, e per succose erano da intendersi fatti più scabrosi e allarmanti a livello nazionale, allora la cronaca cittadina passava in secondo piano.

Bisogna dire che le teorie di Garzón, nate dalla pratica quotidiana, erano infallibili. Tutto quel che aveva detto venne confermato punto per punto. Coronas aveva ricevuto una telefonata dal capo della polizia. Gli skin stavano diventando una faccenda seria che minacciava di assumere una piega politica. Se non ci fossimo affrettati a trovare i colpevoli, saremmo stati accusati di permissivismo nei confronti delle bande paramilitari che seminavano il terrore nelle fasce più disagiate della popolazione. E dal permissivismo alla connivenza il passo è breve.

Il commissario era incazzato nero, come no! Ma la sua incazzatura aveva più bersagli. Il capo della polizia che aveva ceduto alla pressione dei media, gli stessi media che ficcavano sempre il naso ingigantendo le cose e, naturalmente, noi, che in tre giorni non eravamo neppure riusciti a identificare la vittima.

In tono piuttosto acceso, ma senza giungere all'enfasi melodrammatica delle sue geremiadi ufficiali, ci interrogò con voce tonante:

– Cosa avete fatto in tutto questo tempo?

– Una lista delle persone sospette e delle indagini nell'ambiente dei senza fissa dimora. Ma non abbiamo ancora concluso.

– E l'autopsia?

– Non è stata ancora effettuata.

– Senta, Petra, finora si poteva pensare che si trat-

42

tasse di un caso di routine, ma adesso vedete bene che non è così. Quindi lasciate da parte tutto il resto. Vi esonero da ogni altro impegno. Questo significa che voglio dei risultati, non importa quali, entro quarantott'ore al più tardi.

– Non so se sarà così facile, commissario, questi barboni sfuggono a qualunque controllo. E poi, senza il referto dell'autopsia...

– Parlate col giudice perché solleciti il medico legale, altrimenti a tagliare la pancia al morto ci andrete voi personalmente. Fate come vi pare, per me è lo stesso.

– Capisco che la morte di quell'uomo abbia creato un certo allarme...

– Ah, capisce? Ma cosa cavolo capisce lei? Crede davvero che a qualcuno gliene importi di quel rifiuto umano? A lei gliene importa qualcosa?

– A me sì. Era un uomo.

– Non se ne venga fuori con la commedia umanitaria, adesso! A nessuno gliene importa un fico secco che abbiano ammazzato quello lì, né al nostro capo, né ai giornalisti, né all'opinione pubblica. All'opinione pubblica meno che meno. E nemmeno a lei, ne sono sicuro. Ma abbiamo il dovere di comportarci come se fossimo un'opera pia. Impegno concreto, ecco cosa ci vuole.

Rimanemmo zitti, mentre lui si passava la mano sulla faccia come faceva sempre quando c'era qualcosa che gli pesava, quando gli toccava affrontare un compito in cui non credeva.

– E lei, Garzón, che non ha ancora aperto bocca? Cosa aspetta a consegnare quella lista? Si tratta di individuare quattro cretini, non di mettere insieme una classifica dei delinquenti più ricercati dall'Interpol. Voglio che mi becchiate un paio di teste rapate da dare in pasto alla stampa. Chiaro? Saranno pure serviti a qualcosa tutti gli anni di servizio che ha alle spalle, o no?

– Chiarissimo, signor commissario. Solo che volevo aggiustare bene il tiro, altrimenti non la finiamo più di interrogare gente.

Coronas si strofinò di nuovo la faccia. Era stanco, la sua era vera stanchezza esistenziale. Il nostro capo capiva perfettamente che non era un caso facile, sapeva che ricostruire i passi di un morto senza nome, senza famiglia né rapporti sociali non era una bazzecola, ma si sentiva costretto a spronarci duramente, e lo stava facendo. Mi dissi che esercitare l'autorità senza vera convinzione è uno dei mali del nostro tempo, perfino i politici ne soffrono. Il trionfo della sfiducia istituzionalizzata.

Mentre percorrevamo i corridoi del commissariato mi accorsi che Garzón era taciturno.

– Cosa le succede? – gli chiesi. – Non mi dirà che si lascia ancora impressionare da una sfuriata del capo.

– Ha notato quello che ha detto sugli anni che ho?

– Era solo un'allusione positiva alla sua esperienza.

– Col cazzo! Era un'allusione indiretta alla mia età. Non se ne è accorta? Qui in commissariato la gente è sempre più giovane. Un giorno di questi cercheranno di mettermi in prepensionamento. In altre parole, mi butteranno su una strada.

– Lei è fissato con questa storia dell'età. Nessuno

ha insinuato che sia vecchio, Fermín, anzi, i suoi anni...

– Lasci perdere, ispettore, lo so che lo dice per farmi piacere, ma non è vero! Sto diventando vecchio, poche palle! Come tutti quanti, del resto, ma mi secca, cosa vuol farci? E quel che mi secca di più è che un giorno o l'altro uno di quei ragazzini decerebrati che navigano in Internet occuperà il mio posto.

– Quel giorno è ancora lontano, si rilassi.

– Crede davvero a quello che dice? Lei è così... corretta! Come quando ha detto al commissario che gliene importava qualcosa della morte di quel tipo.

– Ma me ne importa davvero, Garzón. Le ho già detto che...

– Sì, che i barboni sono come dei re, che hanno qualcosa di mistico. Meno male che non l'ha detto al commissario, se no quello finiva all'unità coronarica!

Lo guardai di traverso inarcando le sopracciglia, ben sapendo di dargli fastidio.

– Ha qualcos'altro da ridire o possiamo rimetterci al lavoro?

Scosse la testa come una vittima delle ingiustizie del mondo e se la filò lungo il corridoio con l'aria di un vecchio cane scocciato. Io mi chiusi nel mio ufficio e mi sedetti. Accesi il computer e lessi le poche righe che avevo scritto sulle indagini. Ogni rimprovero che ci era stato mosso era pienamente giustificato. In realtà tutte le nostre iniziative erano state prese a caso. Ciò era in parte dovuto al fatto che ignoravamo ancora l'identità della vittima. Questo crea sempre delle difficoltà. Il peggio era che quell'uomo doveva essere completamente solo. Non c'era una famiglia a esigere giustizia, nessuno a reclamare la salma... Le tracce della sua esistenza erano minime, e se non c'è esistenza non c'è morte, e quindi nemmeno omicidio. Capii che l'unica persona su cui quel cadavere potesse contare ero io. Perché non farmi carico della giustizia nei suoi confronti? In realtà il fatto che lo avessero ucciso mi toccava profondamente. La mia fede nell'essere umano era sempre più scarsa, e per l'appunto quell'uomo era stato escluso o si era autoescluso dalla mediocre cerchia entro la quale tutti noi cerchiamo protezione. Per questo meritava rispetto, e un minimo di tutela, almeno dopo morto. E poi, i don chisciotte sono sempre stati maschi, mentre sembra che le donne debbano occuparsi esclusivamente degli aspetti pratici e realistici della vita. Bene, questa volta sarebbe stato il contrario. Per quanto miserabile fosse quell'uomo, ero decisa a dedicargli tutto il mio spirito battagliero, a fare del suo caso la migliore impresa poliziesca della mia carriera.

Osservai bene i dati di cui disponevamo. I luoghi indicati dalla vigilessa non mi dicevano niente, non sarei nemmeno riuscita a identificarli su una cartina di Barcellona. E quel che mi aveva detto lo psichiatra non mi avrebbe portata da nessuna parte. Può darsi che più avanti ci sarebbe servito per orientarci, ma al momento erano solo quattro statistiche senza sostanza. Ripensai allo psichiatra. Che tipo bizzarro! Mi chiesi se tutti noi fossimo contagiati dall'aria che ci tocca respirare per via del nostro mestiere. Se era così, io stessa dovevo essere avvolta da un alone sbirresco. Qualcosa di cui non potevo accorgermi, ma che senza dubbio si vedeva lontano un miglio. Sì, un certo fare da dura, una smorfia di sufficienza e impenetrabilità.

Mi alzai in piedi. Lasciar fluire i pensieri senza un obiettivo preciso di rado fa nascere idee interessanti. La cosa migliore è agire.

Non che mi piaccia molto andare all'Istituto di medicina legale, ma avevo la sensazione che se fossi riuscita a scovare il medico a cui era stata affidata la nostra autopsia, sarei riuscita a mandare avanti il lavoro. E se non ci fossi riuscita, avevo l'ordine di far a pezzi il morto personalmente. Bene, perché no? Tagliare la pancia ai morti non è più disdicevole di altre attività, come per esempio prendere il tè.

Il medico legale delle mie brame era di nuovo una donna, la dottoressa Caminal. Non ebbe niente in contrario a ricevermi, e quando mi presentai mi osservò con curiosità. Non so che cosa potesse colpirla di me, mentre lei come medico legale era certamente un'eccezione. Non doveva avere più di trent'anni, era bionda, carina, pettinata con classe e naturalezza. Mi chiesi perché diavolo quella ragazza si fosse scelta una professione così sinistra.

– Lo so che non mi ha chiamata lei, dottore, ma il commissario è stato così insistente che sono costretta a chiederle personalmente di accelerare i tempi.

I suoi occhi, inchiodati su di me, si mostravano decisamente sorpresi. Sorrise, scosse la testa come se non credesse a quel che vedeva.

– Accidenti, ispettore! Pensavo che solo i poliziotti della vecchia scuola facessero cose del genere, e lei non sembra affatto della vecchia scuola.

Cercai di fare una risatina, per dimostrarle che in effetti non ero della vecchia scuola.

– Be', ha ragione, venire fin qui a chiederle di farmi passare davanti nella lista d'attesa non è certo una finezza; ma non ho avuto altra scelta, a meno che non voglia fare a pezzi io stessa il cadavere. Questo è precisamente quel che mi ha ordinato il commissario.

– Caspita! Il suo commissario sì che è della vecchia scuola.

– Peggio di Hercule Poirot. È così che funzionano le cose in polizia: puoi avere un'anima progressista e innovativa finché vuoi, ma se il tuo capo è un tipo tradizionale, non c'è modo di salvarsi.

Sorrise di nuovo. Rimase in silenzio, valutando la possibilità di accogliere la mia richiesta.

– Non è molto che lavoro qui, e se comincio subito a trasgredire le regole... D'altra parte non mi dispiace rompere gli schemi se è necessario. Potrebbe aspettare un'oretta? Se si ferma cercherò di fare il possibile per consegnarle un primo referto.

Aspettai. Per fortuna non tutti al mondo avevano un caratteraccio come il mio. Quella giovane dottoressa non era stata ancora logorata dal lavoro al punto da non riuscire più a fare un favore a qualcuno. Dovevo seguire il suo esempio, cercare di scuotermi di dosso il malumore che negli ultimi mesi mi accompagnava costantemente.

Quando venne il mio turno, mi chiese se volevo stare con lei in sala durante l'autopsia. Non potevo dire di no, anche se era l'ultima cosa che desideravo al mondo.

Vidi entrare il cadavere del barbone e faticai a riconoscerlo. L'avevano lavato e pettinato. Aveva un aspetto dignitoso e imponente.

– Sembra un bell'uomo – disse il medico. – Chi è?

– Non lo sappiamo ancora. Vagava per le strade, e pare sia stato ucciso da una banda di skinhead. A botte.

– Con cosa?

– Con una mazza da baseball che abbiamo portato ad analizzare.

– Che disgraziati! Prendeteli, ispettore, non lasciateveli scappare. Quella gente merita una lezione che serva da avvertimento per tutti.

– Appunto. È per questo che la stampa ne parla, e per questo il commissario ha tanta fretta.

– Mi fa piacere di averle concesso la priorità, allora.

Si infilò i guanti e guardò l'uomo nudo che giaceva davanti a lei. Di colpo la sua espressione cambiò. Quel giovane volto femminile che sembrava avere sempre un sorriso sulle labbra, si fece concentrato e teso. Mise una mascherina.

– Dobbiamo prendere precauzioni per l'aids – disse.

Mi bastò vederla agire, vederla muovere le mani senza la minima esitazione, per rendermi conto che sapeva molto bene il fatto suo. Nel suo caso la giovane età non significava incompetenza o mancanza di esperienza.

– Venga, ispettore, guardi qua.

Accorgendosi dei miei timori, cercò di tranquillizzarmi senza ironia o sufficienza.

– Non si preoccupi, non ho tagliato ancora niente.

Inclinò la testa dell'uomo e mi mostrò una zona escoriata e tumefatta.

– Stia bene attenta: qui ha ricevuto un forte colpo con un oggetto contundente, probabilmente la mazza di cui mi ha parlato. Ma se lo giriamo un po'... – Fece leva sul braccio destro del cadavere girando su un lato l'intero torso. – Osservi qui, alla base del cranio, c'è un'altra ferita più importante. Direi che è una ferita da arma da fuoco. I bordi dell'orifizio sono fortemente entroflessi e il sanguinamento sembra essersi protratto a lungo.

– E questo cosa significa?

– Dovrò prelevare dei campioni di tessuto e farli analizzare per esserne sicura al cento per cento, ma ritengo che la ferita più grave sia precedente, potrei perfino azzardare che risalga a due o tre ore prima dell'altra. Sono quasi sicura che sia stata questa ferita da arma da fuoco a provocare la morte. Vede, dove è stato percosso, in relazione alla forza del colpo ricevuto il sangue accumulato nella zona è molto scarso. È probabile che sia stato picchiato quando era già morto.

Annuii più volte, guardando con orrore quella testa bianca e tumefatta che per la giovane dottoressa pareva non avere segreti.

– Si rende conto di quello che le sto dicendo?

– No, mi dispiace, non riesco a vedere tutte le cose che vede lei.

– Ma non possono sfuggirle i segni sotto le braccia. Entrambe le ascelle sono tumefatte. Deve essere stato trascinato di peso per un bel pezzo.

Vidi benissimo i lividi a cui si riferiva.

– È proprio come dice lei. Un testimone ha visto degli skin scaricare la vittima da una macchina e trascinarla fino a una panchina del parco.

Le mie parole la fecero riflettere. Ispezionò di nuovo i segni.

– A quanti metri si riferisce: cento, duecento?

– Erano pochi passi.

– No, è impossibile. Un tragitto così breve non basta perché si producano dei segni simili. L'hanno trascinato più a lungo; è difficile determinare quanto.

– Lei mi sta dicendo che quest'uomo non è stato ucciso al parco, ma che ci è arrivato già cadavere.

– Credo di sì. Forse gli hanno dato l'ultimo colpo per accertarsi che fosse morto.

– È possibile, dottoressa, ma può anche darsi che abbiano cercato di simulare un pestaggio perché chiunque osservasse casualmente la scena potesse testimoniare che erano stati degli skin. Una specie di macabra mascherata.

I suoi occhi discretamente incorniciati di rimmel mi guardarono al di sopra della mascherina.

– Crede di avere qualche pista?

– Non ancora, ma quello che mi ha detto è fondamentale.

– Immagino che al termine dell'autopsia avremo perlomeno il proiettile, e che una volta analizzati i tessuti potremo saperne qualcosa di più. Andiamo avanti.

Avrei voluto scappare di lì a gambe levate, ma mi pareva poco carino lasciarla sola, visto che era stata così cortese da accogliere subito la mia richiesta, e così mi tenni a prudente distanza. Tuttavia, anche se non vedevo nulla, ogni rumore giungeva al mio orecchio con nitidezza. Sentivo un paio di cesoie aprire in due la cassa toracica, gli organi molli cadere con un «flop» nei vassoi di acciaio inossidabile, qualche inclassificabile gorgoglio... Quando la bella dottoressa ebbe finito, avevo urgente bisogno di un po' d'aria e di qualcosa di forte.

– La ringrazio molto, dottoressa Caminal.

– Mi chiami Silvia e mi dia pure del tu. Ecco il proiettile, era incastrato nell'encefalo.

– Parrebbe un nove millimetri corto.

– Questo lo saprà lei meglio di me.

– Senti, Silvia, perché non vieni con me fino al bar all'angolo, così prendiamo qualcosa insieme? Tanto per non perdere le tradizioni della vecchia scuola.

– D'accordo, seguiamo pure le vecchie tradizioni.

Silvia non beveva. Quella giovane donna, che aveva scelto di affrontare gli aspetti più duri della vita, prendeva solo succhi di frutta. Esercitava la sua professione tranquillamente, senza bisogno di stimolanti supplementari. La domanda che avevo cercato in ogni modo di evitare mi uscì inaspettata.

– Di sicuro te lo avranno già chiesto mille volte, ma devo dire che vedendoti lavorare qui oggi...

– Sì, lo so, vuoi sapere perché una ragazza giovane come me si è scelta un mestiere così spaventoso. Ma sono brava in quello che faccio, sai? E credo che un giorno sarò la migliore. Ho ricevuto la lode in tutti gli esami di specializzazione. Ho i miei progetti. Sono decisa a raggiungere i vertici della professione.

– Hai le idee chiare sul tuo futuro.

– Sì. E so anche che non avrò figli e che non mi sposerò, se il matrimonio dovesse mettere in pericolo la mia carriera. Adesso siamo in molte a pensarla così, il fatto è che quasi nessuna lo dice. È una cosa che non fa una bella impressione.

Mi guardò con l'innocenza di una bambina dell'asilo.

– Ma anche tu devi avere avuto le idee chiare per decidere di entrare in polizia.

– Io? No, io non ci vedevo chiaro all'inizio e continuo a brancolare nel buio anche adesso. E non solo in campo professionale, anche in tutto il resto. Se faccio A, ho immediatamente la sensazione che avrei dovuto fare B. Ma se cambio, penso che mi sto lasciando influenzare dall'opinione altrui. Se faccio la dura con qualcuno, mi pento immediatamente, ma se mi mostro troppo gentile, temo di lasciarmi calpestare. Insomma… a volte ho l'impressione che farei meglio a lasciar perdere tutto.

Mi guardava stupefatta. Senza dubbio non si aspettava una simile dichiarazione di insicurezza da parte di una come me.

– Riesci a capirlo? – le chiesi.

– No – mi rispose sinceramente. – Io pensavo che le

donne della tua generazione fossero come rocce. In fondo siete state voi ad aprire la strada.

Finii la mia birra con aria fatalista.

– Non lasciarti ingannare: è vero, siamo forti, ma per aprire una strada prima bisogna sapersela scegliere, ed è lì il difficile.

– Ho la sensazione che adesso sia più facile.

– Non lo so, io probabilmente riuscirei a confondermi anche adesso, le complicazioni sono la mia specialità.

Ci guardammo con simpatia. Non avrei mai pensato di poter provare un sentimento simile per qualcuno che rifiutava l'alcol e il tabacco, ma era così. Forse col tempo stavo cominciando anch'io a perdere colpi.

Osservare l'espressione di Garzón mentre gli riferivo i primi risultati dell'autopsia fu un vero piacere. Era al massimo della concentrazione, elaborava congetture su congetture senza dire una sola parola. Quando ebbi finito, lasciai che esprimesse la sua opinione.

– Che impressione le fa tutto questo?

– Vediamo. Riordiniamo i fatti. Se degli skin sparano addosso a uno e poi si prendono il disturbo di portarlo da un'altra parte, tutto fa pensare che si sia trattato di un'azione premeditata. Lo conoscevano, magari solo di vista, e avevano deciso di farlo fuori. E se dopo avergli sparato gli danno una mazzata in testa, è perché vogliono far capire chiaramente di essere degli skin.

– Crede che avessero avuto a che fare tra di loro in precedenza?

– Questo non è detto. Skin e barboni sono nemici naturali. Non è che gatti e topi abbiano molti rapporti fra loro. E i lupi vanno a cercare le pecore per una cosa sola.

– Ma se non ci sono rapporti, perché prendersi tanto disturbo?

– Pensa che quei figli di puttana ammazzino in preda a raptus passionale? No, figuriamoci, quelli sono capacissimi di scegliersi una vittima a caso, e di seguirla, anche per parecchi giorni, finché non si presenta l'occasione giusta. Le loro teorie si basano su slogan del tipo «ripulire la società dai parassiti» e altre castronerie simili.

– Quindi secondo lei era una banda organizzata che andava in cerca di barboni al solo scopo di farli sparire.

– Non necessariamente, ispettore. Magari se lo vedevano davanti tutti i giorni nello stesso posto, chi lo sa! Magari nella zona dove abita uno di loro, o vicino al bar dove si ritrovano, finché decidono di toglierlo definitivamente di mezzo. Fra gli skin ci sono dei ragazzini che si limitano a giocare con l'atteggiamento paramilitare, ma anche dei veri bastardi con una lunga storia di reati alle spalle. Aspetti di vedere la lista che ho messo giù. Chiunque di loro potrebbe arrivare all'omicidio.

– E se non fossero degli skin, e si fossero travestiti perché qualcuno li identificasse come tali? Questo giustificherebbe le percosse inutili, e l'abbandono di quella mazza da baseball, da manuale.

– Ma allora chi erano? Mi è difficile credere che l'assassinio di un barbone richieda tanta preparazione. Se non ci sono di mezzo né droga né soldi… E poi, era notte fonda, che ci fosse un testimone non era così prevedibile.

– Ci sono sempre testimoni in uno spazio aperto in mezzo alla città. Bisogna assolutamente identificare la vittima.

– Senz'altro. Preparo gli interrogatori degli skinhead?

– Sì, domattina gli diamo una bella ripassata.

– Ispettore, com'è riuscita a ottenere l'autopsia se non toccava ancora a noi?

– Sono ricorsa ai metodi polizieschi della vecchia scuola.

– Credevo che lei non andasse molto d'accordo con la vecchia scuola.

– Infatti, ma mi sono resa conto che agire sempre secondo le proprie idee può ostacolare l'azione.

– Già – fu la sua succinta risposta. Non sapeva che pesci pigliare, forse temeva che da un momento all'altro me ne uscissi con qualche rompicapo filosofico-esistenziale su cui non aveva mai riflettuto. Rimase immobile, in attesa del seguito. Feci la faccia più seria che potei, per mettere bene in chiaro che non avevo nessuna voglia di scherzare.

– Le ho detto che l'assassinio di quell'uomo non mi lasciava indifferente. E la sa una cosa, Fermín? È la pura verità. Quindi intendo risolvere questo caso, dovesse anche essere l'ultima cosa che farò nella mia sterile vita. E se per riuscirci mi toccherà adottare procedimenti superati, lo farò. Anzi, se a un certo punto non ci sarà altro da fare che forzare i limiti della legalità, li forzerò. D'ora in avanti è come se lei non mi conoscesse, Garzón, perché le assicuro che non mi riconoscerà.

Lungi dal mostrarsi sorpresa, la faccia del mio vice parve esprimere assenso. Sì, adesso la mia reazione gli sembrava più normale. L'esperienza gli aveva insegnato che era inutile aspettarsi un progetto semplice da me.

– Un certo dottor Ricard Crespo vuole vederla, ispettore. Dice che lei lo conosce già.

L'agente aspettava la mia risposta, ma io ero così sorpresa che lo guardai inebetita.

– Lo faccio passare o no? Gli abbiamo già chiesto la carta d'identità.

Mi ricordavo perfettamente di lui, del suo aspetto trasandato, delle sue tempie brizzolate... gli mancava solo il camice bianco per completare la sua aria da scienziato pazzo. Mi guardò e si lanciò a stringermi la mano con la stessa cordialità di chi incontra un'amica.

– Buongiorno, ispettore, come sta?

Aveva la mano fresca, energica e nervosa.

– Posso sedermi, vero?

Si sedette prima che io gliene dessi il permesso, e senza chiedermi se poteva fumare tirò fuori una sigaretta e l'accese. Mi accorsi che, invece di chiedergli che cosa ci facesse nel mio ufficio, lo osservavo come se stesse dando spettacolo.

– Sono contento di essere venuto, ispettore Delicado. Vede, quando lei mi ha dato il suo biglietto da visita, ho pensato che non l'avrei mai usato, ma poi mi sono detto: perché no? Bisogna collaborare con la giustizia! Capisce?

Il suo stile incalzante e disinvolto non lasciava affatto intendere che avesse delle dichiarazioni da fare.

– Parlando francamente, devo dire che è il primo poliziotto con cui parlo in vita mia, e se vuole che continui con la franchezza, le dirò che la figura del poliziotto in sé non mi è mai stata troppo simpatica. Mi domando che tipo sia lei, che carattere abbia, quali siano le sue manie, come affronti i suoi impegni professionali. Lei sa che la psichiatria si basa sempre su una curiosità senza limiti.

Ormai la mia bocca doveva aver raggiunto il massimo grado di apertura. Non ci potevo credere, quello squilibrato si piazzava nel mio ufficio e si abbandonava a uno sproloquio sulla mia persona. Non sapevo come uscirne. Lui non me ne diede molte opportunità, perché continuò a parlare con naturalezza.

– Che cosa l'ha spinta a entrare in polizia? Mi dica: il bisogno d'azione? Un complesso di colpa non superato?

Dovetti fare uno sforzo enorme per non saltar su dalla sedia e mettermi a urlare. Mi trattenni, non volevo che quell'individuo mi appioppasse su due piedi una diagnosi di isteria.

– Un momento, dottore, un momento. Immagino che non sia venuto in commissariato per sottopormi a un test della personalità, ma che abbia qualcosa da dirmi circa le indagini che conduco.

Si agitò sulla sedia come un verme stuzzicato da un

bastoncino. Tirò tre boccate spasmodiche alla sigaretta e la spense sprigionando piccoli fuochi artificiali nel portacenere.

– Sì e no. Intanto voglio che sappia che ho preso molto sul serio quello che lei mi ha detto. Ho fatto vedere la foto del suo barbone a tutto il mio personale sanitario, a tutti senza eccezione. Purtroppo nessuno sembra averlo riconosciuto. Probabilmente quell'uomo non è mai passato attraverso i nostri servizi. No, temo proprio di no.

– In questo caso...

– Certo, bisognerebbe rivolgersi anche agli ambulatori della sanità pubblica. Prima di mandare da me certi soggetti, i medici generici ci pensano due volte. Devono vederli proprio mal messi.

– È poco probabile che qualcuno si ricordi di quell'uomo in seguito a una sola visita. I medici di base vedono molta gente. È un'indagine che non possiamo affrontare: ci sono poche garanzie di successo.

– Sì, ci ho pensato anch'io. Ma quello che lei non sa è che c'è un piccolo ambulatorio nel quartiere del Raval con cui abbiamo una collaborazione molto stretta. Se capita che qualche barbone abbia bisogno di un trattamento leggero senza ricovero, si mettono in contatto con noi, stendono una cartella clinica e ce la trasmettono. In questo modo, nel caso il paziente peggiori o ricada, abbiamo già tutti i dati.

– Bene, e le hanno dato qualche informazione?

– Non ho ancora avuto il tempo di andarli a trovare, per la verità.

Ebbi un nuovo cedimento alla mascella inferiore. Scossi la testa, senza più preoccuparmi di nascondere il mio stupore. Lui mi fissò con i suoi occhi penetranti e continuò come se niente fosse:

– Volevo informarla, ispettore, farle capire che non mi sono affatto dimenticato delle sue richieste.

Me ne uscii in una risata falsa, cercai il mio tono più tagliente per dire:

– Che meraviglia, dottor Crespo! Se tutti quelli a cui ci rivolgiamo per le indagini reagissero come lei, la polizia potrebbe ridurre l'organico... Certo, avremmo bisogno di molta gente per dare retta a tutti quelli che vengono a raccontarci le loro storie. Pensi un po', sono dieci minuti che parliamo e non siamo arrivati a niente di concreto.

Le mie invettive gli scivolavano addosso. Si grattò la barba di tre giorni e, senza nessun imbarazzo, proseguì:

– Certo, la capisco, so a cosa si riferisce. In questo caso sarà meglio che le dica la cosa più concreta che sono venuto a esporle. Vuol venire a cena con me questa sera?

Mi aveva battuta. Fregata. Perché negarlo? Mai, nessuno, in tutta la mia vita, aveva avuto il coraggio di venire in commissariato col pretesto di compiere il suo dovere di cittadino per invitarmi a uscire. Mi tornarono in mente le parole dell'infermiera: «Il dottor Crespo è un uomo un po' particolare». In nome di cosa una città avanzata e moderna come Barcellona lasciava in mano di un tipo come quello la salute dei suoi cittadini, sia pure senza fissa dimora? E che tipo era quello? Un perfetto cretino? Un genio? Un donnaiolo da quattro soldi con la patina dell'intellettuale? Eppure, mi aveva fregata, perché mentre ci stavo pensando, il mio tempo di reazione aveva già superato il limite per una signora che si rispetti. Reagii tardi e male.

– Dottor Crespo, la ringrazio, ma il lavoro di un poliziotto non concede tempo per le frivolezze, né per le cene con gli sconosciuti.

Fu un errore, e che errore! La mia valutazione era completamente sbagliata, perché lo psichiatra non era affatto decerebrato e tirò fuori un'inaspettata vena ironica per dire:

– Ah, che meraviglia! È curioso come nei momenti di tensione e di sconcerto tutti noi ci proteggiamo dando ascolto al vecchio consiglio della mamma: «Non parlare con gli sconosciuti». Sì, meraviglioso, non credevo che lei fosse così attaccata alle tradizioni, Petra. Un altro punto a suo favore. Gli altri punti positivi che le attribuivo erano troppo superficiali. In realtà era soltanto uno: la trovavo selvaggiamente attraente, davvero, come non ci si aspetterebbe mai da un poliziotto. Ma capisco, se lei è del tipo tradizionale, dovrò perseverare.

Si alzò tutto soddisfatto, accennò un inchino sarcastico e se ne andò senza lasciarmi il tempo di articolare una risposta di salvataggio. Rimasi lì seduta come un'imbecille. Cercai di riavermi. Mi mossi, mi alzai in piedi, avevo voglia di lanciare un urlo, cosa che sarebbe stata salutare, ma che naturalmente non feci. Ero arrabbiata? No. Umiliata? In un certo senso sì. Non è mai stata mia abitudine lasciare all'altro l'ultima parola. Eppure non ero riuscita a fare altrimenti: quell'uomo si muoveva e parlava a una velocità eccessiva per me. Sarebbe stato ben diverso in un altro contesto, ma in commissariato, nel mio ufficio, con il computer acceso e un agente fuori dalla porta... Mio Dio! Selvaggiamente attraente. Selvaggiamente! Che idiozia! Mi accorsi che mi si era disegnato un sorriso sulle labbra, e allora sì che mi arrabbiai sul serio, contro me stessa. Che cos'avevo detto? Che luogo comune nauseabondo e pietoso avevo tirato fuori? Ah, sì, le frivolezze! Per tutti i diavoli, Petra, le frivolezze! Questo era ancora peggio del divieto di parlare con gli sconosciuti. In fondo potevo dirmi ancora fortunata se lo psichiatra non mi aveva rinfacciato la scusa delle frivolezze, quello sì che era un trauma infantile.

3

Arrivò la perizia balistica. Il proiettile che aveva ucciso la vittima presentava aspetti interessanti. La camicia era espansa e la capsula d'innesco spostata all'indietro. Nel metallo si notavano tacche e graffi. Il calibro sembrava del nove corto, ma non si poteva escludere che la pallottola fosse stata modificata. Poteva essere un nove lungo accorciato, il che avrebbe spiegato l'espansione e lo spostamento. Secondo l'esperto la modifica delle munizioni era pratica comune nel caso di armi acquistate sul mercato nero.

Erano dati preziosi, ma con i quali, per il momento, potevamo fare ben poco. Dovevamo andare avanti col nostro meraviglioso piano, che a dire il vero non mi tentava per nulla: passare sette ore a interrogare degli skinhead è come passare sette ore a prendere il tè con loro: un vero schifo. In genere riesco a riservare a tutti gli esseri umani una porzione di rispetto, per piccola che sia, a tutti tranne che agli skin. Soltanto a vederli mi viene il voltastomaco. Riconosco che, in qualità di poliziotto, ormai dovrei essere abituata ad avere a che fare con ogni tipo di cattivi soggetti, ma non è così. Gli skin mi irritano, mi mandano in bestia, li disprezzo. Non mi prendo nemmeno il disturbo di essere imparziale con loro. È vero, in certi casi so di trovarmi di fronte a dei disgraziati che cercano uno straccio di sublimazione nella miseria delle loro vite; ma pur sapendolo, non me la sento di provare per loro la minima pietà. Via via che me li vedevo sfilare davanti nella sala degli interrogatori, mi si imprimevano nella retina immagini detestabili: stivali anfibi ad appesantire piedi troppo grandi, cuoio capelluto visibile sotto i capelli rapati a zero, volti inespressivi e crudeli.

A metà mattina Garzón ed io interrompemmo la seduta per andare a prendere un caffè. Il mio collega mi fece notare che ero di umore particolarmente irritabile.

– Se le dà tanto fastidio parlare con quelli là, poteva dirlo subito e l'avrei fatto da solo.

– Da quando si può scegliere il lavoro, Garzón?

– Be', ispettore, non sarebbe la prima volta che faccio una cosa che a lei non va giù.

– Mio Dio, Garzón, lei si sacrifica per il mio bene e io non me ne sono mai accorta! Meno male che ha trovato l'occasione giusta per dirlo!

– Guardi, Petra, se è di cattivo umore, sarà meglio che non ne parliamo. Ma glielo dico sul serio, se non fa altro che sbuffare e interromperli mentre parlano, tutto il lavoro che stiamo facendo non serve a un bel niente.

– Sono una banda di decerebrati, non sanno nemmeno parlare. Ho dovuto controllarmi mille volte per non prenderli a schiaffi.

Garzón mi guardava con curiosità intingendo alternativamente il croissant e i baffi nel caffellatte.

– Lei è ben strana, capo. Vede in un barbone un essere superiore, e in uno di quei rapati il diavolo in persona. Non è vera né una cosa né l'altra, mi creda. Tutto nella vita è molto più... normale.

– Ciascuno vede la realtà a modo suo, c'è poco da fare. Almeno io non sono una mediocre. Quanti rapati ci restano da interrogare?

– Sette.

– Non credo di riuscire a farcela.

– Ce n'è uno che non vuole saperne di parlare se non con lei.

– Con me?

– Be', lui ha detto «col suo capo». Magari sa qualcosa. L'ho lasciato per il gran finale.

Andammo avanti con quella serie interminabile di domande sempre uguali e di risposte negative. Era una tortura, quasi tutti rispondevano di malavoglia, con protervia, con una cafonaggine naturale che non aveva nemmeno l'intenzione di offendere. Quando arrivammo all'ultimo i miei nervi erano a pezzi.

Era un esemplare molto simile ai precedenti, un ragazzo di poco più di vent'anni dallo sguardo sfuggente, pieno di presunzione. Si chiamava Matías Sanpedro.

– Il viceispettore Garzón mi ha detto che eri disposto a parlare solo con il suo superiore. Prego. Io sono l'ispettore che dirige l'inchiesta. Sai chi è quest'uomo? L'hai mai visto? Hai idea di chi possa averlo ammazzato?

Mi guardò dall'alto in basso con ripugnanza, abbozzò un sorriso sardonico.

– E chi lo sapeva che eri una donna? Credevo che i capi della polizia...

Non lo lasciai finire, gli mollai un manrovescio in faccia con tutta la forza che avevo. Si ripiegò come un gatto, i suoi occhi lanciavano fiamme.

– Dammi del lei, cretino!

– Lei non può picchiarmi, non può nemmeno toccarmi.

Mi catapultai su di lui e continuai a colpirlo in faccia, sulla bocca, sulle orecchie. Non era una reazione isterica, erano ceffoni decisi, coscienziosi, secchi. La mano mi si era intorpidita, ma andai avanti, il rumore echeggiava in tutta la stanza. Si protesse con le braccia.

– Mi lasci stare, io non ho fatto niente!

Retrocedetti di un passo con uno sforzo di volontà. Avevo voglia di continuare a dargliele, ma cercai di trattenermi.

– Dimmi subito tutto quello che hai da dire. Hanno ucciso un uomo, lo capisci, schifoso? Quello è morto. Tu non puoi farci perdere tempo con i giochetti.

Aveva gli occhi pieni di lacrime di rabbia. Era diventato rosso.

– Io non ho fatto nessun giochetto! Lei ha cominciato a picchiarmi prima ancora che...

Frugai in fretta nella borsa, tirai fuori la pistola. Gli attanagliai la nuca con una mano e gli ficcai la canna in bocca, sbattendogliela brutalmente contro i denti.

A quel punto i suoi occhi cambiarono espressione, vi si leggeva il panico. Cominciò a piagnucolare.

– Allora, mi dici quello che sai?

Annuì disperatamente, un sottile filo di sangue gli colava da un angolo della bocca. Tolsi la pistola. Si mise a piangere.

– Parla!

Per la prima volta guardai Garzón, che era rimasto fermo in un angolo, col fiato sospeso.

– L'unica cosa che so è che quel tipo non è del quartiere. L'avevo visto qualche volta in un terreno abbandonato in fondo alla Diagonal. Ci andammo una notte, e lui era lì, dormiva per terra.

– E cos'eravate andati a fare laggiù, eh? A cercare qualcuno da far fuori?

– Le giuro di no. Può darsi che qualche volta abbiamo pensato di dare una lezione a uno di quelli là, ma ammazzare no, mai.

– Mi fai schifo, lo sai? Schifo. Sta' attento che ti tengo d'occhio. Alla prima che combini, ci penso io ad ammazzarti. Hai capito? Ti ammazzo, e poi voglio vedere chi viene ad accusarmi. Certo, bisogna ripulirla questa città, in questo avete ragione. Viceispettore! Che precedenti ha questo bastardo?

La voce di Garzón, assolutamente serena e disinvolta, risuonò all'altro capo della stanza.

– Rapina. Lui e altri due hanno portato via il portafogli a una signora minacciandola con un coltello.

– Non era una signora. Era una battona! – disse, come se non avesse nemmeno capito il senso dell'accusa.

Gli diedi un ultimo colpo, questa volta con la pistola, stando bene attenta a non rompergli niente, un colpo di striscio sullo zigomo destro. Vidi che questa volta Garzón veniva verso di me per trattenermi. Mi girai di spalle, lentamente.

– Gli faccia segnare su una cartina dove si trova il terreno abbandonato di cui parla, Garzón, e poi gli faccia firmare la deposizione.

Il ragazzo disse a bassa voce:

– Non sono stati degli skin ad ammazzare quel miserabile. L'avrei saputo. È un'ingiustizia quello che state facendo.

Mi diressi verso il mio ufficio camminando lentamente. Inspirai più volte. Mi sentivo bene. Né fiato corto né palpitazioni. Non avevo il minimo senso di colpa.

Dopo un po' entrò Garzón. Lo fulminai subito con uno sguardo intimidatorio. Speravo che non mi facesse prediche su quel che era appena successo. Lui se ne rese subito conto, non lasciò trapelare nessuna emozione.

– Ha segnato il punto sulla cartina?

– Non lo sapeva molto bene.

– E nemmeno noi, vero? Non si preoccupi. Vada a prendere la macchina, ho già una soluzione.

– Ispettore... per quanto riguarda il ragazzo...

– Non voglio sentire una sola parola. Intesi, Fermín? Non una parola.

– Volevo solo dirle che diversi ispettori l'hanno visto uscire malconcio dalla sala degli interrogatori.

– E allora?

– Vogliono farle i complimenti.

– Riferisca che non sono in vena di scherzi. Anzi, vado a dirglielo io. E adesso può andare. Mi aspetti davanti alla porta.

L'intenzione era stata chiara, ma non potei sottrarmi al destino. Ad aspettarmi in corridoio trovai l'ispettore Fernández Bernal, uno degli esseri più spregevoli del creato. Il suo morso era più velenoso di quello del cobra, e la prima condizione per il mio benessere era tenermi il più possibile alla larga da lui. Mi guardò con un sorrisetto sardonico:

– Petra! A quanto pare ti è scappata un po' la mano con uno dei sospetti.

– Non era nemmeno un sospetto.

– Non si può dire che tu ti faccia dei problemi. Certo, era uno skin. Con quelli si possono usare certi metodi, no? Sembra quasi democratico.

– Senti, Bernal, sei venuto a dirmi qualcosa in particolare o a esprimere solo idee generali?

– Sono venuto a farti i miei complimenti. In fondo pare che tu non sia tanto diversa dagli altri.

– Dipende da chi sono gli altri. Diversa da te lo sono eccome, e non costringermi a dirti perché.

– La divina Petra, sempre al di sopra dei comuni mortali! Magari non ci credi, ma ogni tanto sembra quasi che diventi umana.

– È una debolezza, Bernal, ma non appena mi rendo conto di cosa vuol dire essere umani, mi riprendo subito, non preoccuparti.

Girai sui tacchi e mi allontanai a testa alta, mentre il mio collega rideva fra sé. Era stato un errore abbassarmi a un battibecco con lui, in questo modo facevo il suo gioco. Eppure mi sentivo colma di una serena felicità. Non avevo bisogno dell'opinione degli altri per sentirmi sicura di quello che facevo. Se avessi sempre agito così, sarei stata una donna realizzata. Ad ogni modo, il mio show da poliziotto violento era servito a ben poco. Nessuno di quegli abominevoli esseri rapati aveva niente a che fare col delitto, e dell'unico testimone che avevamo mi fidavo pochissimo.

Chiamai i vigili urbani. La vigilessa Yolanda rimase abbastanza sorpresa, ma mi offrì la sua collaborazione senza esitare.

– Però per collaborare con voi devo avere il permesso del mio capo, ispettore.

– Certo, lo chiamerò subito.

Quando dissi a Garzón di fare rotta verso la sede dei vigili non ne capì il motivo. Glielo spiegai:

– Noi non abbiamo la più pallida idea delle abitudini degli homeless. Non sappiamo nemmeno dove si accampino. Ho chiesto a qualcuno della polizia municipale di darci una mano.

Reagì come se fosse stato punto da una vespa.

– Come? Ma insomma, ispettore, per favore! Come se non bastassero tutti i casini che abbiamo già! Lo sa anche lei che questo tipo di aiuti dà sempre risultati spaventosi.

– Non vedo perché.

– L'ultima cosa di cui abbiamo bisogno è un ragazzino rompiscatole. Vorrà sapere tutto, farà domande, finirà per credere che senza di lui non siamo capaci di combinare niente.

Lo osservai con la coda dell'occhio. Incredibile: era così forte il suo corporativismo? Feci una prova.

– Lavoreremo con una ragazza, si chiama Yolanda.

Lo guardai di nuovo. La sua faccia perse ogni aggressività. Smise del tutto di protestare. Non era corporativismo, era molto peggio. Un maschio giovane non era benvenuto, minacciava il suo territorio. Non c'è niente di più primitivo delle reazioni di un uomo, pensai, nemmeno l'istinto materno arriva così in basso; gli uomini vivono con un piede nelle caverne. Ma non avevo intenzione di dirgli nulla. Ne avrebbe approfittato per rinfacciarmi i metodi violenti e irrazionali che avevo usato con lo skin. Ogni tanto era più sano comportarsi come un uomo.

La vigilessa Yolanda Santos sapeva perfettamente quello che faceva. Prese posto sul sedile posteriore e cominciò subito a parlare con la sua voce fresca e spigliata.

– I due punti che vi ho indicato sono sulla strada, ma se avete già una testimonianza... E poi, so a quale zona della Diagonal si riferisce. È un'area dove costruiranno presto, ma ci sono dei ritardi nei permessi edilizi, e in questi casi capita spesso che i senza fissa dimora occupino il terreno.

Anche se non era un maschio giovane, stava già occupando troppo spazio per i gusti di Garzón. Fu interrotta bruscamente.

– Senta, vigile, vado nella direzione giusta? No, lo dico perché magari in questo mare di parole sto perdendo la bussola.

– Non si preoccupi, io la bussola l'ho sempre con me. Cosa stavo dicendo? Ah, sì! Non aspettatevi di trovarci solo dei barboni. Sono posti dove vanno a finire anche immigrati clandestini, tossicodipendenti, disoccupati... un po' di tutto. Non lo dico per scoraggiarvi, ma sarà piuttosto difficile che rispondano alle vostre domande. Non è gente abituata a parlare, e poi, malmessi come sono, preferiscono non avere altre complicazioni. Tutto per loro è una complicazione.

Continuò a chiacchierare mentre Garzón alzava gli occhi al cielo. Ma aveva torto. Tutto quel che diceva quella ragazza era assolutamente rilevante per le indagini. O così pareva a me. Altrimenti avrei dovuto ammettere di averla coinvolta solo per farmi perdonare le mie precedenti intemperanze.

Quando arrivammo al terreno abbandonato lungo l'avenida Diagonal era quasi buio. Yolanda ci fece svoltare in una traversa e davanti ai nostri occhi si aprì uno scenario incredibile. Su una spianata erano sparsi vari fuochi accesi. Tutt'intorno, uomini e donne avvolti in coperte o cappotti vagavano senza meta.

– In quelle baracche abbandonate ce ne sono degli altri – disse la vigilessa.

Ci avvicinammo, destando scarsa curiosità al nostro passaggio. Sembrava che tutti fossero addormentati, assorti nel loro far niente. Yolanda aprì la porta di una delle baracche e vedemmo quattro o cinque uomini stesi per terra. C'era odore di alcolici e di indumenti umidi.

– Se vuole, cominci da qui, viceispettore, io andrò all'altra baracca. L'ispettore Delicado potrà interrogare quelli che stanno all'aria aperta, non puzzano così tanto.

Le lasciammo una copia della foto e seguimmo il suo suggerimento. Sentii Garzón che brontolava:

– Bella roba, ci tocca anche farci comandare da una pivella, adesso!

Avvicinandomi a uno dei fuochi ebbi l'impressione che il tempo avesse compiuto una vertiginosa marcia indietro. La civiltà non esisteva più, quella gente si riscaldava a cielo aperto come gli uomini primitivi. Non mi sarei per nulla stupita se qualcuno mi avesse detto che si procuravano da vivere con arco e frecce. C'erano tre uomini e una donna. Si scostarono un poco, mi guardarono come se non avessero mai visto nessuno della mia razza. Non sapevo da dove cominciare, nemmeno se dire buonasera sarebbe suonato ridicolo. Tirai fuori la foto e la mostrai.

– Qualcuno conosce quest'uomo? Mi hanno detto che dormiva qui.

Nessuno dava segno di capire quello che stavo dicendo. Regnava un'atmosfera raggelante. La donna era giovane, bionda, dall'aspetto nordico. I tre uomini sembravano di origine pachistana.

– Parlate spagnolo? – domandai, ma loro continuarono a non rispondere.

– Per favore, vi prego di dirmi qualcosa. Voglio solo sapere se quest'uomo passava la notte qui, se qualcuno lo conosce.

– Perché la sua faccia è così? – disse la ragazza, con accento straniero.

– L'hanno ammazzato. La foto è stata fatta quando era già morto, per questo è così. Lo conosce?

Annuì impercettibilmente. Aveva i tratti fini, le ciglia bionde. Mi domandai che cosa ci facesse in un posto come quello una ragazza così giovane e carina.

– Stava qui prima. Due mesi fa. Adesso è andato via. Sono venuti a prenderlo con la macchina. È andato via.

– Chi è venuto a prenderlo?

– Non so.

– Erano già venuti altre volte?

– Forse sì, forse no.

– Hanno parlato? Crede che si conoscessero?

– Hanno parlato poco. Sì, credo che si conoscevano. Sono andati via come amici. Lui ha preso le sue cose.

– Erano giovani?

La ragazza si strinse nelle spalle, abbozzò un sorriso vago, tornò a stringersi nelle spalle.

– Sa come si chiamava quest'uomo?

– No, non so il nome.

– Parlava con lui?

– No, io passavo e lui mi dava una sigaretta. Aveva sempre sigarette. Mi diceva: capelli di sole. Sempre. Capelli di sole –. Prese fra le dita una ciocca dei suoi capelli lisci e dorati.

Rimasi a guardarla senza sapere cosa dire. Provavo un'enorme curiosità.

– Che cosa fa lei qui? Non ha una casa? Di che paese è?

– Sono lituana. Lui è mio marito – disse, indicando uno dei tre presunti pachistani. L'uomo mi guardò torvo. Suo marito? Non riuscivo a capacitarmi. Non sembrava esserci nulla di facilmente intuibile in quelle vite. Era ovvio che non seguivano tracciati comuni. Una lituana con un pachistano di dieci anni più vecchio di lei davanti a un fuoco acceso in un terreno abbandonato alla periferia di Barcellona. Immaginai che anche se mi avessero raccontato tutte le peripezie che li avevano condotti fin lì, non sarei riuscita a capirci niente. Il problema di quella gente non stava solo nella povertà dei loro paesi d'origine, né nelle vicissitudini che potevano avere attraversato, ma nella loro stessa personalità. Fissai i suoi begli occhi.

– Crede che fosse spagnolo? Le è parso che parlasse spagnolo senza accento?

La sua bocca si allargò in un sorriso, e mi accorsi che le mancavano dei denti, particolare che rovinava completamente la sua bellezza, rendendola desolante.

– Sì, parlava bene spagnolo. Era spagnolo.

La ringraziai, indietreggiai, e finalmente trovai il coraggio di girarmi e andarmene. Avevo la sensazione di abbandonarla sull'orlo di un baratro, sul punto di essere divorata da un mostro, in una situazione di estremo pericolo, e tuttavia non le offrivo il minimo aiuto, la lasciavo lì. È questa la realtà. Tutti viviamo ogni giorno accanto a queste tribù abbandonate alla loro sorte, e tuttavia nessuno di noi fa nulla per ricondurle in un luogo sicuro. È così, ed è ben difficile che possa cambiare.

La vigilessa Yolanda si accorse di quel che mi stava succedendo.

– È rimasta impressionata, vero, ispettore? Non aveva mai visto gente che vivesse in questo modo.

– È una cosa che si sa ma non si vede.

– Questa è la differenza, ha ragione. Ma com'è andata con gli interrogatori? Ha avuto più fortuna di noi?

– Una ragazza ha riconosciuto il nostro uomo. Effettivamente dormiva qui, ma pare che un paio di mesi fa siano venuti dei tipi a prenderlo con la macchina. Nessuno l'ha più visto da allora.

– Strano – disse Garzón.

– Molto strano. Cosa dobbiamo pensare, che l'abbiano sequestrato? Che sia stato tenuto prigioniero due mesi e alla fine l'abbiano ammazzato?

– È difficile crederlo. Che valore potrebbe avere un barbone come moneta di scambio in un sequestro?

– Non lo so, forse sapeva qualcosa o era stato testimone di qualche fatto compromettente.

– In questo caso lo si fa fuori subito senza tante storie. Non mi sembra verosimile. Magari quella era solo gente che aveva conosciuto per caso. Non si può mai dire cosa sia normale per un tipo così. Possono semplicemente aver scambiato due parole, aver bevuto qualche birra insieme, e poi lui se ne è andato a stare da un'altra parte.

– Anche questo è strano. Qualunque ipotesi è strana. Dobbiamo seguire le tracce di quell'uomo ad ogni costo.

– Volete che vi porti in altri posti che conosco? Se era uno che si accampava qui, viene da pensare che dovendosi trasferire non si sia cercato una sistemazione molto diversa.

– Buona idea. Andiamo a vedere. Abbiamo ancora tempo.

– D'accordo, proviamo all'ex caserma di San Andreu.

Devo dire che visitare una caserma abbandonata piena di poveracci non era il mio programma ideale per la serata. Per la prima volta da quando conducevo quell'inchiesta mi vennero dei dubbi sulla mia capacità di portarla a termine. Mi era del tutto sconosciuto l'ambiente in cui ci muovevamo, il tipo di soggetto di cui stavamo ripercorrendo i passi e, per di più, quel mondo mi deprimeva. La passione con cui mi ero lanciata all'attacco cominciava a venir meno. Risolvere quel caso non sarebbe stato semplice: soltanto identificare la vittima avrebbe potuto richiedere settimane, forse mesi. Quanti altri luoghi oscuri avrei dovuto esplorare?

La caserma di San Andreu era un piatto per stomaci forti. L'edificio era stato preso d'assalto da squatter d'ogni genere e risma. Non c'era acqua né luce, ma ognuno di quei diseredati si era dato da fare per trasformare l'angolo di propria competenza in una casa. Vidi stanze dove erano stati disposti perfino dei vasi di fiori. Non pareva logico né normale che gente che non possedeva il minimo necessario per la sopravvivenza desiderasse rendere accogliente perfino la propria miseria, eppure era così. Le convenzioni sociali sono molto più forti di quanto si possa immaginare.

Muniti della foto del nostro uomo, cominciammo una ricerca alla cieca. Uno per uno, tutti quegli immigrati, giovani disadattati, barboni e vecchi malati furono interrogati. Le reazioni erano sempre le stesse: paura, incomprensione, indifferenza, stupore. Nessuno si mostrò imbarazzato o indignato per la nostra intrusione nella sua precaria intimità. Ormai avevano perso ogni capacità di ribellione. I più difficili da affrontare erano senza dubbio i barboni tradizionali. Ascoltavano senza capire e parlavano senza alcun senso logico. Sembravano appartenere a una razza a parte in cui nessuno è mai stato bambino, nessuno è stato giovane, né, invecchiando, conserva dei ricordi.

Tre ore dopo uscimmo di lì a mani vuote. Nessuno aveva visto l'uomo assassinato. Mi domandavo se quei testimoni fossero affidabili. Anche se non mentivano, per loro la differenza tra averlo visto o non averlo visto doveva essere minima, non sarebbe stato che un'ombra in più nel loro deambulare senza senso.

– Ma dove li trovano i soldi per vivere? – domandai a Yolanda, una volta in macchina.

– Chiedono l'elemosina, suonano strumenti per la strada, ricevono piccoli aiuti da opere pie e servizi assistenziali. Tirano avanti con poco, soprattutto i barboni. Sono frequentatori assidui delle mense di carità, e una volta che hanno mangiato... non hanno molte esigenze. Non hanno moglie né figli... Vegetano, semplicemente.

– Di quali aiuti dispongono?

– Ci sono ricoveri notturni, pubblici e privati. Quando si ritiene che esista una possibilità di reinserimento, i barboni vengono avviati verso attività socialmente utili. Credo che non possano rimanere per più di quindici giorni in un ricovero, questo per evitare che si trasformino in «cronici».

– Fenomenale! – esclamò Garzón. – Basta buttarli fuori perché si reinseriscano nella società?

– A dire il vero non gli vengono date molte opportunità. E poi, quando se ne vanno, non sono più seguiti. Il peggio è che sono ritenuti politicamente scomodi e si cerca in ogni modo di toglierli di mezzo. Lo so per esperienza personale. Ogni volta che a noi vigili viene richiesto un servizio in merito ai barboni, è per farli sparire dalle strade: quando fa troppo freddo d'inverno, quando c'è qualche personalità in visita alla città o qualche importante evento pubblico... A volte il comune gli paga perfino il biglietto del treno perché se ne vadano.

– Tipico. Senti, Yolanda, temo che dovrò parlare di nuovo col tuo capo. Pensavo che non sarebbe stato necessario fare il giro di tutti i centri di accoglienza di Barcellona, ma non si può fare altrimenti. Abbiamo bisogno di te, tu sai un mucchio di cose su quella gente.

Sorrise orgogliosa, e guardò il viceispettore per vedere se anche lui fosse soddisfatto del suo aiuto. Ma quell'ingrato del mio sottoposto si mostrò serio e scontroso come sempre.

– Io sono felicissima di partecipare alle vostre indagini, ispettore. Mi piace molto di più del lavoro che faccio di solito.

Proprio come mi aspettavo, appena rimanemmo soli Garzón si mise a protestare.

– «Mi piace molto di più», cosa significa «mi piace di più»? Ma quando mai un lavoro deve piacere? Non è mica un gelato o una caramella!

– Su, Fermín, non faccia tante storie. Lei dovrebbe baciare la terra su cui cammina quella ragazza! Se ne stava così tranquilla a fare le sue cose e si è prestata a darci una mano senza protestare.

– Ma lo fa perché le piace. Detto così sembra che venga a una specie di festa.

– Davvero crede che le piaccia stare con un paio di cariatidi disilluse e musone come noi?

– Cavoli, ispettore, questa sì che è una definizione deprimente!

– Ma esatta. Provi un po' a pensare come può vederci una ragazza così giovane. Ci è rimasto ben poco entusiasmo per quello che facciamo, Fermín, e ancor meno buon umore.

– Non mi era mai venuto in mente che per svolgere delle indagini ci fosse bisogno di entusiasmo. Oh, che bellezza, vediamo chi ha sfondato il cranio a questo disgraziato! Oh, come mi piace! Il solo pensiero che mi daranno i risultati dell'autopsia mi mette già di buon umore!

– Lei è insopportabile, mio caro collega. Mi preoccupa che non si renda conto che stiamo diventando due vecchi malmostosi.

– Sciocchezze! Il fatto è che viviamo in una società molle e stupida, in una società che si nutre di bugie. Il lavoro ti deve piacere, l'importante è divertirsi e mettere entusiasmo e allegria in tutte le cose. Quand'ero giovane io non veniva in mente a nessuno che sgobbare dovesse essere divertente. Lavoravi e non c'erano storie. Se ti piaceva, bene, e se no pochi cazzi.

– Per favore, Fermín, non mi faccia la manfrina moralista, adesso! Perché non mi invita a prendere una birra, piuttosto, o forse anche questo è troppo stupido per lei?

Entrammo in un bar proletario. Dopo quello che avevamo visto, l'ambiente dei lavoratori che prendevano l'aperitivo al termine della giornata aveva un effetto tranquillizzante. Finalmente della gente normale, con una famiglia, un posto dove vivere, dei compiti da svolgere. Niente di paragonabile a quella tribù neolitica di uomini che si scaldavano davanti a fuochi improvvisati e mangiavano quello che trovavano.

– Come le pare che stia andando, Fermín?

– Non molto bene, se devo dire la verità. Rimbalziamo da una parte all'altra senza intravedere una strada da percorrere. Appena i giornalisti la smetteranno di rompere le scatole, mi sa che il commissario Coronas deciderà di archiviare il caso.

– Secondo lei è possibile che quell'uomo fosse coinvolto in qualche storia losca?

– Se non si trattasse di un barbone le direi subito di sì. Il fatto che uno venga lasciato morto da qualche parte e picchiato, a beneficio di eventuali testimoni, mi sembra tipico di un regolamento di conti. E poi la storia degli uomini con cui aveva parlato due mesi prima...

Viene da pensare a questioni di droga, di piccolo spaccio, penserei perfino a traffici di immigrazione clandestina... Però era così malmesso...

– Ma se sospettiamo che non siano stati degli skin ad ammazzarlo, non potremmo anche sospettare che lui non fosse un barbone?

– Lei l'ha visto, ha visto com'era vestito, come puzzava. No, non credo, ispettore, davvero. Avrebbero potuto camuffarlo, mettergli addosso degli abiti sporchi, lasciargli crescere i capelli... Ma lei sa bene che la gente che vive così finisce per avere la miseria stampata in faccia. Quel cadavere ce l'aveva, e questo è difficile da imitare.

Aveva ragione. I barboni portano stampato in faccia qualcosa di più della povertà. Si avvertiva a occhio nudo lo squallore, la follia, il lasciarsi andare definitivo. Come si arriva a quel punto? Cosa deve succedere nella vita di un uomo perché decida che non gliene importa più niente di se stesso?

– Vuole che le dica una cosa, Garzón? Non so se provo più compassione o più curiosità per quella gente.

– Non credo che nessuno di loro da giovane sia mai stato un principe, se è questo che pensa.

– Tutti l'abbiamo immaginato da bambini, solo che non è vero.

Garzón annuì filosofico, chiamò il cameriere e ordinò altre due birre senza nemmeno consultarmi.

– Beva, Petra, vedo che questo caso la rende malinconica.

Non mi venne neppure in mente di contraddirlo. Ultimamente ero giunta a pensare che il lavoro avesse un'influenza minima sulla mia vita interiore, ma quel caso mi stava rivelando che non era così. Perfino un orco musone come il mio collega si preoccupava per una mia possibile depressione, al punto da offrirmi un'altra birra. Il mio abbattimento era evidente.

Ci salutammo mezz'ora dopo, e mentre Garzón tornava a casa sua, io passai dal commissariato. Il referto sul cadavere senza nome ormai doveva essere arrivato.

Non ero ancora entrata, che l'agente sulla porta mi venne incontro.

– Ispettore, quel medico dell'altro giorno è tornato un attimo fa. Voleva vederla. Ha lasciato un numero di telefono personale perché lo chiami.

Feci un cenno d'assenso, fingendo di essere assorta in un complicato problema di lavoro. Perché? Perché ero più che certa che il dottor Crespo non mi avesse cercata per motivi ufficiali. Quel tipo era matto da legare. A chi può venire in mente di usare un commissariato come terreno di manovre galanti? L'idea mi fece sorridere. Entrai nel mio ufficio, aprii la mia casella di posta, feci scorrere i messaggi... Dov'era il referto dell'autopsia? Guardai meglio. Eccolo. C'era. Ero distratta, non riuscivo a fare mente locale. Guardai il foglietto che mi aveva dato l'agente. Era un numero di telefono di casa. Questo voleva dire che Crespo viveva solo. Un bizzarro psichiatra che mi trovava particolarmente attraente. In fondo mi sentivo un tantino lusingata. Era passato molto tempo dall'ultima volta che un uomo mi aveva fatto un'avance così decisa. Certo, non si trattava di una persona normale. Forse era uno squilibrato che cercava di portarsi a letto tutte le donne che incontrava. Oppure la sua poteva essere semplice curiosità scientifica. Uno che si occupa della psiche può provare interesse per chi svolge una professione insolita. Comunque fosse, non importava, preferivo pensare di essergli piaciuta da morire, di essergli parsa affascinante, interessante, una donna da sogno. Perché no? In ogni caso non intendevo chiamarlo. Nel mio stato depressivo era già una bella cosa pensare di aver fatto una conquista con una sola apparizione.

Aprii il file del referto. Bene. A quanto pare il nostro uomo non era consumatore di droghe di nessun tipo, cosa che rendeva ancora più improbabile l'ipotesi che si trattasse di un piccolo trafficante sotto mentite spoglie. Nel complesso era sano, tranne che per il fegato. Una cirrosi galoppante faceva pensare che fosse un bevitore accanito. Il che rientrava nel ritratto tipico del barbone. Il mio ammiratore mi aveva appunto detto che molti di loro erano vittime dell'alcolismo. Chissà se era stato curato in qualche ambulatorio. Il suo irriducibile anonimato cominciava a essere vergognoso! Com'era possibile che un uomo vivesse in una città senza essere censito da nessuna parte? Tutti i timori che nutrono i cittadini del mondo moderno circa l'eccessivo controllo da parte delle istituzioni non avevano alcun senso in un caso come il suo. Il nostro uomo non risultava da nessuna parte, non aveva fissa dimora, non pagava le tasse, e di sicuro non possedeva una carta d'identità. Le autorità permettevano una cosa simile? È ovvio che alle istituzioni interessa censirti solo se possono trarre qualche profitto da te. Se non hai soldi non sei niente. Perfino i cani figurano presso un'anagrafe apposita, da quando è invalso l'uso di inserirgli un microchip nell'orecchio. Ma un cane appartiene a qualcuno che gli vuole bene, si occupa di lui e lo porta dal veterinario quando sta male. Questo non valeva per il nostro barbone. Eppure non ero certa che quella che provavo per lui non fosse pura invidia. Era un uomo libero come l'aria.

Raccolsi le mie cose e uscii. Arrivare a casa prima del solito mi avrebbe fatto bene. Da un po' di tempo mi stavo abituando a lavorare e basta, rispettando sempre meno gli orari di una persona civile. Se continuavo così sarei finita come quei poliziotti che mancano completamente di vita privata e non sanno come impiegare il loro tempo quando non sono immersi fino al collo in qualche indagine. Ne avevo conosciuti parecchi ridotti così. Credo che tutti loro fuggissero dalla triste realtà che li attendeva dopo il lavoro. Non era il mio caso, per fortuna. A me piaceva starmene a casa mia, avevo sempre da fare, cose gratificanti, formative, piacevoli.

Quella sera, per esempio, pensavo di prepararmi una buona zuppa di cipolle e di aprirmi una bottiglia di Somontano che tenevo da parte per qualche occasione speciale. Che cosa avevo da festeggiare? Niente. Volevo solo ricordare a me stessa che non dovevo abbassare la guardia e che i piaceri della vita bisogna saperseli concedere da sé.

Placidamente sistemata nel mio habitat, mi versai un bicchiere mentre cominciavo a cucinare. Una sinfonia di Mozart mi dava il giusto ritmo per affettare rapidamente la cipolla. Tutto andava a meraviglia. Peccato che dopo cena sarei riuscita a leggere poche pagine e probabilmente sarei crollata dal sonno. Da giorni mi alzavo troppo presto. Sì, stavo trascurando la mia vita personale, e non dovevo permettermelo. Avrei fatto meglio a invitare qualche amico a cenare con me. Solo che durante la settimana tutti hanno il loro lavoro e nessuno è disposto a rinunciare al riposo serale per mangiare un boccone con un'amica. Una cenetta romantica sarebbe stato un altro discorso. In fondo niente mi avrebbe impedito di organizzare un simile incontro col mio psichiatra pazzo. Una cena a lume di candela forse poteva essere un po' troppo, ma non sarebbe stato così fuori luogo vederlo. In fin dei conti doveva essere interessante parlare con lui, e mi lusingava molto che qualcuno insistesse tanto solo per fare una chiacchierata. Misi la cipolla tagliata a velo in un tegame di terracotta e riflettei. Avrei fatto ancora in tempo a chiamarlo per invitarlo a cena. Mi sciacquai le mani sotto l'acqua del rubinetto. Poteva essere pericoloso, un tipo non troppo equilibrato può immaginarsi chissà che cosa ricevendo un invito simile. La cipolla stava già prendendo un colore invitante. Ma da quando ero una donna timorosa? Da quando mi preoccupavo che gli uomini «non pensassero male»? Non mi ero mai privata della compagnia maschile per evitare malintesi. Se poi i malintesi nascevano, li risolvevo io stessa dicendo chiaramente all'interessato come stavano le cose. E se poi l'interessato diventava pesante, non dovevo far altro che metterlo alla porta. Tanto più che in caso di pericolo potevo sempre ricorrere all'arma d'ordinanza. Involontariamente, sorrisi. Immaginai la faccia dello psichiatra pazzo se gli avessi puntato contro la mia Glock. Quasi quasi mi auguravo che potesse succedere qualcosa di simile. Mi venne da ridere. Povero dottor Crespo! In realtà aveva tutta l'aria di essere un tipo incantevole. In un certo periodo della mia vita mi erano piaciuti gli uomini così: distratti, poco organizzati e con una punta di follia. Che uomini mi piacevano adesso? Non lo sapevo! Era così tanto che non uscivo con nessuno che non ci avevo più pensato. Ero troppo presa dalla routine e dalle responsabilità del servizio. Di qui alla completa decadenza non c'è che un passo, pensai. E poi non era escluso che, se avessi lasciato entrare nella mia vita quotidiana un pizzico di emozione, anche i miei neuroni ne avrebbero tratto beneficio. Più entusiasmo, più creatività... Versai l'acqua sulla cipolla ben rosolata. Era il colmo, mai, in tutta la mia vita, avevo avuto bisogno di cercare tante giustificazioni per telefonare a un uomo. Abbassai la fiamma e andai con decisione nel soggiorno.

– Dottor Crespo? Sono Petra Delicado, l'ispettore di polizia.

– Buonasera, che sorpresa!

– È sorpreso? Ma se è stato lei a lasciar detto in commissariato che la chiamassi.

– Sì, è vero, ma non immaginavo che lo facesse.

– Non vedo perché no. Qualche novità riguardante le indagini?

– Niente di importante.

– E allora?

– Beh... Avevo pensato che la nostra conversazione sulla psicologia dei senzatetto fosse stata piuttosto incompleta, e di parte, e che in definitiva potesse essere approfondita.

– Qualunque conversazione può essere approfondita. Perché non viene a cena da me? Sto preparando una zuppa di cipolle niente male.

– Perfetto. Ho finito di cenare proprio adesso.

– In questo caso...

– No, non si scoraggi. Quando dico che ho cenato voglio dire che sono riuscito ad aggiungere alla fame solo un po' di frustrazione. Non valgo granché in cucina. Il mio menu di oggi è stato una scatoletta di tonno, in sostituzione di un piatto che ho rinunciato a cucinare.

– Bene, allora la aspetto. Si segni il mio indirizzo.

Mentre scriveva, provai il tipico pentimento di chi ha appena ceduto a un impulso sconsiderato.

– Petra, è sempre lì?

– Sì, mi dica.

– Non pensi che accetto il suo invito per semplici motivi gastronomici. Mi fossi anche mangiato un fagiano intero, verrei lo stesso a casa sua. In realtà, lei non saprà mai se non ho mangiato un fagiano invece di una scatoletta di tonno.

Tutte le mie remore scomparvero all'istante. Quell'uomo aveva senso dell'umorismo, e quando uno ha senso dell'umorismo non se la prende troppo se gli si punta contro una pistola.

Il fagiano non l'aveva mangiato, questo è sicuro. Via via che lo vedevo ingurgitare tutto quello che gli mettevo nel piatto, la versione della scatoletta di tonno trovava sempre maggiori conferme. Era degno di far concorrenza al viceispettore Garzón, anche se non faceva nessun commento sull'eccellenza dei piatti, limitandosi a inframmezzare i bocconi con tiri di sigaretta. Era divertente, scherzoso, con la giusta dose di scetticismo che non gli faceva prendere sul serio quasi niente. Mi piaceva, perché negarlo, mi piaceva. Alla fine della cena ci stavamo già dando del tu, ma continuavamo a non sapere quasi niente l'uno dell'altra. Davanti a una tazza di caffè, passammo a un registro più personale.

– Non posso fare a meno di domandarmi che cosa abbia potuto spingere una donna come te a diventare poliziotto.

– Non intendo rispondere a nessuna domanda.

– Fare domande è la mia deformazione professionale.

– Anche la mia.

– Sì, ma sembra che a te interessino solo i barboni. Non mi hai chiesto niente di me.

– Cosa vuoi raccontarmi?

– Niente che tu non voglia sapere.

– Io ho già scoperto parecchie cose su di te. Questa è la mia seconda deformazione professionale.

– Anche la mia.

– Vuoi dire che anch'io sono parzialmente allo scoperto?

– Vedo che ci sono molte cose in comune fra poliziotti e psichiatri. Chi comincia a tirare le conclusioni, tu o io?

– Comincia tu. Di solito i tuoi interlocutori ti pagano. I miei detestano venire a sapere cos'ho scoperto su di loro.

– D'accordo, comincio. Non sei nubile. Questo è evidente dal tuo atteggiamento e dal tuo modo di fare. Quindi sei divorziata. E poi oggi sono tutti divorziati, se questo può voler dire qualcosa. Apparentemente sei fredda, ma nascondi un lato passionale. Sei fortemente contraddittoria, impaziente, a volte collerica, sensibile e amante della solitudine. Adesso tocca a te.

– Bene. Sotto la tua apparenza divertita c'è un uomo che conosce l'amarezza. Immagino tu sia divorziato, altrimenti non ti sembrerebbero così interessanti le persone che lo sono. Ti piace la gente, ma puoi arrivare a detestare chi parla troppo. Sei nervoso, intelligente, disprezzi il modo di vivere della maggioranza... Non so, c'è un lato di te che ti porta a isolarti.

Ci guardammo con sorrisi ampi e sensuali, ormai immersi in un aperto corteggiamento.

– Petra, già che siamo alla ricerca di parallelismi: posso supporre che tu mi abbia invitato per la stessa ragione per cui sono venuto io?

Stava correndo un po' troppo, forse, io non ero ancora pronta, avevo perso l'abitudine, avevo bisogno di un altro appuntamento, di un'altra conversazione. In quel momento avrei voluto sparire, riposare, riflettere. La voce stentava a uscirmi dalla gola, ma mi sforzai di darle una nota forte e decisa.

– Ricard, non credo sia il caso di andare oltre. Abbiamo cenato bene, abbiamo chiacchierato…

Mi interruppe in tono serio, radicale:

– Potrò apparire come un tipo sventato e infantile, ma non lo sono. Non sono venuto qui per andare a letto con te, e nemmeno tu mi hai invitato con questa idea, ma adesso è proprio quel che abbiamo voglia di fare, e sarebbe stupido lasciar perdere.

Si alzò, fece il giro del tavolo e venne verso di me, mi prese per mano e mi fece alzare in piedi. Quando fui alla sua altezza fissò gli occhi nei miei e poi mi baciò con più voracità e più forza di quanto nessuno avesse mai fatto.

– Se non mi porti nella tua stanza non potrò fare a meno di trascinarti fino a quel divano.

Lo portai nella mia stanza, anche se non fu facile arrivarci. Aveva il corpo asciutto e agile di un ragazzo di vent'anni, ma agiva con la sapienza erotica di un uomo di cinquanta. Io, da parte mia, non ero in condizioni di fare calcoli sulla mia età, persi di vista la consapevolezza di me stessa, mi fusi con la sua pelle, con la sua bocca, per un po' non fui altro che una particella all'interno di una grande sfera fiammeggiante di piacere.

Dopo una furiosa battaglia, da cui uscimmo vittoriosi entrambi, mi adagiai accanto a lui assaporando il gradevole fumo della sua sigaretta. Sì, erano troppi mesi che non facevo l'amore, oppure quel tipo mi piaceva tantissimo. Lo guardai con la coda dell'occhio. Ero un po' allarmata, perché in genere sono io a prendere l'iniziativa sessuale, mentre quella volta non era stato così. Quando mi succede, ho sempre la sensazione di essere stata colta di sorpresa, mi faccio prendere dal complesso di Europa rapita dal toro e mi chiudo in me stessa. Come se avesse indovinato i miei pensieri, Crespo disse:

– Un intruso nel tuo letto?

– Ti sembra che sia così?

– Sì, mi guardi come se ti stessi domandando chi sono.

– È vero, non so chi sei.

– Sono un uomo della tua generazione.

– Hai l'abitudine di scoparti tutte le donne della tua generazione che incontri?

Rise.

– Ah, caro ispettore! Per un attimo avevo creduto che fossi diversa dalle altre, e invece no, non lo sei. Perché avresti dovuto? Molto meglio così, d'altra parte.

Tutte le fibre del mio corpo, per quanto rilassate dal piacere, si tesero all'improvviso. Mi staccai da lui per guardarlo in faccia.

– Puoi spiegarti meglio, per favore?

– A tutti noi piace essere unici e speciali. Facciamo l'amore come bestie, ma poi ci domandiamo se facciamo parte di un gregge o se siamo stati accuratamente scelti come protagonisti assoluti del film.

Mi sedetti sul letto, e malgrado l'indignazione che sentivo montare dentro di me, ebbi la presenza di spirito per rispondergli.

– Stai elaborando qualche studio psicologico sulla questione, o un pensiero come questo ti pare troppo geniale per non essere espresso ad alta voce?

– Ti dà fastidio che lo dica? Davvero, ti dà fastidio?

Scoppiò in una risata e mi si buttò addosso, facendomi cadere, giocando, cercando di baciarmi e di farmi il solletico.

– Su, Petra, non essere permalosa! Non dirmi che sei di quelle che apprezzano complimenti del tipo: «Oh, è stato fantastico, sai? Credevo di morire!».

– Apprezzo la buona educazione in ogni circostanza.

– Ah, sei deliziosa, sul serio! La donna che non ha paura di niente e che tuttavia non dimentica le forme! Mi piaci, non scherzo, mi piaci.

Ero attanagliata dalle sue braccia. Ero furibonda, ma nello stesso tempo non potevo fare a meno di sentirmi selvaggiamente attratta dalla sua risata, dal gioco della sua ironia, dall'odore dolce di tabacco e di vita che emanava dal suo petto.

– Lasciami! Sei diventato matto? Sei nel letto di un poliziotto, sono cintura nera di karatè!

Le sue risate dovevano sentirsi fin dalla strada. Venne da ridere anche a me, e mi mancarono le forze per respingerlo. Allora lui mi baciò dolcemente sulle labbra e parlò sottovoce:

– No, Petra, io non vado a letto con tutte. Ti stupiresti apprendendo che ben poche donne mi hanno interessato nella vita. Ma tu mi sei piaciuta subito, e molto. Tu sì che sei speciale.

– Ho una gran voglia di mandarti al diavolo, ma credo che lo farò più tardi.

Ci lanciammo in un nuovo incontro, più pigro, questa volta, più sensuale, senza fretta, senza paura, senza altro scopo che assaporare ogni sensazione con intensità, con la forza di un impulso che nasce solo da se stesso e che nulla di esterno può sfiorare.

Non avevo idea di che ora fosse quando recuperai la consapevolezza della realtà. Ricard si stava raggomitolando accanto a me con i movimenti di chi cerca la posizione ideale per il sonno. Cercai di non farlo trasalire col suono della mia voce. Bisbigliai:

– Ricard, devo dirti una cosa e spero tu non te ne abbia a male.

Rimase immobile, in silenzio, e quando parlò mi accorsi che il sonno gli era passato di colpo.

– Dimmi, cosa succede?

– Niente, una sciocchezza. Il fatto è che non sopporto di svegliarmi al mattino accanto alla persona con cui... Insomma, il buongiorno, la colazione insieme... Si tratterà di una mania, ma...

Ci fu un silenzio. Pensai alla possibilità che la prendesse sul ridere, ma non fu così. In tono assolutamente neutro rispose:

– Non preoccuparti, rimango a dormire un poco e poi me ne vado.

E così fece. Il mattino dopo, quando mi svegliai, era scomparso. Doveva essersene andato molto silenziosamente perché non avevo sentito nulla. Avevo dormito di un sonno profondo. Saltai giù dal letto e mi stiracchiai. Avevo il corpo piacevolmente indolenzito. La doccia mi parve benefica come una cascata d'acqua termale e godetti immensamente dell'aroma del caffè e del colore intenso del succo d'arancia mentre mi preparavo la colazione. Avevo perfino voglia di andare in commissariato. Ero indiscutibilmente di ottimo umore.

4

Il viceispettore Garzón, seduto davanti alle carte sparse sulla sua scrivania, mi parve la statua votiva di qualche strana religione.

– Buongiorno, Fermín! Come sta cominciando la mattinata?

– La mattinata è già cominciata da un pezzo, ispettore.

– Ah, arrivo così tardi? Non può essere! Dovrò impormi un po' più di disciplina.

– Mi fa piacere vederla contenta, se non altro mi dà motivo per essere contento anch'io.

– C'è qualcosa che non va?

– Ispettore, non ha molto senso che un poliziotto faccia una domanda del genere.

I miei attacchi di euforia mattutina non ammettono troppi ostacoli sul loro cammino e il cattivo umore del mio sottoposto costituiva uno scoglio eccessivo. Storsi la bocca per dire:

– La sa una delle ragioni per cui ho deciso di non risposarmi più per tutta la mia vita?

Garzón mi guardò con curiosità e con una certa aria di trionfo. Credo che l'unica cosa che voleva fosse farmi saltare i nervi.

– Proprio per non dover subire le paturnie di nessuno al mattino.

– Facile a dirsi, ma se lei fosse qui già da due ore come me, capirebbe che ho tutte le ragioni di lamentarmi.

– Avanti, le enumeri e facciamola finita.

– Se pensa di stare ad ascoltarmi solo pro forma...

– Ma figuriamoci! Mi imporrò il massimo raccoglimento per fare tesoro di ogni sua parola, farò insonorizzare l'ufficio, chiuderò a chiave la porta così nessuno potrà interromperla. Insomma, vuole spiegarmi cosa le succede, o no?

– No, così non dirò niente.

Tornò a immergersi fra le sue scartoffie con una smorfia. Il mio voto al celibato non aveva alcun senso. Con Garzón al fianco era come avere un marito, un padre, un nonno, e anche un bambino di tre anni, tutti insieme. Raccolsi tutta la pazienza necessaria per affrontare un simile assortimento di parenti.

– Viceispettore, ricominciamo da capo?

– Come vuole, per me...

– Buongiorno, Fermín! Come sta? Come sono andate le ultime due ore di servizio?

– Malissimo, sono andate malissimo. Mi ha chiamato il commissario per metterci fretta. C'è una giornalista che continua a pubblicare un articolo al giorno sull'aggressione degli skinhead al povero barbone e sull'inefficienza delle forze dell'ordine. È la tipica stronza che in mancanza di meglio ha addentato la notizia e non intende mollare la presa. Ma al capo non piace la sua insistenza. Dice che, o le mandiamo un pacco bomba, oppure le diamo al più presto qualcosa da masticare. Non ho osato dirgli che cosa farei io. Poi mi ha chiamato quella vigilessa che a sentir lei è tanto indispensabile, e non la finiva più di spiegarmi quel che mi avrebbe mandato per posta elettronica. Mi avrà tenuto al telefono per un'ora d'orologio, glielo giuro. È mai possibile una simile logorrea? Quando attacca il disco non la fermi più. Un difetto molto femminile, del resto. Le ha mai viste le signore che si incontrano a prendere il tè? Non sono mai riuscito a capire come facciano, ma parlano tutte insieme, contemporaneamente. Da non crederci! Comunque, questa Yolanda, la logorroica, mi ha mandato una lista di indirizzi, cosa che poteva benissimo fare senza tanti preamboli, e su questa benedetta lista ci sono almeno cinquanta posti dove si dà assistenza ai poveracci. Cinquanta! Non poteva almeno fare una selezione?

– Insomma, Garzón, le cose che le danno fastidio sono così tante che le converrebbe metterle per iscritto e affiggerle al Muro del Pianto, in modo che se ne faccia carico direttamente il Signore. Di tutto quel che mi ha detto, l'unica cosa a cui vedo una soluzione è la lista dei centri di accoglienza.

– Ah sì? E che soluzione vede?

– Visitarli uno per uno.

– Bella soluzione, a questo ci arrivavo anch'io!

– Finalmente una cosa su cui siamo d'accordo! Partiamo di lì e mettiamoci al lavoro.

– Questa è un'indagine a tappeto, ispettore, quando ormai dovremmo essere su una pista precisa.

– Certo, ma che cavolo vuole che facciamo se gli indizi non ci hanno aperto nessuna pista? Bisognerà pur andare avanti, no? Si prepari, che fra un attimo usciamo. Passo solo a vedere la posta.

La visita mattutina al mio collega era riuscita a stancarmi come se avessi già dieci ore di lavoro sulle spalle. Di certo risparmieremmo tutti un mucchio di tempo se riuscissimo a lasciare le emozioni fuori dalla porta dell'ufficio. Eppure erano state proprio le emozioni a farmi arrivare in commissariato di ottimo umore. Il ricordo della notte precedente mi procurò un brivido di piacere. No, la componente emozionale non era poi così negativa, poteva dare la giusta carica per affrontare una lunga giornata.

Mi sedetti davanti al computer e lo accesi. In quel momento entrò un agente.

– Ispettore, poco fa hanno portato una cosa per lei.

– Bene, molto bene. Dov'è?

– È che... Veramente... per discrezione, l'ho messa nel bagno. In attesa di ordini.

Quella mattina tutti sembravano completamente pazzi. L'agente non si decideva a continuare.

– Per Dio, Domínguez! Cosa diavolo mi hanno portato perché sia necessaria tanta discrezione? Un cadavere o qualcosa del genere?

– Preferirei che lo vedesse da sé.

Sbuffando come un toro infuriato lo seguii nel bagno. Aprì la porta e mi mostrò l'indecoroso invio. Dio!

Quel ragazzo aveva tutte le ragioni per essere discreto! Quel che giaceva sul lavandino era un enorme mazzo di rose rosse con tanto di fiocco. Mi accorsi di avvampare.

– Cristo! – esclamai di tutto cuore.

– Vede, ispettore, mi è parso che fosse un omaggio personale, e visto che in commissariato girano sempre tanti pettegolezzi...

– Ha fatto molto bene a nasconderlo qui, Domínguez, molto bene. Sa cosa facciamo? Lei è sposato?

– Fidanzato.

– Bene, lo porti alla sua fidanzata e siamo a posto.

– Ah, no, manco per sogno! Se mi vedono uscire con questa roba i pettegolezzi me li becco io!

– Capisco. C'è qualche chiesa da queste parti?

– Be', c'è la cattedrale.

– E allora lo faccia portare alla Madonna. Mandi l'agente di servizio alla porta. Se qualcuno chiede qualcosa, è un'offerta del commissariato. Si sa che siamo molto devoti!

Annuì, un po' sorpreso dalla disinvoltura con cui mentivo. Dopo aver staccato il biglietto che accompagnava i fiori, lo vidi uscire coll'imbarazzo dipinto sulla faccia, trasformato in fioraio in divisa. Tornai nel mio ufficio in tutta fretta. Immaginavo già chi fosse il mittente, ma aprii la busta con ansia.

«Cara Petra, rose appassionate per una donna meravigliosa. Una notte riuscirò a dormire in casa tua, vedrai. Tuo Ricard.»

Era il colmo! Cosa pensava quel balordo, che un com-

missariato fosse qualcosa di paragonabile a un boudoir?
A chi sarebbe mai venuto in mente di fare una cosa del
genere? Mandarmi delle rose in ufficio! L'agente aveva reagito con più prontezza e buon senso di quanto
mi sarei aspettata, eppure non potevo sapere in quanti avessero visto quell'infamante omaggio. Me ne fre-
gavo dei commenti dei miei colleghi ispettori, ma mi
veniva la pelle d'oca alla sola idea di cosa avrebbe potuto dire Garzón, o lo stesso Coronas! Non era difficile immaginare le frecciate di cui sarei stata bersaglio,
le battutacce che mi avrebbe riservato il mio caro collega. C'erano due possibili interpretazioni di quel do-
no inopportuno: o Ricard me l'aveva mandato a titolo di provocazione per vedere fino a che punto poteva
spingersi con me, o non si era nemmeno reso conto di
quanto fosse fuori luogo quel gesto. Nel primo caso, era
un vero bastardo; ma nemmeno nel secondo ne usciva
molto bene. Un incosciente che agisce senza riflettere
è un pericolo da cui è difficile difendersi. Feci qualche
giretto per la stanza cercando di chiarirmi le idee. Dovevo muovermi coi piedi di piombo, quel che meno desideravo al mondo era una nuova complicazione nella
mia vita, e Ricard Crespo minacciava di diventarlo. Un
uomo che una sottoposta definiva «molto particolare»
non poteva certo essere affidabile. E poi era in qualche modo coinvolto nelle indagini, sia pure molto alla
lontana, e accettare una relazione con lui equivaleva a
sedersi su una polveriera. «Una notte riuscirò a dormire
a casa tua, vedrai». Che faccia tosta! E, soprattutto,
che arroganza! Sì, se voleva dormire in casa mia pote-

va accomodarsi sullo zerbino dell'ingresso. Non mi restava che troncare sul nascere quell'amicizia. Accidenti, per una volta che avevo trovato un uomo interessante... Perché interessante lo era, e fare l'amore con lui era stata un'esperienza più che positiva, eppure, lo dicevano tutte le mie amiche, era opinione generale ormai: gli uomini sono un disastro di questi tempi. O vogliono portarti a letto per superare le loro frustrazioni, o hanno bisogno di rendere pubbliche le loro conquiste, o sperano che tu gli faccia da madre, o vogliono farti da padre... No, l'uomo come buon compagno sentimentale è rimasto un ricordo di epoche passate.

Presi il telefono per chiamarlo. Un vero peccato, perché in fin dei conti essere definita «una donna meravigliosa» non succede tutti i giorni. Le avesse solo mandate a casa mia quelle rose, invece che in commissariato... Ma cosa stavo dicendo? Da quando omaggi abusati come le rose rosse riuscivano a emozionarmi? Ho sempre considerato antiquate certe galanterie, e le rose rosse sono il colmo del colmo. Preferisco di gran lunga che mi mandino qualche etto di prosciutto del migliore.

– Hospital Clínico, in cosa posso esserle utile?

– Può passarmi il dottor Ricard Crespo, per favore? Sono l'ispettore Delicado.

Attesi guardando con ansia la porta. Ci mancava ancora che Garzón mi cogliesse in piena rottura amorosa. La voce di Ricard suonò vibrante all'altro capo del filo.

– Petra, che piacere sentirti! Come stai?

– Un po' sorpresa del tuo omaggio.

– Una cosa senza importanza.

– E invece ne ha, più di quanta tu pensi, Ricard.

– In questo caso ti manderò un mazzo di fiori tutti i giorni.

– Vuoi lasciarmi finire?

– Certo, cara, ti ascolto.

– Ma non ti rendi conto? Non puoi mandarmi dei fiori in commissariato come se fosse la cosa più normale del mondo.

– Perché?

– Perché non lo è. Sono un poliziotto, nel caso tu te ne sia scordato, e questo è un lavoro serio, con delle regole.

– Anche il mio è un lavoro serio.

– Appunto. Cosa diresti se ti mandassi in reparto... che so, un paio di boxer?

– Be', mi farebbe piacere. Potrei persino trovarlo un pensiero molto intimo e delicato. L'hai fatto?

– Come? Senti, Ricard, apprezzo molto il tuo umorismo, ma ti assicuro che non ho voglia di scherzare. Che qualcuno cerchi di danneggiare la mia figura professionale mettendo in piazza la mia vita personale mi sa di mancanza di rispetto.

– Questa è un'interpretazione tua.

– Esattamente.

– A dire il vero chi dovrebbe interpretare che cosa c'è dietro le azioni della gente sarei io, e sai che cosa vedo? Che ti lasci guidare dai luoghi comuni e da etichette assurde senza darti la pena di pensare la cosa più semplice, e cioè questa: non ci avevo pensato, non mi era venuto in mente che in un commissariato le regole fossero così rigide.

– Solo in prigione le regole sono più rigide che in un commissariato.

– Va bene, va bene, è stato un errore, questo è tutto. Sai cosa faccio per farmi perdonare? Ti invito a cena stasera.

– Ah no, impossibile!

– Perché impossibile?

– Sarò in servizio fino a tardi.

– E allora domani sera.

In quello stesso momento Garzón si affacciò alla porta. Entrai subito in allarme.

– Senti, adesso devo lasciarti.

– Ti chiamo dopo.

– No, tu non chiamare. Ti richiamerò io.

Non ebbi il tempo di dire altro. Il mio sottoposto era verde come un cetriolo sott'aceto.

– Ispettore, se non partiamo immediatamente io non sarò più responsabile dei miei atti.

– Cosa c'è che non va?

– Quella Yolanda è già nel mio ufficio, e più che una vigilessa mi sembra un pompiere.

– Perché?

– Perché mi ha inondato di parole.

– Se è ancora dell'umore per fare battute penose vuol dire che non è così grave.

– Su, Petra, muoviamoci, per favore. Quella ragazza mi sta facendo diventare scemo. Io sono più vecchio di lei, no? Quindi un po' più di esperienza ce l'avrò. E quella sono due ore che mi racconta i casi risolti dalla sua squadra. Hanno perfino salvato un cane da un allagamento!

– Be', non mi sembra così inutile, potrebbe sempre servirle se dovesse capitare a lei.

– Molto spiritoso. Andiamo?

– Andiamo.

Mi infilai l'impermeabile e uscii senza guardarmi indietro. Ero decisa a lavorare col massimo impegno per togliermi dalla testa quel che era appena successo.

Era verissimo che Yolanda era una gran chiacchierona, ma a me non disturbava, anzi, devo dire che trovavo piacevole il suono della sua voce giovane e allegra. Probabilmente il disagio che provai nel visitare quei centri d'accoglienza sarebbe stato difficile da sopportare senza di lei. Lo squallore delle mense dei poveri piene di gente senza futuro, dei dormitori dove si ammassavano barboni e immigrati, assumeva per noi una dimensione tragica che alla volenterosa vigilessa era del tutto estranea. Credo che, dalla prospettiva della nostra età, vedessimo qualcosa di noi stessi in quei luoghi spaventosi. Nessuno supera indenne i quarant'anni, e chiunque, uomo o donna, si sia già lasciato metà della vita alle spalle, non può scacciare un pensiero angoscioso: «Sarebbe potuto succedere a me». C'era qualcosa di nostro nel fallimento di quegli emarginati, qualcosa che sapevamo di condividere con loro: i sogni svaniti, l'accumularsi delle frustrazioni, l'indifferenza in cui rinchiudiamo la nostra mente per riuscire a vivere senza troppo dolore.

I centri di accoglienza del comune erano gestiti da personale entusiasta e cortese che ci ricevette molto bene, ma il compito da affrontare non era facile. Mostrare la fotografia del morto agli operatori non bastava, bisognava avvicinare tutti coloro che in quel momento si trovavano all'interno della struttura, e interrogare quella gente era davvero scoraggiante. Quelli che intervistai io mi guardavano con aria assente, come se non capissero le mie domande, come se rispondere o non rispondere fosse in realtà lo stesso. Non erano abituati a sentirsi chiedere qualcosa, le loro opinioni o le loro esperienze non interessavano mai a nessuno. Vivevano su un altro pianeta, parlavano un altro linguaggio, non eravamo sullo stesso piano di realtà.

Mi vergognavo ad avvicinarmi a loro, provavo lo stesso senso di colpa che assale un turista sensibile in viaggio nel Terzo Mondo. Non c'erano lenzuola sui letti, solo coperte che sembravano dell'esercito. Accanto a ogni brandina, ciascuno teneva le sue cose. Una delle operatrici mi spiegò che nessuno voleva separarsene.

– In quei fagotti c'è tutto quel che possiedono. È inutile pretendere che li mettano in un armadio o in un'altra stanza. Vogliono tenerli sotto controllo in ogni momento. E hanno ragione: vengono spesso derubati. Dai loro compagni, naturalmente, perché mi dica lei a chi possono interessare certi stracci.

Mi tornò in mente l'immagine di tutti i vagabondi e mendicanti che avevo visto nel corso della mia vita e, in effetti, accanto a loro c'erano sempre sacchetti, borse, cartoni. Per quanto uno sia povero, ha sempre qualcosa di cui fare tesoro.

Nel corso di quelle visite constatammo che, fra i disagiati, i barboni erano al livello più basso di degradazione. Nei giovani immigrati clandestini palpitava ancora la speranza di un lavoro, di un inserimento sociale, ma i vecchi mendicanti alcolizzati non aspiravano più a niente, erano giunti alla fine del percorso, e davano perfino l'impressione, a quanto mi dissero coloro che se ne occupavano, di disprezzare qualunque aiuto.

– Se li buttiamo fuori, per loro è lo stesso, troveranno un altro posto dove andare. E se gli proponiamo di fare domanda per entrare in un centro di accoglienza permanente, loro dicono di no. Non vogliono assumersi nessun tipo di impegno.

– Sono come principi orgogliosi – mi lasciai sfuggire.

La ragazza mi guardò con indifferenza.

– Qualcosa del genere.

Quella frase mi valse, naturalmente, le sarcastiche rappresaglie del mio collega.

– Ricominciamo con le favolette mistiche, ispettore?

– Le favole del lupo cattivo le lascio a lei.

La povera Yolanda non capiva granché di quel battibecco fra colleghi, ma da ragazza prudente che era, se ne rimase zitta. Meglio così, sarebbe stato difficile spiegarle che il nostro era un modo come un altro di andare d'accordo.

Dopo sei ore di lavoro il fantasma era rimasto un fantasma e la nebbia era ancora più fitta. Sulla nostra lista avevamo spuntato qualche indirizzo, ma ne rimanevano ancora un'infinità.

– E dire che abbiamo visitato solo i centri pubblici. Quelli delle opere pie sono molti di più.

– Senta, Yolanda, lei è qui per scoraggiarci?

– Ma no, viceispettore, vedrà che ce la faremo a girarli tutti, e poi ho il presentimento che questa volta sarà quella buona. Vedrete. Voi non lavorate mai seguendo i presentimenti?

– Sì, infatti ho il presentimento che...

Conoscevo abbastanza bene Garzón per presentire che era meglio interromperlo subito.

– Be', in ogni caso è già molto tardi. Sarà meglio continuare domattina.

– Perfetto. Ho dato appuntamento al mio fidanzato da queste parti. Avevo immaginato che questo sarebbe stato l'ultimo posto che avremmo visitato. Lo vede, ispettore, che mi sto già abituando ai vostri ritmi di lavoro?

– Sì, Yolanda, sei bravissima.

– Le ho già detto di cosa si occupa il mio fidanzato, viceispettore? Domani glielo racconto, le piacerà.

– Sì, non vedo l'ora – borbottò sottovoce Garzón.

La vedemmo allontanarsi leggera come un soffio di vento. Mi voltai verso il mio collega ben sapendo che cosa mi aspettava. Non mi sbagliavo.

– Ha visto? Mi fa venire una testa così. E tutte le sue sciocchezze le riversa sempre addosso a me, a lei la rispetta. Perché diavolo deve raccontarmi che cosa fa il suo fidanzato? Me lo spieghi lei.

– Probabilmente lei le ricorda suo padre.

– Sua nonna, magari! Cosa mi tocca sentire! Me la tolga dai piedi, ispettore, non ci serve a un bel niente.

– Ci porta esattamente dove dobbiamo andare, è informatissima su tutte le istituzioni e conosce a menadito la città.

– Sì, come una piccola esploratrice!

– La consideri pure uno sherpa dell'Himalaya, se le fa piacere, ma finché dovremo girare Barcellona come matti rimarrà con noi.

Tirai fuori il cellulare, che avevo tenuto spento per tutto il tempo, e guardai se ci fossero delle chiamate. In effetti, non avevo ecceduto nelle cautele. C'erano sette messaggi, tutti provenienti dal numero di Ricard. L'argomento era uno e rimaneva invariato: insisteva nel voler uscire a cena quella sera. Spensi di nuovo e, attenendomi a un piano di rigorosa prudenza, dissi a Garzón:

– Purché la smetta di protestare, la invito a cena fuori.

Rimase spiazzato, guardò l'orologio, poi guardò me, rimase per un attimo titubante.

– Adesso?

– Be', certo, mai rimandare a domani la cena di oggi. Ha qualche impegno?

– Impegno? No, no, stavo solo pensando che alla televisione danno una partita di calcio che...

– Non ci posso credere! Ai bei tempi, quando le proponevo di andare al ristorante, accettava entusiasta senza neanche lasciarmi finire, e ora preferisce una stupida partita di calcio...

– È lei che non mi lascia mai finire! Volevo dire che c'è una partita interessante, ma che preferisco mille volte venire a cena con lei.

– No, guardi, se è per me non si preoccupi, vado a cena da sola senza problemi.

– Petra, non insista, sembriamo due amanti.

– Sembriamo marito e moglie, che è molto peggio.

– Infatti. Quindi andiamo a cena e non se ne parli più. Sono commosso del suo invito.

Avrei dovuto sentirmi in colpa, perché in realtà lo stavo usando. Non avevo voglia di tornare a casa e di affrontare una valanga di chiamate di Ricard, e non mi divertiva affatto cenare fuori da sola. A cosa serve l'amicizia, se l'amico non si sacrifica per te senza nemmeno conoscerne il motivo?

Andammo in un posto molto esclusivo di cucina francese. Il lieve complesso di colpa che aleggiava su di me mi portò a scegliere un locale più lussuoso di quanto avessi in programma. Com'era prevedibile, il viceispettore dimenticò i suoi rimpianti calcistici non appena si trovò davanti a una tavola magnificamente imbandita. La sua adattabilità gastronomica era invidiabile, si trasformava in un discreto ruminante davanti a un'insalata e diventava un predatore insaziabile davanti a un succoso arrosto. Avrei dovuto invitarlo a cena più spesso, perché vederlo mangiare era davvero uno spettacolo. Quando riemerse dal primo parossismo di piacere, mi guardò con curiosità, come se si accorgesse della mia presenza all'improvviso.

– Stiamo festeggiando qualcosa, ispettore?

– Non credo, ma se lei ha qualche idea…

– In questo momento, purtroppo, non me la sento di festeggiare niente.

– Posso chiederle perché?

Mi lanciò uno sguardo degno di un agente segreto, ripulì coscienziosamente il piatto col pane, e sospirò più volte prima di cominciare a parlare.

– Non gliel'avrei mai raccontato se stasera non ci fossimo trovati qui a cena. Ma il fatto è che fra pochi giorni viene a trovarmi mio figlio da New York.

– Ah, magnifico! È contento?

– Ma non viene solo, viene con una persona.

– Tanto meglio, sarà un'occasione per fare una nuova conoscenza.

Abbassò lo sguardo sul tovagliolo e cominciò a ripiegarlo accuratamente, poi lo mise da parte con gesto brusco ed esclamò:

– Petra, quella persona è un uomo. Il suo compagno. Mio figlio è gay!

Ora mi guardava aspettandosi una reazione adeguata alla gravità di quella rivelazione. Risposi con la massima calma.

– Immagino che lei già lo sapesse.

– Io? Cosa potevo saperne, io? Finché ha studiato medicina qui, è sempre stato normalissimo. Poi ha fatto la specializzazione negli Stati Uniti e non è più tornato. Quando ci siamo visti non abbiamo mai parlato di questi argomenti. Certo, non si sposava, ma io l'ho presa come una cosa normale. Immaginavo che a New York la gente non si sposasse, che fosse un'usanza superata. Be', mi sono sbagliato. A New York si sposano tutti, tranne i gay.

La conversazione aveva preso una piega imprevista che mi preoccupava. Che cosa voleva da me il viceispettore? Un discorsetto confortante sulla normalità di qualunque scelta sessuale? Quell'uomo aveva il brutto vizio di coinvolgermi nei fatti suoi, affibbiandomi sempre dei ruoli che non avevano nulla a che fare con la mia personalità. Ma ormai ero in gioco, e così mi lanciai, pronta a trasformarmi in campionessa del luogo comune:

– E questo per lei è un problema? In fondo oggi non lo è più per nessuno.

– Sono giunto alla conclusione che non si può superare tutto, Petra.

– Cosa intende dire?

– Ho accettato a suo tempo che la missione del poliziotto avesse perso la sua sacralità, ho accettato di portarmi dietro uno stupido telefonino, ho accettato di scrivere i rapporti al computer. Ho perfino accettato, e lei mi scuserà se lo sottolineo, l'assoluta parità della donna. Ma che mio figlio viva con un uomo, è troppo per me. Rinuncio a capire.

– Molto bene, lo accetti e basta. Non è strettamente necessario capire.

– Non se ne parla. Pensi un po' lei: mio figlio si aspetta che li ospiti tutti e due in casa mia mentre saranno qui.

Ogni proposito di correttezza e moderazione mi abbandonò all'improvviso.

– Ma, insomma, Garzón, non penserà di lasciarli su una strada!

– No, di questo non sono capace. Si tratta pur sempre di mio figlio. Penso piuttosto di andarmene io.

– Andarsene dove, scusi?

– Non so, in una pensione. Dirò che gli lascio l'appartamento, che è troppo piccolo per tutti e tre, così non faccio brutta figura.

– Ci rimarranno male, Fermín.

– No. Li porterò fuori a cena qualche volta, andremo a visitare la città... Ma dormire sotto lo stesso tetto no, non se ne parla.

– Ma è un pregiudizio ridicolo!

– Non creda, ispettore. Io sono pronto ad accoglierli, a non fare scene e a comportarmi nel migliore dei modi. Mio figlio è gay, d'accordo, non dico niente. Ma una cosa è saperlo, e una cosa è vedermelo al mattino uscire dalla camera da letto con un uomo, prepararagli il caffè mentre loro chiacchierano delle loro cose, sorprenderli mentre si scambiano sguardi da innamorati e magari... non riesco nemmeno a dirlo... si lasciano sfuggire un bacetto.

Mi venne una tremenda voglia di ridere che combattei con tutte le mie forze. In realtà lo capivo, capivo quello che stava dicendo, e il suo discorso, eccettuato il particolare del bacetto, mi muoveva a una certa compassione. Garzón cercava di affrontare la cosa senza compromettere troppo la sua idea di dignità.

– Non ne faccia una tragedia, Fermín.

– Ci sto provando. Quando mio figlio me l'ha annunciato per telefono come se fosse la cosa più naturale del mondo, ho cercato di prenderla così. E le assicuro che ho fatto fatica. Lui diceva tutto il tempo «la persona con cui sto», e quando gli ho chiesto come si chiamasse, mi ha risposto: «Alfred». Ci sono rimasto di sasso, ispettore. Mi dica lei se è il modo di dare una notizia simile. Uno non può andare a dire a suo padre che sta con un «Alfred» come se niente fosse.

– A volte il rispetto crea dei timori. Uno rimanda sempre certe spiegazioni, poi ogni volta è più difficile dirlo. Ma ora ha trovato il modo di farlo, anche se tardi. Vedrà che quando sarà qui ne parlerete con più calma. In ogni caso il telefono non è molto adatto a questo tipo di conversazioni.

– Insomma, il fatto è che adesso se ne arriva con questo... americano, e io me ne vado di casa.

– Dove pensa di andare?

– Tornerò nella mia vecchia pensione. Mi secca parecchio, perché ormai sono abituato alla mia intimità e stare in pensione è deprimente. E poi c'è l'aspetto economico. Il loro viaggetto mi costerà un occhio della testa. Dovrò chiedere un anticipo a Coronas: fra la camera alla pensione, le cene fuori e qualche altra scemenza...

– Quanti giorni si fermeranno?

– Una settimana.

Sollevai il bicchiere, contemplai il vino, il suo rosso profondo, vellutato, confortante. Lo sentii fluire nelle vene con gioiosa soavità. Il vino è l'unica bevanda che esalta la sensazione di amicizia, di calore, di appartenenza. Gli effetti degli alcolici più forti degenerano subito in sensazioni violente. Il vino no, il vino mette d'accordo gli animi. Li unisce.

– Perché non viene a stare a casa mia, Garzón?

Alzò verso di me i suoi occhi da cagnone mansueto. In un solo istante vi lessi stupefazione, gioia, gratitudine.

– Non posso, ispettore. Ma la ringrazio, la ringrazio davvero.

– Non può? E perché?

– Perché non sarebbe corretto, e nemmeno opportuno. Lei è il mio superiore, e per di più una donna.

– Pensa forse di saltarmi addosso con intenzioni lubriche appena mi metto in camicia da notte?

– Ma cosa dice, ispettore? Per carità!

– Allora non vedo perché non dovrebbe accettare. Risparmierà i soldi della pensione, se ne starà tranquillo e farà bella figura davanti a suo figlio. Gli dica che viene a stare da me per lavorare alle indagini con più intensità e concentrazione.

– Ma lei è un tipo molto indipendente, le darò fastidio.

– Sarà solo per una settimana. E poi casa mia è grande, lo sa. C'è una stanza in più, con un bagno per gli ospiti. Io dormo di sopra. Non mi accorgerò nemmeno della sua presenza.

– Ma io...

– Basta, non si faccia pregare in ginocchio!

– Va bene, ispettore, d'accordo, verrò. Ma se dovesse cambiare idea, sappia che...

Il suo senso della cortesia era troppo complicato per me. Ormai avevo deciso. C'è chi va nei paesi poveri con una ONG a fare del volontariato durante le campagne di vaccinazione, io avrei ospitato per una settimana il mio collega. Bisogna pur fare qualcosa per il mondo che va a rotoli. Quando ci separammo mi schioccò due baci sulle guance che risuonarono in tutta Barcellona. Sperai che non fosse una delle sue abitudini prima di andare a dormire.

Parcheggiai davanti a casa. Era una notte umida e scura, e nel quartiere di Poblenou non c'era un'anima. Ero tutta infreddolita e non vedevo l'ora di rientrare. Infilai la chiave nella serratura e sentii una mano che mi si posava sulla spalla. Senza esitare, reagii come avevo imparato a fare in simili casi: tirai fuori la pistola dalla borsetta, mi voltai, spinsi contro il muro l'uomo che mi aveva teso l'agguato nell'ombra e gli piantai l'arma contro il petto, bloccandolo con tutto il mio peso. Gli occhi stupiti di Ricard Crespo brillarono nel buio.

– Petra! Cosa fai?

Il cuore mi batteva all'impazzata, respiravo con difficoltà.

– Petra, ti stavo aspettando. Volevo solo farti una sorpresa.

Gli voltai le spalle senza dire una parola. Aprii la porta. Con la testa, gli feci cenno di entrare. Accesi la luce, mi tolsi l'impermeabile e lanciai la borsa sul divano.

– Insomma, Ricard, una volta per tutte, ficcatelo bene in testa. Non si fanno sorprese di questo genere a un poliziotto, così come non si mandano fiori a un poliziotto. Un poliziotto non è una persona come tutte le altre, lo capisci? Può sembrarlo, ma non lo è. Mi sono spiegata?

– Sì – disse serio. Girò sui tacchi e fece per andarsene. Mi avvicinai, lo presi per un braccio.

– Non te ne andare, scusa. Mi dispiace. Mi sono spaventata, ecco tutto. Una reazione normale, del resto, o non posso nemmeno spaventarmi?

– Hai appena detto che un poliziotto non è una persona normale.

– Be', quando si tratta di avere paura è normalissima. Non te ne andare. Mi fa piacere vederti, sul serio.

– Hai uno strano modo di dimostrarlo.

– Ne ho uno migliore.

Lo abbracciai e lo baciai sulla bocca. Aveva un buon odore, di medicine e di tabacco, di uomo, di pelle, di passione. Crollammo sul sofà. Cominciò a sussurrarmi disperatamente:

– Petra, non potevo fare a meno di venirti a cercare, avevo bisogno di te, volevo vederti, toccarti, sentire il tuo odore. Non resistevo più...

Il soffio caldo delle sue parole mi fece perdere la testa, e per la seconda volta in quella notte, lo bloccai col peso del mio corpo. Poi ci alzammo e lo trascinai verso le scale, che salimmo gradino dopo gradino, incespicando e sorbendoci l'anima l'un l'altra. Il letto divenne il luogo più atteso del mondo. Ci strappammo di dosso i vestiti come se bruciassero. Non un attimo di più, non un attimo di più senza di lui, questo era il mio unico pensiero. L'attimo fu breve e lo ricevetti finalmente dentro di me come si riceve una pioggia vivificante.

Alle cinque del mattino, dopo aver fieramente combattuto e dormito e combattuto di nuovo, lui mi chiese a bassa voce:

– Rimango o me ne vado?

Solo la maledetta volontà di rimanere fedele ai miei principi mi costrinse a chiedergli di andarsene. Lo vidi vestirsi nella penombra. Fece un gesto di saluto con la mano e disse sorridendo:

– Buonanotte, poliziotto.

Il mattino dopo Garzón si mostrò perplesso quando gli dissi che avevo sonno. Di sicuro non gli pareva che la nostra cena della sera prima potesse giustificare il numero di caffè che stavo prendendo nel tentativo di svegliarmi. Quando arrivò Yolanda ne avevo già buttati giù quattro. La guardai con invidia. Era fresca e radiosa come se fosse nata quel giorno. Pensai che magari anche lei aveva avuto una notte d'amore con quel suo fidanzato di cui parlava sempre, ma certo la giovane età la aiutava a riprendersi senza problemi. Mi domandai se fosse una buona idea avere un amante così imprevedibile, se non mi sarebbe convenuta piuttosto un'amicizia amorosa ben regolamentata o perfino la castità totale. Ma non ero stata io a insufflare tanta urgenza e passione in quella relazione. Ricard non era un tipo moderato e suscettibile di controllo. Il vortice di caos che creava intorno a sé mi aveva impedito di fargli un discorso serio su come organizzare i nostri incontri. Quel pensiero mi spaventò: non mi piace prendere parte a giochi di cui non ho concordato prima le regole. Mi sforzai di tornare coi piedi per terra, perché già da un po' Yolanda mi stava parlando e non avevo la minima idea di cosa avesse detto, anche se dal tono sembrava importante. Ogni tanto leggeva qualcosa su un foglio che aveva portato con sé. È proprio vero che le contese d'amore impediscono ai guerrieri di concentrarsi in battaglia. Successe perfino a Marco Antonio, che non era un semplice poliziotto, ma un triumviro. Cercai di mimetizzare la mia distrazione.

– Bene, perfetto, suggeriscimi tu da dove cominciare.

– Da dove pare meglio a lei, ispettore. Le mense comunali sono le più vicine. Poi, se vuole, possiamo passare alla Caritas.

Non credo che il falso entusiasmo che tentai di mostrare riuscisse a convincere la mia piccola squadra, ma perlomeno la mise in movimento. L'intraprendente vigilessa si premurò di fornire la colonna sonora del viaggio. Parlava senza sosta illustrandoci i problemi di ordine pubblico di ciascuna zona che attraversavamo. A me le sue chiacchiere facevano comodo, avevo tutto l'agio di pensare alle mie cose e rivivere i momenti più focosi della notte precedente, ma mi accorsi che Garzón sbuffava con discrezione. Peggio per lui. Ora che gli avevo promesso di ospitarlo a casa mia era in mio potere. Non mi avrebbe più asfissiata con le sue proteste.

Ricominciò il giro infernale dei luoghi di desolazione. Visitammo due mense senza alcun risultato, ma giunti che fummo alla terza, successe qualcosa. Era quasi ora di pranzo, e uomini e donne cominciavano a entrare. Mi facevano una strana impressione i lunghi tavoli senza tovaglia, le caraffe di plastica dell'acqua, ciascuna di un colore diverso, le fette di pane dentro i cestelli. C'era odore di minestra e di caffè. Era un vecchio odore che mi ricordava la mia gioventù in collegio. Lì la modernità non era arrivata. Garzón e Yolanda cominciarono a mostrare la foto alle persone già sedute, mentre io, per cortesia, parlavo con l'assistente sociale che dirigeva la struttura. All'improvviso il viceispettore si avvicinò con la faccia illuminata da una novità.

– Venga un attimo, per favore. Lì c'è uno che dice di riconoscere l'uomo nella fotografia.

L'assistente sociale gli chiese chi fosse, e Garzón indicò un vecchietto che ci guardava sorridendo. Lei si mostrò scettica.

– Oh, Anselmo! È un habitué. Beve come un cosacco ed è matto come una capra. Non so se è il caso di fidarsi di quel che dice. In ogni caso, non interrogatelo qui, per favore. Venite nel mio ufficio.

Anselmo oppose un'obiezione ragionevole:

– Ma adesso devo mangiare. Se vengo con voi finisce che non trovo più niente. E poi non voglio andare nella stanza della direttrice. Lì dentro capitano solo casini.

– E se la invitiamo a mangiare in un bar?

– Con una birra e caffè corretto alla fine?

– Ma certo.

– Allora è tutta un'altra musica.

Quando si alzò in piedi, lo guardai con attenzione. Era pelle e ossa, minuto, portava una vecchia giacca a vento e pantaloni di velluto a coste, scarpe da ginnastica. Aveva gli occhietti maliziosi e ridenti, le orecchie lunghe e a sventola. Sembrava il topo più furbo di un esperimento scientifico, quello che trova sempre la via d'uscita dal labirinto. Lo portammo in un bar di quartiere con menu a prezzo fisso. Era importante che si sentisse rilassato e pienamente fiducioso prima di cominciare a rispondere alle domande. Fece la sua ordinazione. Io mi aspettavo che, come nelle vecchie storie di poveri, si gettasse sul piatto e divorasse tutto fino all'ultima briciola, e invece si limitò a piluccare qualcosa, con la classica inappetenza degli alcolizzati. Il comportamento nei riguardi della birra fu ben diverso. Vuotò il primo boccale in un sorso e la sua faccia cambiò, acquistando un nuovo brillio di vita.

– Ah, che buona! In quelle mense del cavolo ti danno solo acqua. Dove si è mai visto? Un uomo ha bisogno di un po' di carburante, soprattutto d'inverno. Poi, certo, quando esci di lì hai voglia di buttare giù qualcosa. Ma se mi dessero un bicchiere di vino o una birretta, io non avrei più bisogno di un goccio in tutto il giorno. Posso averne un'altra?

Annuii, ma mi resi conto che il suo metabolismo era quello di un etilista: gli bastava pochissimo per ubriacarsi. Dovevamo interrogarlo subito.

– Senta, Anselmo, si ricorda come si chiamava l'uomo della foto? Chi era? Dove abitava? Ci racconti tutto di lui, tutto quello che sa, anche i più piccoli particolari.

– È Tomás il Saggio, poveretto! Lo dicevo io che era morto, perché era un bel po' che non lo vedevo più. Ma che l'abbiano ammazzato non mi pare una bella cosa, sapete? Perché io sono una persona per bene.

– Tomás il Saggio?

– Lo chiamavano così perché sapeva tante cose, era un uomo che aveva studiato. Sapeva fare conti difficilissimi e parlava perfino il latino.

– Dove abitava?

– Un po' qui e un po' là.

– Ma lei dove lo vedeva?

– Dormivamo insieme in un posto, ma non mi ricordo dove.

– Come, non si ricorda? Non dormite sempre più o meno negli stessi posti?

– Sì, era un cantiere abbandonato dalle parti della Sagrera. Sentite, ma questa birra non arriva più?

La reclamammo al cameriere. Mi accorsi che a quel pover'uomo tremavano le mani. Si lanciò su quel secondo boccale come se fosse la sua salvezza. Ne trasse le energie per riprendere a parlare.

– Sa, io l'unica cosa che chiedo alla vita, cioè, se venisse uno e mi dicesse: «Chiedi quello che vuoi», be', io gli chiederei un bastimento carico di riso.

Garzón ed io ci guardammo perplessi. Il viceispettore mi chiese con gli occhi di lasciarlo intervenire.

– Scusa, Anselmo, ma stavamo parlando di Tomás il Saggio che, poveraccio, l'hanno ammazzato. Se vuoi aiutarci a scoprire chi è stato, devi raccontarci tutto di lui. Tutto.

– Lo sapete che Tomás il Saggio mi aveva fatto un regalo? Era uno che gli piaceva fare i regali. E ogni tanto mi offriva anche qualche birretta.

– Aveva spesso soldi in tasca?

– Be', aveva delle belle scarpe nuove, ma diceva che a lui dei soldi non gliene importava un fico secco perché i soldi non fanno la felicità. La mia povera mamma, anche se voi non ci crederete, giocava benissimo a bowling, andava sempre a un bowling di Barcellona molto elegante, ed era diventata campionessa di Francia. Non di Spagna, di Francia!

Ci guardava tutto orgoglioso, un dito levato nell'aria. Gli occhi, vivi, ridevano.

– Tomás, parlaci di Tomás.

– Tomás era saggio, come un re che si chiamava Alfonso, detto il Saggio, e un giorno che gli volevano rubare le scarpe ha detto: «Lasciali che non sanno quello che fanno». Questo l'aveva detto anche Gesù. Io un giorno Gesù l'ho visto con questi occhi, era vestito di giallo e aveva i capelli tutti ricciolini e io...

Non era possibile che fosse già così ubriaco. Quello stile sconnesso e delirante doveva essere il suo modo abituale di esprimersi. Garzón cercò ancora una volta di riportarlo sul seminato.

– Capitava ogni tanto che Tomás vedesse qualcuno, che delle persone venissero a cercarlo?

– Pensate che un mio amico si era costruito una stanza da bagno tutta per lui e ci aveva messo dei rubinetti a forma di serpente.

Si allontanava sempre più dal nostro obiettivo, sembrava completamente perso nel suo discorso progressivamente allucinato. Mi domandai se, dandogli corda per un po', non saremmo riusciti ad arrivare a quel che volevamo.

– Ah, interessante! Un amico che sapeva costruire cose così difficili?

– Adesso vi faccio vedere il regalo che mi aveva fatto Tomás il Saggio. Ce l'ho qui.

Rimanemmo immobili, col fiato sospeso, mentre il vecchio frugava nel suo fagotto. Cominciò a tirar fuori piccoli oggetti astrusi che andò collocando sul tavolino: una conchiglia, un puntaspilli, bottoni colorati... Pensai che stessimo perdendo tempo, ma all'improvviso estrasse trionfante un foglietto ripiegato che, a giudicare dall'aspetto, doveva trovarsi in quella borsa da mesi. Lo aprì accuratamente e me lo porse. Vi si vedeva, scritta a mano, un'operazione matematica, forse un'equazione, che le mie scarse conoscenze in materia mi impedirono di identificare.

– Guardate che meraviglia! Ecco, questo tipo di cose sapeva fare Tomás. Un giorno mi ha detto: questo è un pezzetto di sapienza che ti regalo, perché nel mondo la sapienza è la cosa più importante. Che ve ne pare, eh?

Non sapevo cosa pensare. La grafia era senza dubbio quella di una persona colta. Guardai Garzón. Il viceispettore prese l'uomo sottobraccio.

– Senti, Anselmo, adesso dovresti accompagnarci dove abitava Tomás. Ti portiamo noi in macchina, d'accordo?

– E poi cosa mi date? Un bastimento carico di riso?

– Un'altra birra, ti diamo, un'altra birra, e tu ci lasci questo foglietto. Ce lo presti soltanto.

– Be', io un patto so farlo e so mantenerlo, e quando uno mi dice: «Come stai?» non dico mai bugie, e se quel giorno sto male gli dico: «Male, grazie, ma domani starò meglio». Sono un uomo di parola, io. E voglio che mi accompagni a casa quella ragazza lì, perché quella ragazza lì è come una bella figlia di quelle che la gente ha e tiene la foto in casa.

Indicava Yolanda, e poi la prese per un braccio, con una certa forza. La guardai, per capire se fosse spaventata, ma vidi che sapeva controllare bene la situazione. Si vedeva che aveva una certa esperienza con gente del genere. Gli diede perfino qualche pacca affettuosa sulla mano.

– Ma certo che ti accompagno, proprio come se fossi tua figlia, e poi ti regalo anche una mia foto, se vuoi!

Andai al banco a pagare, e chiesi a Garzón di venire con me per un breve scambio di idee.

– Come le pare questo tizio?

– Porca miseria, ispettore, è completamente fulminato! Mi dica lei come facciamo a sapere cosa c'è di vero in questo guazzabuglio di parole.

– Sì, ma sotto a tutto quello che dice ho l'impressione che un fondo di verità ci sia.

– Può darsi di sì e può darsi di no.

– E quel foglietto? Lei cosa ne pensa? Io credo che sia un'operazione matematica vera, ma non ne sono sicura.

– Qualcuno in commissariato saprà dircelo. Ad ogni modo, a quale conclusione ci porterebbe?

– Potremmo dedurne che Tomás il Saggio sapeva la matematica.

– Deduzione di scarso interesse. Chi era Tomás il Saggio?

– Tomás non è un nome così comune. Bisognerà ripassare in tutti gli ambulatori sanitari e i centri di assistenza, mense comprese, chiedendo se è stato schedato o se hanno mai conosciuto qualcuno chiamato Tomás.

Il viceispettore alzò gli occhi al cielo, deglutì e fece una faccia da martire per dire:

– Si rende conto che Tomás il Saggio può essere un soprannome?

– Sì, e mi rendo conto che può esserselo inventato il nostro Anselmo, ma le ricordo che non abbiamo nient'altro a cui appigliarci.

Sospirò. Le indagini condotte per via di esclusione lo innervosivano sempre, ma io non volevo lasciare una sola via intentata, per cui, mettendogli una mano sulla spalla, gli dissi la prima sciocchezza che mi venne in mente:

– Coraggio, Fermín, si sa che la vita del poliziotto è piena di imprevisti.

– Imprevisti? Dica piuttosto che è una gran rottura. Guardi, ecco che arriva Yolanda col vecchio. Quello non la smette più di parlare, è l'unico che riesca a farla star zitta. Perché non coopta anche lui nelle indagini? Così potrei riposare un po'.

Il poveretto barcollava leggermente.

Cominciai a dubitare che si ricordasse dove abitava. Sarebbe stata una spedizione memorabile.

In macchina prese posto sul sedile posteriore accanto a Yolanda e continuò con i suoi discorsi sconclusionati. Eppure, di tanto in tanto, accennava a Tomás il Saggio. Yolanda riuscì abilmente a farsi dire dove dirigerci, ma le sue spiegazioni richiesero un certo lavoro di decifrazione. Si trattava di un terreno nel quartiere della Sagrera, dove c'erano dei vecchi edifici delle ferrovie temporaneamente in disuso.

Ancora una volta ci trovammo di fronte quello spettacolo insolito di emarginati che vivevano come selvaggi in mezzo alla città. Appena posato piede a terra, Anselmo smise di comportarsi in modo incoerente e si diresse senza esitazioni verso un capannone abbandonato. In un sottoscala, aveva il suo feudo. Un mucchio di vecchie borse e fagotti era tutto quello che aveva. Dagli stracci venne fuori un cane nero, meticcio, che ci accolse ringhiando. Anselmo lo accarezzò sulla testa e l'animale cominciò a mostrarsi amichevole.

– È Tristán, il mio cane. Grazie a lui nessuno tocca la mia roba. Qui è pieno di ladri, sapete? Non puoi mai fidarti, e io ho delle cose di valore. Non gli faccio mancare niente, a Tristán. Gli metto anche la carne nella minestra. A me basta una scatoletta di ceci, ma lui ha un piatto caldo tutti i giorni. Vive bene, Tristán. È il migliore amico dell'uomo. Mia madre, che era più giovane di me, mi diceva sempre che chi non ama gli animali non merita di vivere, perché anche noi siamo animali e figli di Dio. Gli uccelli non sono figli di Dio, ma tutti gli altri animali sì.

– Sì, ma adesso facci vedere dove abitava Tomás.

– Tomás, poveraccio! È morto. Ho visto una foto dove si vede che è morto. Era tanto che non stava più qui, ma veniva a trovarmi e mi faceva dei bei regali.

– E quando stava qui, dove si metteva?

– Lì, su quella panca.

Indicò i portici della facciata principale. Non c'era nessuno sulla panca.

– Non sai dove può essere la sua roba? Magari ti ha lasciato qualcosa da tenere.

– Tutti hanno le loro cose, ma Tomás mi faceva dei regali. In Francia i regali li porta Papa Noël, ma in Spagna li portano i Re Magi.

– Non è che per caso qui possiamo trovare qualche altro amico di Tomás? Qualcuno con cui lui parlava, che lo conosceva bene?

– Eh, sì, gli amici sono il sale della vita.

Si mise a frugare fra le sue borse, tutto assorto, come se noi non ci fossimo più. Garzón mi sussurrò all'orecchio:

– È inutile, ispettore, non vede che confusione ha in testa? Ci conviene interrogare tutti quelli che troviamo.

– Cominci lei con Yolanda. Io rimango con lui.

Si allontanarono. Non avevo perso la speranza che Anselmo avesse un improvviso momento di lucidità. Le sue parole non erano così incongruenti da far pensare che non ci fosse niente di vero in quello che diceva. Lo osservai mentre si affannava fra il ciarpame. Il cane gli si avvicinò e gli leccò un orecchio, ma lui era così preso dal suo lavoro che non se ne accorse nemmeno. Pensai che forse era felice, così immerso nel suo mondo, così immune da tutto, così privo di desideri o ambizioni. Chissà che cosa aveva fatto da giovane, chissà se si era mai sposato, se era mai appartenuto al mondo normale. All'improvviso sorrise con aria di trionfo, tirò fuori una cassettina di latta e la sollevò sopra la testa.

– Ah, ecco quello che stavo cercando! Guardi, guardi che meraviglia!

Aprì la cassettina e me ne mostrò il contenuto. Mi avvicinai e vidi un mucchio di ciondoli da due soldi. Sembravano portachiavi. Anselmo ne districò uno dal groviglio e me lo mise in mano con cura squisita. Sì, erano portachiavi, orribili portachiavi dorati con una scritta incisa sul medaglione.

– Legga, legga cosa c'è scritto qui.

Lessi a voce alta:

– «La carità è la gioia dell'anima».

– Bello, vero?

– Molto bello, sì.

– Anche questi me li ha regalati Tomás. Era un brav'uomo, Tomás, mi faceva sempre dei regali. Adesso ne regalo uno io a lei, perché anche lei è una brava persona. Quella ragazza giovane e carina potrebbe essere mia figlia, ma se io fossi sposato, mia moglie sarebbe proprio come lei.

Non seppi cosa rispondere. Era un bel complimento, un complimento di un uomo strambo che non aveva neanche un letto per dormire. Lo apprezzai.

– È un pensiero molto gentile, Anselmo. Lo terrò sempre con me, il suo regalo, e magari mi porterà fortuna.

– Le porterà la fortuna degli angeli, vedrà.

– Lei sa dove li aveva presi il suo amico tutti questi bei portachiavi?

– Un amico è un tesoro, e anche un cane lo è. E se le cose vanno male, è ancora meglio un cobra. All'estero le donne si abbronzano prendendo la luna di notte, sui tetti, nude come mamma le ha fatte.

Capii che eravamo alla frutta.

– Adesso devo andare, Anselmo. Immagino che potremo sempre trovarla qui o alla mensa di beneficenza.

– Sempre qui, ad aspettare il mio bastimento carico di riso.

Mi girai, e mentre mi allontanavo lasciandolo ai suoi deliri, lo sentii dire con piena lucidità:

– Ispettore, scopra chi ha ammazzato Tomás! Quelli sono dei disgraziati.

Tornai immediatamente sui miei passi, lo presi per una spalla e lo costrinsi a guardarmi negli occhi.

– Quelli chi, Anselmo? Lei sa qualcosa, vero? Me lo dica, mi dica quello che sa e io prenderò gli assassini di Tomás.

I suoi piccoli occhi vivi si rifugiarono nelle orbite. La sua faccia perse ogni espressione.

– Se ne vada, ho sonno, voglio dormire.

Era inutile. Impossibile obbligarlo alla coerenza.

Cercai Garzón e Yolanda in tutto il capannone. Non erano molto soddisfatti quando li trovai.

– Niente, ispettore, o sono tutti pazzi o non vogliono parlare.

– Io direi che alcuni l'hanno riconosciuto, ma cosa si può dire a dei poveracci perché ammettano di conoscere la vittima di un omicidio? Alcuni non hanno il permesso di soggiorno, altri tremano solo alla vista di un poliziotto. Non c'è niente da fare, ispettore, mi creda.

Salimmo in macchina delusi e frustrati. Garzón mollò un pugno sul volante.

– Questo caso è uno schifo, ispettore. Non c'è modo di avanzare di un millimetro! Certo, non mi stupisce, non siamo fra gente normale, parlare con questi qua è come parlare con dei marziani. Cosa le ha detto il suo pazzo delle meraviglie?

– Che gli sarebbe piaciuto sposarmi. E mi ha regalato questo, guardi un po'. Ne aveva un mucchio dentro una scatola. Dice che glieli aveva dati Tomás il Saggio. Crede che possa aprirci una pista?

– Una pista di pattinaggio, perché non facciamo altro che prendere culate. Ci rifletta, ispettore, un portachiavi pubblicitario in mano a uno squilibrato non può essere indizio di niente.

– Pubblicitario? Non c'è nessun marchio commerciale inciso sopra.

– Be', allora verrà da una campagna di raccolta fondi, da una tombola di beneficenza, che ne so! Niente che possa aiutarci.

– Eppure, quell'uomo che sembra aver perso il senso della realtà, di colpo ti tira fuori cose che sembrano assolutamente vere.

– Quello è completamente andato, questa è l'unica cosa vera.

Yolanda si rivolse con rispetto a Garzón e gli mise una mano sulla spalla.

– Si calmi, viceispettore, non è il caso di essere così negativi. A noi hanno insegnato che proiettare la propria negatività sui problemi di lavoro finisce per generare nuovi problemi. Vuole che le faccia un leggero massaggio rilassante alla cervicale? Ho fatto un corso di massaggio e l'istruttore dice sempre che...

Aveva cominciato a massaggiare delicatamente il collo del mio collega quando questi saltò su come una tigre e gridò:

– Non voglio che nessuno mi faccia un massaggio alla cervicale né da nessun'altra parte, e non voglio che nessuno mi dica niente sulla mia negatività, sono molto orgoglioso della mia negatività. Ma soprattutto, signorina, non voglio che mi racconti quel che le dice il suo istruttore, capito? Non una parola di più.

Guardai con la coda dell'occhio Yolanda, che si strinse nelle spalle un po' spaventata. Forse era il caso di tentare una mediazione, ma in realtà morivo dal ridere. Scelsi di non aprire bocca. Che si arrangiassero fra loro. Per una volta le ire di Garzón non erano rivolte contro di me...

Una volta nel mio ufficio, mi preparai alla noiosa incombenza di stendere un rapporto su un'operazione che non aveva portato a nulla. Tirai fuori il portachiavi dalla borsetta e lo posai sulla scrivania. Dopo un attimo entrò Fernández Bernal a consegnarmi dei documenti. Mi parve strano che lo facesse lui, ma non tardai a capirne la ragione.

– Non sapevo che fossi così devota alla Madonna, Petra. L'altro giorno ho visto uscire Domínguez con un mazzo di fiori e gli ho chiesto se avesse bisogno di aiuto. Mi ha detto che aveva l'incarico di portarlo in chiesa da parte tua. Un'offerta alla Madonna.

Lo guardai con un sorriso che avrebbe potuto essere la fase preparatoria di un morso.

– Vedi, è un atto di devozione come un altro.

– Lo vedo, già.

Con faccia da presa per il culo, raccolse il portachiavi e lo osservò.

– Che orrore, Petra!

– È un regalo.

– Puoi regalare anche questo alla Madonna. Sempre che lo accetti, naturalmente.

– Bernal, avevi qualcosa di preciso da dirmi?

– No, no, me ne vado. A più tardi, cara collega.

Appena se ne fu andato, tirai un sospiro di sollievo. Un tipo del genere, era un nemico? E se lo era, come me l'ero guadagnato? Per il semplice fatto di essere quella che ero, per il solo fatto di esistere? Come controllare la quantità di antipatia che irradiamo senza nemmeno accorgercene? Un problema di questo genere avrebbe dovuto lasciarmi indifferente, ma non era così. Mi disturbava, mi faceva sentire paranoica. Avevo bisogno di uno psichiatra? Ma certo, ne avevo bisogno, anche se per un'altra ragione. Feci il numero di Ricard.

– Petra, che evento straordinario! Finalmente sei tu a chiamare!

– Avevo assoluto bisogno di parlare con una persona piacevole.

– C'è qualcosa che non va?

– Questioni di lavoro. Lo sai che il lavoro non è sempre soddisfacente come dovrebbe. Eppure, è per questo che ti sto chiamando.

– Hai rovinato tutto!

– Perché?

– Perché pensavo che volessi cenare con me.

– Una cosa non esclude l'altra.

– E dopo cena, potrò venire a casa tua?

– Sì, Ricard, d'accordo, ma sai già che...

– Lo so, lo so. A una certa ora Cenerentolo sale sulla sua zucca e se ne va da dove è venuto. È così?

– Non ti interessa sapere perché ho bisogno del tuo aiuto?

– Certo che mi interessa, ma prima volevo sgombrare il campo da qualunque motivo di ansia. Adesso sarò molto più concentrato. Su, spara, non per niente sei al servizio della legge. Tremate, forze del male!

Dopo una giornata simile, non ero più sicura di trovarlo così divertente.

5

Portare Anselmo all'ambulatorio di Ricard fu più facile di quanto pensassi. La promessa di una birra faceva miracoli sulla sua volontà. Tentare un poveretto con un pasto e un po' d'alcol mi pareva un'enorme bassezza morale, ma non era il momento per gli scrupoli, avevo fatto cose ben peggiori nella mia vita, e a quelle che ancora mi restavano da fare non volevo neppure pensare.

Parlò per tutto il tragitto fino all'ospedale divagando con la sua mente confusa. Tanto che mi domandai se la visita che avevo concordato non fosse del tutto inutile. Eppure mi sembrava necessario che parlasse con Ricard. Solo qualcuno che conoscesse a fondo i disturbi mentali sarebbe stato in grado di discernere quali delle cose che quell'uomo raccontava potevano essere ritenute attendibili. Anselmo era l'unico ad aver dichiarato di conoscere Tomás e non potevo lasciare niente di intentato.

Ricard ci ricevette nel suo caotico studio. Mi parve un uomo molto attraente nel suo camice bianco. I portacenere erano sempre pieni di mozziconi e le pile di libri e di carte sembravano perfino cresciute dalla volta precedente. Pensai che in fondo Anselmo potesse trovarsi a suo agio in un simile disordine. Non mi sbagliavo. Non appena si fu seduto davanti alla scrivania, pretese la sua birra senza ulteriori indugi. Dovetti spiegargli che avremmo pranzato appena usciti di lì, e fortunatamente non fece storie. Ricard ci espose il programma.

– Prima parleremo un po' Anselmo ed io, e poi entrerà l'ispettore e farà delle domande. D'accordo?

Anselmo non diede segni di assenso né di dissenso, sorrise scioccamente e si strofinò gli occhi più volte. Uscii dalla stanza e mi sedetti ad aspettare in corridoio. L'infermiera, sollecita, mi portò una rivista per aiutarmi a passare il tempo.

– Non teniamo riviste per il pubblico, la gente le rovina subito. Sapesse quanta ne passa di qui! Questa me la sono comprata per me.

– Molte grazie.

– Ci mancherebbe, visto che è la fidanzata del dottore...

– Scusi, credo che ci sia un equivoco. Io sono della polizia.

– Sì, lo so.

– Gliel'ha detto il dottore che sono la sua fidanzata?

– Mi ha detto di trattarla bene, e poi mi ha fatto l'occhiolino, sa com'è.

– Be', lo consideri uno scherzo del dottore.

Annuì sorridendo, non molto convinta, mentre io ero accecata da un improvviso attacco di furia nei confronti di Ricard. Quel tizio era un terribile esibizionista, un indiscreto, o forse anche peggio. Ma avevo un'occasione d'oro per verificare fino a che punto arrivasse la sua ignominia. Mi avvicinai all'infermiera.

– Scusi, posso farle una domanda?

– Sì, certo.

– Il dottore ha avuto molte fidanzate?

– Be', non saprei, io...

– Siamo donne tutte e due, può parlare.

Abbassò la voce, cercando di apparire il più confidenziale possibile. Mi guardò divertita.

– Quante fidanzate abbia avuto, io non glielo so dire; certo piace parecchio alle donne. Strano, vero? Io credo che con quell'aria un po' spersa e disastrata faccia venir voglia di occuparsi di lui.

– Vuol dire che risveglia l'istinto materno?

– Esatto! Da come parla sembra uno psichiatra anche lei. Le assicuro che più di una dottoressa ha perso la testa per lui, per non parlare delle infermiere! Poi qualcuno dirà che è un donnaiolo, però le assicuro che sono loro a corrergli dietro.

– Capisco.

– Ma posso dirle che non l'ho mai visto tanto entusiasta come l'ho visto oggi con lei. Quindi, cara, non se lo lasci scappare.

Adesso era lei a farmi l'occhiolino con aria da cospiratrice. Non tentai più di negare la nostra relazione. Mi sedetti e nascosi la faccia dietro la rivista, cercando di fare esercizi di rilassamento mentale per placare l'indignazione.

Un'ora dopo si aprì la porta e quel dongiovanni da strapazzo con pretese da scienziato mi fece segno di entrare. Chiusi gli occhi e ricordai a me stessa che stavo lavorando, e che niente di personale doveva interferire col mio lavoro. Osservai con occhio professionale la faccia di Ricard. Non sembrava troppo soddisfatto, mi lanciò uno sguardo dubbioso che interpretai come mancanza di risultati certi.

– Petra, Anselmo è pronto a rispondere alle tue domande.

– In realtà gliele ho già fatte una volta, vero, Anselmo? Ma forse oggi riesce a ricordarsi meglio. Vediamo, lei un giorno mi ha detto che Tomás ogni tanto parlava con certi uomini. Chi erano? Da dove venivano? Si ricorda che aspetto avessero, o se lui qualche volta gliene avesse parlato?

– Di uomini ce ne sono dappertutto, ma di donne anche. Io sono molto aperto, spero che lo capiate, e questo vuol dire che posso essere amico di un uomo come di una donna.

Intervenne Ricard, chinandosi verso di lui e parlandogli a bassa voce:

– Questo è molto giusto. Tomás era tuo amico, era un uomo, ma aveva altri amici che magari non gli volevano bene come te. Hai pensato che possono essere stati loro ad ammazzarlo?

– A me, per essere felice, basterebbe un bastimento carico di riso. Mi basterebbe, ma c'è poco riso ultimamente.

– Anselmo, la prego, cerchi di ricordare qual era il

nome completo di Tomás il Saggio. È importante, davvero, ci aiuterebbe molto.

– A me mi hanno chiamato Anselmo e a mio fratello Augusto, il re di Roma. Io avevo un fratello che è morto, ma quello non l'ha ammazzato nessuno. Altri sì, si buttano sotto il treno, quante brutte cose si sentono. Ispettore, andiamo a pranzo? Ho una fame che mi mangerei un bue.

Guardai Ricard scoraggiata, lui scosse la testa. Si alzò e aprì la porta.

– Ti dispiace aspettare fuori, Anselmo? Devo parlare un attimo con l'ispettore.

Anselmo obbedì e rimanemmo soli.

– Lo vedi, questo è tutto quel che sa dire.

– È pazzo?

– Non so in che misura, ma ovviamente molto normale non è. Deve trascinarsi dietro uno dei tanti disturbi dovuti ad anni di alcolismo ed emarginazione.

– Quindi non c'è niente di attendibile in quello che dice?

– Non credere. Avevi ragione tu, all'improvviso sembra ritrovare una perfetta lucidità. Ha paura, questo è evidente. Quando sei entrata tu è diventato molto teso e il suo discorso si è fatto più delirante.

– Nasconde qualcosa, secondo te?

– Chi può dirlo? Potremmo passare dei mesi a parlare con lui senza venire a capo di niente.

– Mi domando se almeno conoscesse davvero la vittima.

– Non è facile stabilirlo con certezza.

– Allora bisognerà rinunciare; non abbiamo tempo da perdere con un povero pazzo. Me ne vado.

– Ci vediamo stasera.

– Non credo sia una buona idea.

– Perché?

– Sono appena stata informata del tuo incredibile successo con le donne. Cosa rappresento io per te? Mancava una donna poliziotto alla tua collezione? E non prendertela con la ragazza là fuori! Sono stata io a farla parlare. Ho esperienza in questo tipo di cose, pura deformazione professionale. Arrivederci, è stato un piacere.

Uscii dal suo ufficio a tutta velocità senza dargli il tempo di reagire. Presi Anselmo per un braccio e lo trascinai in strada a passo sostenuto.

– Ehi! Cosa succede, ispettore?

– Abbiamo fretta, si è fatto molto tardi.

Camminammo per un bel tratto. Volevo allontanarmi il più possibile dall'ospedale.

– Ma dove andiamo a mangiare? Io ho fame.

Misi mano alla borsetta e gli diedi trenta euro.

– Non posso venire con lei. Qui ci sono dei soldi, prenda pure quello che vuole.

Scrutò il denaro con attenzione.

– Be', con questo non so se ce la faccio, perché veramente volevo prendere un paio di birre e poi...

Tirai fuori altri dieci euro e glieli ficcai in mano.

– È questo tutto quello che le interessa, vero? I maledetti soldi! Quando le conviene non è per niente matto. Tenga, se li goda!

Lo lasciai lì e me ne andai in fretta. Ero arrabbiata,

delusa, piena di rancore nei confronti dell'intero genere umano, e del genere maschile in particolare. E così il dottor Crespo mi aveva trovata meravigliosa ed era partito all'attacco. Certo, come con duecento altre. Detestavo i seduttori. Se si presentavano in pubblico con tutti i crismi del loro ruolo, galanteria, voce suadente, aspetto curato, potevo ancora concedergli una certa dignità. Quel che non riuscivo a sopportare era il tipo dall'aspetto trasandato, indifeso e infantile che gioca a fare il cocco delle signore. Basta! Non un pensiero di più per quello strizzacervelli pieno di boria. Con lui mi ero divertita, nient'altro. L'unica cosa che mi dispiaceva era che per causa sua avevo mandato al diavolo un povero barbone mezzo matto che non aveva nessuna colpa.

Tornata a casa, aprii il frigorifero e trovai una bella bistecca che avevo comprato il giorno prima. Perfetto! Me la sarei cucinata alle erbe di Provenza e avrei aperto una buona bottiglia di vino per l'occasione. Poi, un po' di lettura, musica d'ambiente e un sonno profondo avrebbero concluso senza traumi la giornata. Se quello era stato il mio programma ideale negli ultimi tempi, non vedevo il motivo di cambiarlo. Lavai un cespo di lattuga e lo tagliai a striscioline. In quel momento il telefono suonò. Naturalmente era lui.

– Petra, hai il cellulare spento.

– Lo so. L'ho spento io.

– E se dovessero chiamarti per motivi di servizio?

– Senti, smettila di preoccuparti per le mie responsabilità professionali. A queste cose, e a tutto il resto, ci penso da sola.

– Mi preoccupavo solo per i cittadini indifesi. Si può sapere perché sei così arrabbiata?

– Non sono arrabbiata, voglio semplicemente che tu capisca che è finita. Non intendo far parte del tuo harem.

– Del mio harem? Ma di quale harem stai parlando? Bastano quattro pettegolezzi di un'infermiera per metterti in testa una simile idiozia?

– Ricard, lascia perdere, non ha importanza. Siamo stati bene per qualche giorno e stop.

– Ma che razza di donna liberata sei? Non ho mai pensato di dover esibire un curriculum esemplare per uscire con te. D'altra parte tu non mi hai dato la minima opportunità di fare sul serio. Ti sei premurata di dimostrarmi molto chiaramente che per te la nostra storia non era altro che un passatempo. Una botta e via.

– Ma eravamo nella prima fase della conoscenza!

– Miseria! E quante altre prove bisogna superare per essere ammessi?

– Almeno io i miei uomini li costringo a competere solo con loro stessi, non contro un esercito.

– Petra, lo sai come si chiama il tuo atteggiamento in psichiatria? Si chiama narcisismo ferito, ma anche stupida gelosia e immaturità.

– Gelosa? Gelosa io? Ma come ti permetti…? Ma va' a farti fottere!

– Questa è una volgarità.

– Noi poliziotti siamo volgari, violenti e corrotti. Non la guardi mai la televisione? Ricard, è ora di interrompere questa conversazione senza senso.

142

Riattaccai. Ero nel pieno delle mie facoltà? Ero stata davvero protagonista di una scenata simile? Non la finivo mai di stupirmi di me stessa, e questa volta non certo favorevolmente. Narcisismo ferito...? Poteva anche essere. Ma gelosia? Quella proprio no! Suonò di nuovo il telefono, cercai di calmarmi, mi schiarii la gola tre volte prima di parlare.

– Pronto?

– Petra, se non sei capace di ascoltarmi, e neppure di renderti conto che la tua è semplice gelosia... come possiamo intenderci, noi due?

– Non abbiamo nessun bisogno di intenderci, non mi vedrai mai più!

– Petra!

Gli sbattei di nuovo il telefono in faccia, questa volta con violenza. Respirai profondamente tre volte, mi alzai in piedi. Che cosa stavo facendo prima che scoppiasse quel casino? Mi ricordai della bistecca alle erbe di Provenza. Tornai in cucina, fingendo con me stessa la massima tranquillità, e il maledetto telefono squillò per la terza volta. Mi lanciai sull'apparecchio e impugnai il ricevitore. Gridai:

– Voglio un po' di pace! È chiaro? Solo un po' di pace nelle mie ore di riposo. Credo che non sia chiedere troppo.

Ci fu un lungo silenzio, e poi sentii una voce che conoscevo perfettamente.

– Santo Dio, ispettore! Cosa succede?

– Mi scusi, Garzón, non ce l'avevo con lei.

– Meno male! Ci credo, perché non penso che lei abbia uno di quei telefoni dove compare il numero di chi chiama, vero?

– No, non ce l'ho. Il fatto è che sono di pessimo umore. Mi ha cercata per questioni di lavoro?

– No, è una cosa personale.

– In questo caso, se non le dispiace, ne parleremo domattina. Come le ho detto, non sono nella migliore disposizione d'animo.

– Sì, pareva anche a me. Allora... buonanotte.

– Buonanotte.

Bene, ormai ne avevo combinate di tutti i colori: avevo offeso inutilmente un povero matto a causa di un semplice malumore, avevo fatto una scenata a uno che conoscevo appena e avevo negato il mio aiuto a un collega alle prese con un problema personale. Perfetto! Cos'altro mi rimaneva da fare? Prendere a calci un cane? Dare un pugno a una vecchietta? Maltrattare un neonato? Guardai il pezzo di carne in paziente attesa del suo destino culinario. Mi parve un penoso brandello sanguinolento che mi ripugnava perfino toccare. Al diavolo le delizie gastronomiche! Sarei passata direttamente alla seconda parte del programma: whisky, musica e lettura sul divano.

Mi versai un whisky e misi la *Settima* di Beethoven. Una grande sinfonia mi avrebbe fatto dimenticare le piccole miserie quotidiane. Cominciai a divagare con la mente mentre mi rasserenavo a poco a poco. Chissà se Beethoven era nauseato quanto me dalle complicazioni dell'esistenza? Chissà se un uomo capace di comporre cose così elevate si preoccupava per le minuzie di ogni giorno: denaro, relazioni sociali, stanchezza? Chissà se si pentiva degli stupidi errori che commetteva e se qualche volta si dava all'alcol invece di prepararsi la cena? In ogni caso non importava, lui ormai era morto, e io non avrei mai composto niente, nemmeno una canzonetta. Cominciai a immergermi nella lettura. All'inizio mi toccò rileggere tre volte ogni riga prima di riuscire a capirci qualcosa. Ma lentamente adattai il ritmo del mio pensiero all'atto meccanico della lettura. Avanzai e avanzai nella narrazione, finché non mi addormentai.

Il suono del campanello mi fece trasalire. Misi in funzione il cervello senza brillanti risultati. Presi la pistola dalla borsetta e mi avvicinai alla porta. Prima di aprire, guardai dallo spioncino. Era Ricard. Quando l'ebbi davanti alzò le mani.

– Non spari, ispettore Delicado, la prego!

– Io non mi comporterò come un poliziotto solo se lei non si comporterà come uno psichiatra, dottor Crespo.

– Affare fatto.

Scoppiammo a ridere. Mi abbracciò e io gli restituii l'abbraccio. Entrò, e mentirei se dicessi che uno dei due cercò di parlare. Conoscevamo molto bene l'itinerario e facemmo rotta verso la mia camera. Tuttavia, alle tre del mattino, e in modo rispettoso, Ricard si vestì per andarsene. Questa volta evitò di discutere, e gliene fui grata.

Il mattino dopo, quando uscii assonnata da casa per precipitarmi in commissariato, ero contenta. Mi sembrava possibile rimediare a tutti gli errori. Avevo fatto la pace con Ricard, dimenticando il nostro scambio di scortesie. Sarei andata subito in cerca di Garzón per chiedergli scusa, domandandogli che cosa avesse da dirmi la sera prima. Quanto al povero Anselmo... sarebbe stato più difficile rimettere le cose a posto, speravo solo che si fosse ubriacato abbastanza da non ricordare la mia intemperanza. Eppure il Signore, ammesso e non concesso che esista, è senza dubbio un tipo generoso, e mi diede l'opportunità di correggere anche quel misfatto. Alle dieci del mattino ero immersa nella stesura di uno dei rapporti che tanto detesto, quando un agente bussò alla porta del mio ufficio.

– Ispettore, c'è uno che vuole vederla.

Confesso che mi spaventai, perché era Domínguez, lo stesso che aveva ricevuto per me il mazzo di rose. Per un attimo pensai a una visita a sorpresa del mio amante, perciò, col tono più indifferente, chiesi:

– Ah, sì? E chi è?

– Dice che si chiama Anselmo, e che lei lo conosce già. Ma a me sembra uno che viene solo a chiedere dei soldi. Insomma, un indigente, volevo dire.

– Lo faccia entrare immediatamente.

Era mai possibile tanta gioia filantropica da parte mia? Senza dubbio era venuto per spillarmi dell'altra birra, ma oggi l'avrei accompagnato al bar, e anche se dopo la mia notte di follie era l'ultima cosa di cui avevo voglia, avrei bevuto con lui per non umiliarlo e avrei sopportato tutte le sue fantasie di bastimenti carichi di riso. Veder comparire sulla porta la sua faccia da fraticello medievale mi fece un immenso piacere.

– Ma prego, Anselmo, entri! Come sta?

– Devo dirle con tutta sincerità quello che ho pensato quando lei se ne è andata. Ho pensato: Anselmo, sei un lazzarone, perché questa signora che è una signora più buona delle onde del mare, tu l'hai fatta arrabbiare. Perché ha creduto che volevo solo i soldi, mentre a me dei soldi, glielo giuro su quel Dio che sta sopra le nuvole, a me dei soldi non me ne importa proprio niente. Io per i soldi non vado neanche di qui a lì, ha capito? Perché mio padre, che era notaio, mi ha lasciato tutti i soldi che potevo spendere, e io me li sono spesi.

Non potei fare a meno di ridere. Pensai che forse avrebbe avuto successo facendo monologhi comici in uno show.

– Non si preoccupi, Anselmo, non sono arrabbiata, davvero. Se vuole andiamo a far colazione insieme al bar qui di fronte e ci prendiamo una birretta.

Fece segno di no con un'aria da gentiluomo ferito nell'onore.

– No, non se ne parla nemmeno. Io di mattina non bevo mai. Certo che se volesse fare come ieri… Voglio dire, se mi dà qualche soldo per mangiare, mi farebbe comodo. Già che sono venuto a chiederle scusa… non le pare?

Annuii con indulgenza e andai a prendere la borsa appesa all'attaccapanni. Tirai fuori trenta euro e glieli porsi:

– Ne avrà abbastanza con questi?

– Con questi? Con questi si potrebbero comprare tutte le lenzuola di un ospizio. Con questi Dio creerebbe il mondo un'altra volta.

– Lasci in pace Dio, ma mi dica una cosa. Perché dice sempre che un bastimento carico di riso basterebbe a farla felice? Cosa ne farebbe?

La sua faccia si trasfigurò, sorrise beato, come se una luce lo illuminasse.

– Ah, signora poliziotta, se sapesse cosa farei! Lo sa cosa farei? Me ne andrei nei Mari del Sud e mi cercherei un'isola piena di bravi selvaggi che non abbiano voglia di litigare. Allora gli preparerei delle buone paelle, riso con le salsicce e risotto al nero di seppia. E loro li mangerebbero e sarebbero felici, e io, vedendoli contenti, sarei contento anch'io, e ce ne staremmo tranquilli e soddisfatti per tutta la sera a guardare il mare.

A volte l'emozione ci cattura e gioca con noi come un gatto furtivo. Gli occhi mi si riempirono di lacrime e un nodo alla gola mi impedì di parlare. Anselmo se ne accorse, e allora, come se avesse preso la scossa, si mise a gesticolare spaventato.

– No, non pianga, per favore, non pianga! Glielo dirò, le dirò quello che vuole sapere, ma lei non pianga. Si chiamava Tomás Calatrava Villalba e gli davano da mangiare i frati di Sarrià. Lì devono sapere altre cose di lui. Le giuro che non so nient'altro, glielo giuro, ispettore. Ma non pianga, per favore, non pianga.

Passai dall'emozione allo sbalordimento. Lo guardai bene e capii subito che era perfettamente lucido, che diceva la verità. Presi le mie cose e uscii senza neanche salutarlo. Raggiunsi l'agente in corridoio.

– Non lasci andar via quel tizio nel mio ufficio, Domínguez.

Andai in cerca di Garzón e lo trovai nell'atrio. Parlava con Yolanda, che era arrivata in quel momento.

– Forza, vi aspetto in macchina, dobbiamo andare. Poi vi racconto.

Yolanda ci spiegò che a una cert'ora i frati cappuccini di Sarrià distribuivano un panino e una mela a tutti i poveri in attesa davanti alla porta del convento.

– Ma dubito che tengano un registro con i nomi – aggiunse.

– D'accordo, però possono averlo conosciuto, sapere qualcosa di preciso su di lui, se ha un indirizzo... Tu sai dove si trova esattamente il convento dei cappuccini, Yolanda?

– Ma certo.

Le sue indicazioni furono così dettagliate e rigorose che, proprio come temevo, Garzón cominciò a dissentire e i due si impegolarono in un'insensata discussione su tutti gli itinerari possibili. A un certo punto non ne potei più:

– Signori, mettetevi d'accordo una buona volta! Non stiamo partecipando a un rally, anche se arrivare un po' in fretta non sarebbe male!

Garzón scosse la testa in segno di muta protesta e Yolanda mi guardò sconsolata. Ormai quella povera ragazza doveva aver capito che collaborare con la polizia non era facile.

Le organizzazioni gerarchiche presentano vantaggi e svantaggi per chi deve svolgere un'indagine. Lo svantaggio principale è che prima di parlare con chiunque devi sempre rivolgerti a un superiore. Nel caso dei frati cappuccini, naturalmente, si trattava del priore. Il vantaggio viene dopo, perché il capo sa subito con chi devi parlare, per poco organizzata che sia la sua comunità. In quel caso il nostro interlocutore era fratello Antón, che si occupava di distribuire la merenda dei poveri, esattamente alle sei. Era un vecchietto simpatico e un po' semplicione cui non erano affidati compiti di grande rilievo. Guardò la foto con aria spaventata e si fece subito il segno della croce.

– Dio ci scampi e liberi! Si rende conto, ispettore, di quanto siamo protetti qui dentro? Il Signore ci dà una vita semplice, ma nello stesso tempo ci risparmia tante brutte cose.

Pensai che il suo stile retorico, con tante allusioni a Dio, aveva qualcosa in comune con quello del povero Anselmo.

– Ma lei si ricorda di quest'uomo, padre?

– Fratello, mi chiami fratello, per favore.

Ristabiliti i giusti rapporti di parentela, cominciò ad annuire. Mi accorsi che aveva l'accento aragonese.

– Sicuro che lo conosco, ispettore, sicuro! Veniva quasi tutti i pomeriggi a prendersi la sua merenda. E la cosa più strana era che non gliene importava niente di mangiarsela. A volte se la dimenticava perfino. Io credo che venisse più che altro a far due chiacchiere con fratello Salvador.

– Chi è fratello Salvador?

– È il nostro confratello che si occupa della biblioteca.

– Potrebbe farlo venire qui? Ci piacerebbe parlare con lui.

– Dovrei chiedere il permesso del priore.

– Se potesse, ci farebbe un piacere.

– Aspettate, torno subito.

Si allontanò con i passetti affrettati di un topo. Yolanda guardò le pareti dell'austera sala dove ci trovavamo. Faceva freddo.

– Che orrore vivere qui, no?

– Almeno non pagano l'affitto – replicò Garzón.

Intervenni prima che cominciasse un'altra polemica sterile.

– Non si tratta solo dell'affitto. In fondo non sono mai costretti a prendere decisioni, sanno sempre come comportarsi, non si ficcano in complicazioni amorose, non vanno a ingrossare le fila dei disoccupati e, per di più, sanno che quando saranno vecchi qualcuno si occuperà di loro. A me sembra una condizione più che desiderabile.

Yolanda alzò le spalle con sufficienza, e con gran disinvoltura buttò lì:

– Sì, però non possono scopare. Pensi un po' cosa si perdono.

Vidi la testa di Garzón girarsi bruscamente in direzione della ragazza, e i suoi occhi uscire fuori dalle orbite. Per fortuna in quel momento entrò un frate alto e magro che ci guardò con aria preoccupata.

– Signori, credo che vogliate parlare con me. Sono fratello Salvador.

– Fratello, sono Petra Delicado, ispettore di polizia. Lei sa che...

– Me l'hanno detto, sì... e sono costernato, davvero. Sapete perché hanno ucciso quel brav'uomo?

– Non sappiamo niente, per questo qualunque cosa lei ricordi potrebbe esserci di grande aiuto.

– Mi capitava di parlare con lui. Non spesso, ma di tanto in tanto chiedeva di me. Ci conoscemmo un giorno che fratello Antón era malato e io lo sostituii. Devo dire che mi aveva colpito molto.

– Per qualche motivo in particolare?

– Non era un mendicante come i soliti che vengono qui. Era un uomo colto, intelligente. Mi aveva raccontato che era laureato in economia e che aveva lavorato per molti anni in un'azienda.

– Quale azienda?

– Non lo so, non scendeva mai in particolari e non faceva nomi.

– Le aveva detto come si era ridotto in quelle condizioni?

– Una volta aveva alluso al fatto di essere stato abbandonato dalla moglie. A quanto pare questo l'aveva messo in crisi al punto da allontanarlo dalla vita che aveva condotto fino ad allora.

– Che altro le aveva raccontato?

– Purtroppo non ricordo molto. Parlavamo di argomenti generali, delle miserie del genere umano... Ho sempre pensato che gli piacesse conversare con me per avere uno scambio di una certa profondità spirituale. Gli ambienti che frequentava non erano del suo livello. Io cercavo di convincerlo a cercare consolazione in Dio, a riprendere le redini della sua vita... Ma era inutile, beveva troppo, e diceva sempre che non aveva nessuna intenzione di lasciare l'alcol. La cosa strana era che il denaro non gli mancava.

– Come?

– Ho sempre avuto l'impressione che se conduceva quel tipo di vita era per una specie di voto privato, o per una sorta di alienazione mentale, anche se in genere si esprimeva come un uomo sano di mente. Di tanto in tanto veniva qui e mi dava del denaro da distribuire ai poveri.

– Quanto? – chiese il viceispettore, non riuscendo a trattenersi.

– Be', non grandi somme, quaranta, cinquantamila pesetas.

– Questo è molto per qualcuno che vive su una strada. Le aveva mai detto dove prendesse il denaro?

– No, né io glielo domandai. Pensavo che disponesse ancora di risparmi della sua vita precedente.

– Quanto sarà stato, in totale?

– Non so, non vorrei sbagliarmi... cento, centocinquantamila pesetas, non molto di più.

– Crede che Tomás Calatrava Villalba fosse il suo nome vero?

– Non si è mai presentato con un altro nome.

– Le aveva mai detto dove abitasse, o dove avesse temporaneamente alloggio?

– Mi pare di ricordare che una volta... una volta gli proposi di gestire un ricovero notturno della Caritas. Mi rispose di no, che preferiva vivere in strada. Parlò di un edificio abbandonato, ma non so dove si trovasse.

– Un edificio nel quartiere della Sagrera, o forse la caserma di San Andreu?

– È inutile, non posso ricordarmene, nessuno di questi nomi mi dice niente.

– Le aveva mai parlato di qualcuna delle sue attività, o di che tipo di gente frequentasse?

– No, mai. Era un uomo molto riservato.

– Lei direbbe che era pazzo?

– Pazzo? E chi lo sa? Non sono nemmeno sicuro di sapere cosa voglia dire essere pazzo.

– Nemmeno io, questa è la verità. Le lascio il nostro numero di telefono. Ci pensi ancora, e se dovesse venirle in mente qualcosa, anche se le sembrasse irrilevante…

– Vi chiamerò, statene certi, vi chiamerò. Troverete il colpevole?

Nessuno dei tre rispose. Il silenzio durò a lungo. Alla fine dissi:

– Lo troveremo, con la massima certezza.

Mi parve di vedere che Yolanda sorrideva con un certo orgoglio. Sì, aveva ancora l'età in cui si crede nel proprio capo e ci si sente stimolati dalla forza del gruppo. Guardai Garzón che, al contrario, fissava il soffitto con l'aria di chi si trova a passare di lì per caso. Appena fummo usciti dal convento, dissi a Yolanda che poteva andare e rimasi da sola col mio vice. Non aspettò un solo istante per dire la sua:

– Ha visto come sono queste ragazze di adesso? Parlano di scopare come se niente fosse! E proprio nel posto meno appropriato!

– Su, Fermín, come se a lei gliene importasse tanto del parlare pulito e dei luoghi sacri!

– Certo che no, ispettore, ma non è certo il caso che una ragazza così giovane si esprima in quel modo.

– È disinibita. Il fatto è che lei si ostina a prenderla di punta, e non capisco perché. Prima diceva che parlava troppo, adesso dice che è sboccata. In fondo mica dobbiamo usarla come portavoce!

– È invadente! A volte sembra che comandi lei.

– Ecco che viene fuori il senso maschile del territorio!

– Come? Cos'ha detto? Dio santo! Non posso credere che cerchi di dare una spiegazione femminista anche a questo.

– Do una spiegazione, che poi sia femminista lo sta dicendo lei.

– Che sciocchezza, ispettore, per favore!

– Lasciamo perdere, litighi pure con Yolanda, se vuole. Che gliene pare se invece dimostriamo un po' di professionalità e discutiamo delle indagini?

– Come preferisce.

– Cosa mi dice del nuovo profilo che ha appena assunto il nostro amico Tomás?

– Sorprendente. Un barbone economista e benefattore non è cosa di tutti i giorni. È strano che avesse soldi da regalare in giro. Magari era coinvolto in qualche storia poco pulita.

– Questo l'ho pensato anch'io. Del resto, da un uomo così fuori del comune è lecito aspettarsi qualunque cosa. Eppure l'ipotesi del frate non era poi così inverosimile, poteva avere dei soldi da parte e fare quella vita per scelta...

Eravamo arrivati in commissariato. Prima di andare nel mio ufficio dissi a Garzón:

– Verifichi se in archivio abbiamo qualche informazione sulla vittima. Io intanto vado a vedere se riesco a cavare qualcosa dal buon Anselmo.

– Agli ordini, ispettore.

Come ogni volta che avevamo una schermaglia di quel genere, Garzón mi faceva notare che mi sopportava solo per motivi gerarchici. Era stato stupido da parte mia provocarlo. Entrai nel bagno. Avevo bisogno di riflettere su quel che volevo ottenere da Anselmo. Dal momento che si mostrava sensibile alle lacrime, potevo piangere un po' per vedere se aveva ancora qualcosa in serbo. Certo che, se era davvero così sensibile, nel suo slancio di sincerità doveva avermi detto tutto quel che sapeva. Be', si trattava di sentirlo e verificare.

Con mia sorpresa, Anselmo non si trovava dove l'avevo lasciato. Andai in cerca dell'agente Domínguez. Lo incontrai davanti all'ufficio di Coronas. Venne verso di me, tutto trafelato.

– Ispettore, finalmente è arrivata! Quel tizio se n'è andato.

– Ma bene! Non le avevo dato ordine di tenerlo d'occhio?

– Sì, ma subito dopo che ho parlato con lei il commissario mi ha chiamato un momento nel suo ufficio, e poi, quando sono tornato a dirgli di aspettare in corridoio, non l'ho più trovato. L'ho cercato, ma non c'era più.

– Non importa. Ormai sappiamo dove rintracciarlo.

Ecco. A questo tipo di cose doveva riferirsi la gente quando sparava a zero sull'inefficienza della polizia. Niente di grave, in fondo, non avevo poi così voglia di piangere e non pensavo che sarebbe servito a molto.

Chiamai l'ispettore Sangüesa.

– Petra! Magnifico il foglietto che mi hai dato da decifrare!

– Perché?

– Ero stufo di complesse indagini finanziarie. Questa almeno è stata un tantino più facile. Un'equazione di secondo grado. Roba da liceali.

– Be', mi fa piacere.

– Voi donne siete una frana in matematica.

– Non mi rompere le scatole, Sangüesa.

Scoppiò a ridere con gran divertimento. Riattaccai. Avevo ricevuto la medicina che mi meritavo, e non aveva un buon sapore. Forse avrei dovuto scusarmi con Garzón, senza che si notasse troppo. In quel momento mi ricordai che non gli avevo chiesto quale fosse la questione personale di cui voleva parlarmi la sera prima. L'avrei fatto appena possibile, magari sarebbe servito a sistemare le cose.

Bene, un'equazione di secondo grado, regalo di Tomás al suo compagno di strada. Era quel che sapeva fare, d'altro canto. Se avesse saputo scrivere poesie il regalo sarebbe parso meno insolito. Ma la rivelazione di Sangüesa arrivava troppo tardi, ormai sapevamo che il morto era laureato. Tutto era così strano: uomini ben inseriti nella società che scivolano nell'emarginazione e regalano un brandello di sapere, barboni mezzi matti che si commuovono nel veder piangere una donna. Forse il mondo non era così moralmente degradato. Si poteva perfino supporre che i barboni sapessero vivere con una libertà e una delicatezza d'animo che a noi mancava.

Scrissi il rapporto sugli interrogatori della giornata. Avevo constatato che se fornivo regolari informazioni sull'andamento dell'inchiesta, Coronas se ne stava tranquillo e non ci assillava. Via via che enumeravo i fatti, ripercorrendo tutto quel che sapevamo sul caso, mi rendevo conto che fino a quel momento le indagini si erano mosse in modo spaventosamente lento e faticoso. La cosa più inquietante era che non avevamo quasi mai formulato delle ipotesi. Di solito succedeva il contrario: ogni indizio raccolto apriva una serie di possibilità che dovevamo imporci di non anticipare forzando i dati della realtà. Qui no. Nel caso di Tomás il Saggio eravamo finalmente riusciti a determinare un elemento fondamentale come la sua identità, ma nemmeno questo sembrava molto promettente. Il nostro olfatto non portava a nulla: né droga, né passioni... nessuno dei moventi tradizionali. Un caso talmente inodore da non smentire la spiegazione iniziale: degli skinhead tolgono di mezzo un barbone in un atto spontaneo di barbarie. Ma, anche in mancanza di sospetti, non potevamo dare per buona quella possibilità. Il metodo utilizzato era così poco consueto da risultare inverosimile.

Ero stanca, e la frustrazione cominciava a incrinare la mia resistenza. Decisi di spegnere il computer e mi preparai per andare a casa. Prima passai dall'ufficio di Garzón con propositi amichevoli, ma purtroppo lui se ne era già andato. L'avrei visto il giorno dopo. In quel momento sentivo solo il bisogno, sempre più impellente, di dormire.

Scendendo dalla macchina ebbi la strana impressione di essere osservata. Guardai a destra e a sinistra, la strada era deserta. Eppure, mentre mi avvicinavo alla porta, provai di nuovo la stessa sensazione. Fui colta da un'intima gioia. Il mio psichiatra continuava a dare scarso peso alle mie diffide e presto sarebbe sbucato fuori dall'ombra. Infilai la chiave nella serratura e, in effetti, sentii una mano posarmisi sulla spalla. Mi girai con un sorriso, e un pugno tremendo mi scaraventò a terra. Due individui cominciarono a prendermi a calci, mentre cercavo di coprirmi la faccia. Non riuscivo a rialzarmi né a reagire, sotto una valanga di colpi. Sentivo che le forze mi abbandonavano, avevo il capogiro, ma cercai in ogni modo di vedere in faccia i miei aggressori. Impossibile. Riuscii solo a scorgere confusamente due figure vestite di stracci, con i capelli lunghi e dei berretti di lana in testa. Mi sdraiai a terra, mi lasciai andare. In quel momento i colpi cessarono. I due si stavano allontanando. Con grande sforzo liberai la borsetta, imprigionata sotto la spalla, e tirai fuori la pistola. Mirai come potei e sparai. Sentii un grido. I due uomini correvano, uno di loro zoppicava. Mi guardai intorno. Non c'era nessuno, ero sola. In bocca avevo un sapore sempre più amaro, mi si appannava la vista. Pensai che sarei morta lì, e mi venne l'idea assurda che fosse un peccato, ancora due passi e sarei potuta morire dentro casa e non da sola nella notte, come un cane senza padrone.

6

Ripresi conoscenza su una lettiga. Ero nuda, sotto una camicia da ospedale. Intorno a me non c'era nessuno. All'improvviso entrò un'infermiera e si accorse che ero sveglia.

– Ah, meno male! Come si sente?

– Bene.

La voce mi uscì a fatica, avevo la bocca secca.

– Certo, si sente bene perché le abbiamo fatto una fiala di Toradol, ma fra un po' avrà male. Sapesse come l'hanno ridotta! Se ne ricorda?

– Scusi, ma dove mi trovo? Cosa mi hanno fatto? Io devo alzarmi e andarmene subito.

– No, deve aspettare. Si trova al pronto soccorso dell'Hospital del Mar. Avverto subito la dottoressa. Parlerà con lei. Ma ad ogni modo non si preoccupi, i suoi colleghi sono già qui e stanno aspettando fuori. Quando lo dirà la dottoressa, potranno entrare a vederla.

– Quali colleghi? Come si chiamano?

– Mia cara, questo è chiedere troppo! Sono due poliziotti come lei. Lei è della polizia, no? Che lavoro il suo! Sempre a vedere disastri!

– Be', non è che lei veda dei film d'amore...

Si mise a ridere. Scosse la testa e venne verso di me. Mi passò la mano sulla guancia in un gesto materno di cui le fui immensamente grata.

– Ha già preso un po' di colore. Se avesse visto che faccia aveva quando l'hanno portata qui! Adesso vado a chiamare la dottoressa.

Mi rilassai e guardai verso la finestra. C'era il sole. Ricordavo alla perfezione quel che era successo: le botte, i due uomini che correvano... Dovevo parlare subito con un collega! Avevo ferito un uomo e probabilmente nessuno lo sapeva. Avrebbero già dovuto cominciare a cercarlo. Mi agitai, inquieta, su quella lettiga così scomoda. Cercai i vestiti con gli occhi, ma non li trovai. Allora entrò una giovane dottoressa che mi guardò senza sorridere.

– Buongiorno, come si sente?

– Bene. Ascolti, mi hanno detto che fuori ci sono dei colleghi. Devo vederli urgentemente.

– Sì, adesso li faremo entrare. Non vuole conoscere la diagnosi?

– Dopo, adesso li faccia entrare, per favore. Sono della polizia!

Si strinse nelle spalle con degnazione e uscì. Dopo un attimo entrarono Garzón e Coronas. Quest'ultimo allargò le braccia in un gesto patriarcale.

– Mio Dio, Petra, ci ha fatti preoccupare! Come sta?

– Commissario, ho sparato a uno degli uomini che mi hanno aggredita, e l'ho preso, credo a una gamba. Erano in due.

– Lo sappiamo, lo sappiamo, stia tranquilla. Aveva

la pistola in mano quando l'hanno trovata e ha detto tutto in stato di semincoscienza. Ci ha chiamati un vicino. Ormai gli ospedali sono allertati.

– Si sa qualcosa?

– Per il momento, niente. Abbiamo rinvenuto il proiettile accanto al marciapiede di fronte casa sua. Probabilmente l'ha solo sfiorato, può darsi che non sia ricorso a un medico per paura. Bisognerà aspettare.

– Erano in due. Sembravano barboni.

– Barboni?

– Sono quasi sicura che fossero vestiti di stracci e abiti vecchi.

Garzón, che non aveva ancora aperto bocca, intervenne, molto preoccupato:

– Va bene, Petra, ma lei come si sente? Adesso la cosa più importante è la salute.

– Lasci perdere. Si sa con cosa mi hanno picchiata?

– Per stabilirlo ci vorrà una visita del medico legale.

– Be', non so cosa stiamo aspettando.

– Che la dimettano, per esempio – disse Coronas.

– Commissario, io sto bene. Non ho fratture né ferite. Non capisco cosa stiamo facendo qui.

– Non si può uscire da un ospedale senza il foglio di dimissioni firmato.

– Allora dica alla dottoressa che devo andare, che lei ha urgente bisogno di me.

Si mise a ridere, lusingato.

– Crede forse che la mia autorità sia universale?

– Mi è sempre parso così.

– Ecco, ha rovinato tutto! Parlerò col medico, se davvero si sente bene...

Uscì dalla stanza, mentre il viceispettore mi lanciava uno sguardo furibondo.

– La dottoressa ha detto che deve rimanere qui in osservazione per almeno ventiquattr'ore. Non mi sembra prudente che se ne scappi così. Al commissario non gliene importa un fico secco della sua salute, anzi, lui la vorrebbe subito al lavoro, ma io insisto che deve rimanere e passare un'altra notte qui.

– E non vorrà per caso restare seduto accanto a me, e rimboccarmi le coperte come un padre premuroso? Perché le assicuro che essere orfana non mi sembra poi così male.

– Lei è testarda come una mula, ispettore, e a stare vicino a lei si beccano solo calci.

– Sono una vecchia giumenta che ha trottato parecchio. Non si offenda.

– Chi crede che l'abbia picchiata?

– Non lo so, Fermín, ma non credo fossero due veri barboni. Correvano a velocità olimpionica.

Entrò Coronas con un sorrisetto stampato sulle labbra.

– Bene, tutto sistemato. La dottoressa dice che dovrà firmare il foglio di dimissioni. Le prescriverà degli antinfiammatori.

– Perfetto. E ora, signori, prego.

Rimasero a guardarmi come allocchi.

– Prego, cosa?

– Se volete uscire dalla stanza, no? Il cameratismo poliziesco non prevede che mi vediate in mutande.

– Ma Petra! Com'è volgare! – esclamò Coronas infilando la porta, e Garzón, dietro di lui, in tono perfettamente udibile, commentò:

– Come se non lo sapesse ancora, commissario.

Silvia Caminal, il medico legale, mi guardò con simpatia. Svolse delicatamente il bendaggio che mi stringeva la gamba destra.

– Qui deve farti male, vero?

– Comincio a sentire qualcosa.

– Ad ogni modo, me ne rallegro. Di tutti i servizi che io posso prestarti, questo è il meno intrusivo.

– Non escludere di dovermi fare l'autopsia, dottoressa, quando avrò finito di prendere tutte le pastiglie che mi hanno prescritto all'ospedale.

Rise con discrezione, scoperse la zona colpita e orientò la luce di una lampada in modo da vederla bene. Rimase a osservarla in assoluto silenzio. Poi, sillabando, e senza smettere di guardare, mi informò, o pensò ad alta voce:

– Bene, se non mi sbaglio... No, non credo di sbagliarmi, ne sono quasi sicura... del tutto sicura –. Alzò gli occhi e li fissò su di me: – La parte è ancora tumefatta, e si può affermare che il colpo è stato inferto da un oggetto con una superficie particolare. Se ci fai caso, malgrado l'arrossamento, si distingue con chiarezza una trama, un disegno.

– Un disegno che può corrispondere alla suola di uno stivale anfibio, vero?

– Sì, così mi pare.

– Mi basta questo, Silvia. Non ho bisogno d'altro.

Garzón stava aspettando in corridoio, intorpidito dal riscaldamento e dalla stanchezza.

– Chi può avere accesso al suo computer, Fermín?

– Può farlo anche Castillo, se gli do la password.

– Benissimo, chiamiamolo subito e chiediamogli di trovarci un indirizzo. Così non perdiamo tempo.

Un'operazione facile, diretta, che non richiese più di qualche minuto. L'informazione arrivò appena fummo saliti in macchina, davanti dall'Istituto di Medicina Legale. Ero certa di quel che facevo.

Fui io a suonare il campanello, e anche a rispondere: «Polizia!» alla domanda di una donna. Quando aprì, capii che doveva essere la madre: sui cinquant'anni, aspetto dimesso... una casalinga come tante in un quartiere operaio. Fece segno di no con la testa quando chiedemmo di Matías Sanpedro.

– Non c'è. Be', veramente c'è, ma è a letto, non sta bene. Oggi non è potuto andare a lavorare.

– Già. Si è fatto male a una gamba, vero?

Nei suoi occhi cominciò a leggersi esitazione, paura, odio. Scelse subito l'attacco:

– Sentite, mio figlio è un ragazzo che lavora, e come potete capire, se è in mutua...

La interruppi nel modo più secco che potei, ma senza perdere la calma.

– Signora, questa è una cosa seria. Se non ci lascia entrare e parlare con suo figlio, sarà molto peggio. Faccia un po' lei. Se le piombiamo in casa con le sirene e gli agenti lo sapranno tutti i suoi vicini, dal primo all'ultimo.

– Mio figlio non ha fatto niente di male. Si è solo preso una storta uscendo dall'officina.

Feci un passo avanti e varcai la soglia. Visto che la donna non si opponeva apertamente, proseguii più sicura. Garzón mi veniva dietro, mentre la madre del mio skinhead preferito chiudeva il corteo senza smetterla un attimo di parlare. Aprii una porta da cui fuoriusciva musica heavy metal a tutto volume. Eccolo lì, sdraiato a letto, con la gamba bendata. Mi guardò con più paura che odio.

– Ecco che ci rivediamo – gli dissi.

– Cosa volete?

La madre si precipitò nella stanza, sempre più agitata.

– Mati, sono dei poliziotti. Gliel'ho detto che hai avuto un incidente, gli ho spiegato che...

– Vattene mamma, che non succede niente.

– Ma se dicono che...

– Fuori!

Vidi che Garzón controllava tutti i movimenti del ragazzo nel caso avesse un'arma nascosta, ma quello continuava a starsene sdraiato sul letto. Le lenzuola erano stampate a cagnolini.

– E così sei infortunato.

– Sì.

– In che ospedale ti hanno curato?

– In nessuno. Non mi sono fatto quasi niente.

– Quindi non ti ha visto nessun medico?

Non rispose. Gli tremavano le labbra.

– Vestiti, che andiamo. E non scordarti di mettere gli anfibi.

– Dove andiamo?

– In commissariato. Sei in arresto.

– Perché? Cos'ho fatto?

– Alzati, pezzo d'idiota. Hai voluto restituirmi i ceffoni, ma adesso vediamo chi si becca l'ultimo.

– Io non ti ho picchiata, è stato l'altro, io non ti ho neanche toccata!

Garzón lo prese per un braccio e lo obbligò ad alzarsi a viva forza.

– E cammina, che ce la fai benissimo! In macchina ci dirai chi è l'altro.

L'uscita dall'appartamento fu spettacolare. Risultò del tutto inutile che la madre avesse ceduto all'argomento della discrezione: le urla di suo figlio sarebbero bastate a mettere in allarme un intero quartiere.

Lo infilammo in macchina ammanettato e facemmo rotta verso il commissariato. Bene, aveva voluto vendicarsi, ma adesso l'avrebbe pagata. Si mise addirittura a piagnucolare, l'imbecille.

– L'ho fatto solo perché capiste che non tutti quelli che si vestono da skin sono degli skin, e perché la piantiate di darci la colpa di tutto quel che succede.

– Sì, sei un martire della causa. Ma sta' zitto, che ho mal di testa!

– Non è stato per vendetta, le giuro che...

Garzón si voltò bruscamente e lanciò un grido che spaventò perfino me:

– Zitto! Non hai sentito che l'ispettore ha mal di testa?

Mi accorsi ancora una volta, che per quanto perfezionassi i miei metodi intimidatori, il mio collega riusciva sempre a battermi.

Arrivati in vista del commissariato, fummo sorpresi nello scorgere un assembramento sul marciapiede di fronte. Erano giornalisti, che si catapultarono su di noi non appena fermai la macchina. Gli agenti di guardia vennero a scortarci perché potessimo entrare senza essere travolti dai fotografi che sparavano flash a ripetizione. Il nostro skin si era tirato il giubbotto sulla faccia e avanzava con difficoltà, mentre Garzón si faceva largo sbraitando in tono poliziesco. Non riuscivo a capire cosa stesse succedendo, e ci riuscii ancora meno quando, nell'atrio, vedemmo venirci incontro il commissario Coronas affiancato da Yolanda. Gli agenti portarono via Matías, e Coronas ci indicò di seguirlo nel suo ufficio.

La prima cosa che fece dopo aver chiuso la porta fu abbandonarsi alla più pura incazzatura.

– Lo sapeva, lei, di non essere rintracciabile sul cellulare?

– L'avevo spento da un po', è vero. Visto che eravamo impegnati in un'azione... Ma cosa vogliono tutti quei giornalisti?

– Risponda, prima di fare domande. Chi è il ragazzo che avete arrestato?

– Il mio aggressore.

– E c'entra qualcosa con l'omicidio?

– Temo di no.

– Come l'avete beccato?

– La dottoressa Caminal mi ha visitata. Ha visto che una delle contusioni era stata provocata da uno stivale anfibio.

– E questo è bastato a guidarla fino al colpevole?

Guardai Garzón, del tutto inespressivo, e Yolanda, che se ne stava afflitta in un angolo. Esitai prima di parlare.

– Il fatto è... che avevo sentito l'odore.

– Come?

– Avevo già interrogato quel ragazzo, e quando sono stata aggredita ho riconosciuto l'odore del dopobarba. L'impronta di uno stivale anfibio mi ha dato la certezza.

Coronas mi guardava incredulo, seccato e incuriosito insieme.

– Bene, Petra, congratulazioni. Adesso vediamo come applica il suo olfatto da segugio a quel che è appena successo.

Con un cenno della testa, diede la parola a Yolanda. Vidi che era terrorizzata, e mi resi conto che le tremava la voce.

– Anselmo è stato trovato morto, ispettore. L'hanno assassinato.

Garzón ed io trasalimmo.

– Assassinato?

– Proprio nel posto dove dormiva. Gli hanno infilato un sacchetto di plastica sulla testa e gli hanno sparato. La Scientifica sta facendo un sopralluogo. Nessuno ha visto niente, com'era da prevedersi. Sapete com'è la gente che gira da quelle parti. Tutte le sue cose erano sottosopra.

Coronas riprese la parola in tono sostenuto.

– Mi risulta che quell'uomo sia stato qui proprio ieri.

– Esatto.

– E allora vuol dire che siete nei pasticci, ispettore.

– A volte i barboni si derubano fra loro, e possono arrivare anche a uccidere – azzardò il mio vice senza troppa convinzione.

– Non dica fesserie, Garzón! Se questa storia non ha a che fare col caso di cui vi occupate, io sono un vescovo! Quindi, rendetevi conto del guaio in cui vi siete cacciati. Con tutti quegli stronzi di giornalisti felicissimi di poterci marciare su. Immaginatevi cosa ne verrà fuori: un serial killer di barboni, la polizia che trascura gli emarginati perché non sono contribuenti… mi sembra già di vedere i titoli sui giornali. Mettetevi subito al lavoro, e non comparitemi più davanti senza un colpevole. Intesi?

In altre circostanze avrei cercato di rispondergli per le rime, mi sarei difesa in qualche modo da quella sfuriata d'altri tempi, ma ero troppo traumatizzata dalla notizia. Il povero Anselmo era stato ucciso. Perché? Cosa avevamo smosso senza rendercene conto? In quali storie poteva essere coinvolto, che cosa sapeva? Quel che ci aveva detto era così importante da giustificare che venisse ucciso? Che cosa faceva di Tomás il Saggio un uomo di importanza strategica? Anselmo conosceva l'assassino? Nella mia testa i pensieri giravano vorticosamente senza che io riuscissi a fermarli. Yolanda mi venne vicino.

– Ho saputo dell'aggressione, ispettore. Come sta?

– L'aggressione? Ah, sì, l'aggressione... Sto bene, grazie.

In quel preciso momento cominciai a sentire dolori dappertutto. Mi avviai come un automa verso il mio ufficio, seguita da Yolanda e Garzón. L'agente Domínguez mi venne incontro.

– Ispettore, non sa quanto mi dispiace. È stata colpa mia se hanno ucciso quel poveretto, vero? Avrei dovuto sorvegliarlo meglio.

– No, io l'avrei lasciato andare poco dopo. Mi faccia un favore, Domínguez, mi porti un bicchier d'acqua.

Mi sedetti. Cercavo di pensare. Garzón sorrise.

– È vero quello che ha detto, ispettore? Davvero ha riconosciuto l'odore del dopobarba di quello là?

Lo guardai come se non l'avessi mai visto, non capivo cosa mi stesse domandando. Entrò Domínguez con l'acqua. Inghiottii una delle pastiglie che mi avevano prescritto. Solo dopo aver bevuto qualche sorso riuscii a riprendere piena coscienza della situazione.

– Volete spiegarmi cosa stiamo facendo qui seduti? Andiamo immediatamente sul luogo del delitto.

Domínguez si voltò:

– Ispettore Delicado, un certo dottor Crespo ha telefonato un mucchio di volte chiedendo di lei.

– Sì, lo immaginavo.

Uscimmo di gran carriera. Accesi il cellulare. C'erano varie chiamate senza risposta di Coronas, e naturalmente di Ricard. Ero così spersa che Yolanda si preoccupò per me:

– Non si agiti, ispettore. Sul posto ci sono l'ispettore Fernández Bernal e il viceispettore Iniesta a farsi carico della situazione fino al vostro arrivo.

Fernández Bernal! Dentro di me lo stramaledissi. Yolanda mi guardava con l'espressione di una madre premurosa. Esplosi:

– Come, «non si agiti»? E a te chi cavolo te lo dice che sono agitata? Sul lavoro non tollero nessuna insinuazione personale, capito? Nessuna!

Rimase impietrita. Garzón sorrideva sotto i baffi. Lo guardai con la coda dell'occhio mentre, rivolto a Yolanda, inarcava le sopracciglia e si stringeva nelle spalle come per dire: «Ha un cuore di pietra, la nostra Petra». Lo odiai, odiai anche quella ragazzetta inesperta e troppo emotiva, ma soprattutto odiai me stessa per aver permesso che uccidessero un simpatico matto inoffensivo.

La zona degli edifici abbandonati era stata posta sotto sigilli dalla polizia. Fernández Bernal mi accolse dissimulando malamente la sua soddisfazione.

– Eccoti qui, ispettore Delicado, credevamo che ti avessero rapita!

– Vai al sodo, Bernal, che non sono di buon umore oggi. Raccontami cos'è successo.

– L'ispettore ha subìto un'aggressione. Era all'ospedale – intervenne Garzón per farlo sentire in colpa. Ci riuscì. Bernal cambiò faccia.

– Accidenti, Petra, mi spiace, non ne ho saputo niente! Scusami tanto.

– Lascia perdere.

Garzón era un genio della psicologia. Spinto dal senso di colpa, Bernal ci fece un ottimo resoconto dettagliato invece di continuare a sparare stupidaggini.

– Il cadavere è già stato rimosso. Vedremo cosa dice l'autopsia, ma certo quel poveraccio era ridotto male. Gli hanno fatto saltare le cervella, dopo avergli infilato la testa in un sacco della spazzatura. Di sicuro per non sporcarsi di sangue.

– Qualcuno ha visto qualcosa?

– Scherzi? Qui nessuno dice una parola. Quelli che non sono pregiudicati sono clandestini, e gli altri sono una banda di matti e ubriaconi. Quindi puoi fartene un'idea.

– La Scientifica ha già finito?

– No, stanno ancora cercando capelli in giro. Ma in un posto aperto come questo, e per di più pieno di gente, non credo che potrà servire a molto.

– E gli effetti personali della vittima?

– Adesso li preleviamo. C'erano porcherie sparse dappertutto. Chi l'ha ammazzato deve averci frugato per bene. Non per portargli via un tesoro, immagino.

– Fammi dare un'occhiata.

– La Scientifica ha già fatto il suo dovere, quindi possiamo metterci le mani.

Accanto al sottoscala dove dormiva Anselmo c'era un agente. Custodiva un ammasso di stracci, sacchetti e cartoni disseminati dappertutto. Legato in un angolo, se ne stava accucciato il suo cane, in perfetto silenzio. Mi avvicinai e gli accarezzai la testa.

– Si è già stancato di ululare, poveretto. Faceva pena sentirlo – disse l'agente.

– È servito ben poco al suo padrone – fu il commento di Garzón.

– Ha pianto la sua morte, che è già tanto – replicai. – Che cosa pensate di farne?

– Portarlo al canile municipale.

– Lo vuoi tenere tu, Petra? – mi chiese Bernal.

– No, grazie, non mi merito amici così fedeli.

Cominciai a passare in rassegna gli scarsi e caotici averi di Anselmo: un vero e proprio bazar di oggetti inutili. Abiti vecchi, calendari di anni remoti, biro scariche, occhiali senza lenti, cinture senza fibbie… tutte cose che un tempo erano pure servite a qualcosa, ma che dovevano aver perso la loro funzione quando ancora appartenevano ai loro legittimi proprietari. All'improvviso mi accorsi che una delle poche cose che ricordavo dalla mia precedente visita era scomparsa: la cassettina con i portachiavi di Tomás il Saggio.

– Qualcuno ha portato via qualcosa? La Scientifica, forse?

– No, hanno esaminato tutto, ma non hanno preso niente.

Chiesi a Yolanda e a Garzón di aiutarmi a cercarla, temendo di non essere riuscita a vederla in quel guazzabuglio di cose. Descrissi loro la cassettina e sottoponemmo tutto quanto a una nuova revisione.

– Cosa state cercando? – domandò Fernández Bernal.

– Niente di speciale, una cassettina che mi era parso di vedere quando sono stata qui l'altra volta.

Lui sapeva che gli conveniva evitare altre domande se voleva che quell'incontro finisse bene. Per risparmiargli la tentazione della curiosità, gli dissi:

– Grazie di tutto, Bernal. Se volete, potete andare. Noi restiamo finché la Scientifica non avrà finito.

Dopo averlo liquidato, mi voltai immediatamente verso il mio vice:

– Manca la cassetta con i portachiavi.

– Può anche averla buttata via lo stesso Anselmo.

– Figuriamoci, era uno dei tesori a cui teneva di più.

– Non so, ispettore, da un tipo così fuori di testa ci si poteva aspettare di tutto.

– Le ricordo che manca l'unico oggetto appartenuto a Tomás il Saggio.

– Cosa diceva la scritta? Non mi ricordo.

Cercai nella borsa il portachiavi che mi aveva regalato Anselmo. Comparve fra briciole di tabacco e fazzoletti di carta usati.

– «La carità è la gioia dell'anima» – lessi ad alta voce.

– Quante organizzazioni benefiche ci sono a Barcellona, Fermín?

– Non ne ho la minima idea.

– Credo di averne una lista in ufficio, posso portarla domani – intervenne Yolanda. – Be', se vuole che io continui a partecipare alle indagini, ispettore.

– Sì, voglio che continui.

Yolanda sorrise. Non capivo perché desiderasse tanto far parte di una piccola squadra sgangherata come la nostra, dove veniva trattata così male, per giunta.

Diedi un'altra occhiata al portachiavi.

– Sì, ora facciamo un altro interrogatorio qui, e poi indagheremo sulla beneficenza.

Ma non stavo veramente pensando a quel che dicevo, in realtà la mia mente era distratta dal ricordo di Anselmo. Quel povero matto non avrebbe avuto mai più il suo bastimento carico di riso, pensai, e provai pietà per lui, e per il suo cane, che con lui aveva perso tutto.

Quando arrivai a casa ero distrutta, non sapevo se per via delle botte o della tensione. Avevo tanto male alle braccia che la manovra per parcheggiare la macchina mi fece vedere le stelle. Avvicinandomi al portone vidi Ricard seduto sui gradini. Tirò fuori un fazzoletto bianco e lo sventolò nell'aria.

– Petra, non sparare, sono io!

Mi guardava preoccupato. Non avevo nemmeno la forza di sorridergli.

– Cosa ti è successo? Ti ho cercata per tutto il giorno. E poi, in commissariato, nessuno voleva darmi tue notizie. Ero molto preoccupato.

Capii che una delle ragioni per le quali mi piaceva vivere da sola era non dover dare spiegazioni a nessuno rientrando a casa. Non cercai nemmeno di essere gentile.

– È stata una giornataccia, Ricard. Ieri mi hanno aggredita degli skin e sono tutta ammaccata, quindi non sono in vena di esercizi ginnici di nessun tipo. Forse domani starò meglio.

La sua faccia si trasformò in una maschera di durezza. Ritirò la mano che mi aveva posato sulla spalla. Mi parlò in un tono che non gli avevo mai sentito:

– Ma cosa credi, che io venga qui solo per scopare? Hai davvero una pessima considerazione di me, Petra, al punto che non capisco come tu abbia potuto accettare la mia compagnia anche una sola volta. Buonanotte.

Girò i tacchi e se ne andò. Lo seguii.

– Ricard, torna indietro. Non costringermi a chiederti scusa. Ti prego solo di rimanere con me, per favore.

Lo presi per mano e lui si lasciò guidare dentro casa. Mi tolsi l'impermeabile e me ne stetti lì, con lo sguardo a terra, abbattuta. Lui mi abbracciò.

– Sono distrutta perché hanno ammazzato quel vecchio matto di Anselmo, che dalla vita voleva solo un bastimento carico di riso. Riesci a capirmi?

– Sì.

– E sono distrutta per il suo cane. Riesci a capire anche questo?

– Sì.

Quella notte dormimmo insieme, in assoluta tranquillità. Lui non se ne andò prima dell'alba, e io non gli chiesi di farlo.

7

Alle sette del mattino squillò il telefono. «Non c'è serenità in casa del povero» pensai. Era il viceispettore Garzón.

– Petra, scusi se la chiamo così presto, ma ho pensato che ormai fosse già in piedi.

– Certo che sono in piedi – dissi, sfilando una gamba intrappolata fra quelle di Ricard.

– Dovevo dirle una cosa personale, si ricorda? Ma poi, con tutti i problemi che abbiamo avuto sul lavoro, non ci sono più riuscito.

– È vero, mi dica.

– Oggi arriva mio figlio da New York, con la persona di cui le ho parlato e... insomma, dato che lei mi aveva detto... Però, sa, ci ho riflettuto... magari è meglio che vada in una pensione.

– No, Fermín, non si preoccupi. Mi ricordo molto bene dell'offerta che le ho fatto, ed è ancora valida. Lascerò un biglietto alla donna di servizio, così le preparerà la stanza.

– Non so come ringraziarla, ispettore, davvero.

– Lasci stare i complimenti, Garzón. Ci vediamo fra poco.

Ricard, che si stava stiracchiando al mio fianco, guardò l'orologio e trasalì.

– Accidenti, è tardissimo! Dovrei essere già in piedi da un pezzo. La doccia la fai prima tu o prima io?

– Falla tu. Io preparo la colazione. Tu non sapresti dove trovare le cose in cucina.

Mentre facevo il caffè mi resi conto di quanto fosse ridicolo tutto quanto. Proprio il giorno in cui permettevo a un amante di rimanere a dormire con me, il viceispettore veniva a stare a casa mia. «Splendido!» pensai. «La Provvidenza veglia su di noi, anche se lo fa senza il minimo senso della discrezione».

Il rapporto dell'esperto balistico non dava luogo a dubbi. Si trattava di un nuovo proiettile pieno di tacche e graffi sparato con un eccesso di pressione. Tutte le rigature corrispondevano. Anselmo era stato ucciso con la stessa arma che aveva messo fine alla vita di Tomás il Saggio. Ormai nessuno poteva dire che i due omicidi non fossero collegati.

Tornammo sul luogo dove era stato trovato Anselmo. L'interrogatorio di eventuali testimoni, insieme alla possibilità sempre più remota che si facessero vivi dei parenti di Tomás, erano le uniche opportunità che avevamo. Yolanda non venne con noi. Rimase nel suo ufficio a cercare informazioni sulle organizzazioni benefiche. Presto ci informò che, in seguito all'accaduto, i vigili avevano ricevuto ordine dal sindaco di sgombrare l'edificio abbandonato, quindi non ci restava molto tempo per agire.

I colleghi della Scientifica avevano già terminato la ricerca di presunti indizi. Ma le loro fatiche non potevano essere paragonate alla stanchezza infinita prodotta da quegli interrogatori incerti, ripetuti una seconda volta.

La vita, nell'edificio abbandonato, non era cambiata granché, se non per il fatto che si vedeva meno gente in giro. Ricominciammo. Sfilò di nuovo dinanzi a noi l'infame successione di occhi ciechi, di orecchi sordi e di lingue che non volevano saperne di sciogliersi. Ore più tardi il mistero su chi e come avesse assassinato Anselmo era fitto come prima.

– Andiamo a cercare un posto per prendere un caffè, ispettore. Non ne posso più.

Entrammo in un baruccio miserabile lì vicino. Il caffè era come catrame, ma si poteva bere. C'erano pochi avventori a quell'ora, e così, non appena entrò un giovane nero che si sedette al banco accanto a noi, capimmo subito che c'era qualcosa di strano nel suo modo di fare. Guardò Garzón, poi guardò me e si agitò sullo sgabello mentre ordinava un'acqua minerale. Il viceispettore ed io ci scambiammo un cenno di intesa. Mi voltai e dissi sorridendo al ragazzo:

– Prenda anche un caffè, offriamo noi.

Il padrone del bar non capiva bene cosa stesse succedendo, ma con una certa diffidenza gli mise la tazzina davanti.

– Grazie, qui il caffè è buono – disse in uno spagnolo passabile. – Ci sediamo lì? – aggiunse indicando un tavolo lontano da possibili orecchie indiscrete. Bene, sembrava che fossimo sulla buona strada. Decisi di spianarla del tutto.

– Ci ha seguiti, vero?

– Voi siete poliziotti.

– Sì.

– Lo so. Ho visto delle cose e voglio parlare. Qui, però. In strada c'è tanta gente che mi vede.

– Va bene, d'accordo. Ci racconti.

– Facciamo uno scambio: io do una cosa a voi e voi date una cosa a me. Io vi racconto quello che so e voi mi date il permesso di soggiorno. Va bene?

Aveva la pelle di un nero profondo, gli occhi allucinati e sfuggenti. Garzón reagì all'istante:

– Ma cosa diavolo dici? Te lo do io lo scambio! Non ti rendi conto che possiamo sbatterti in galera per quello che hai appena detto?

Il ragazzo non sembrò troppo impressionato. Scosse la testa.

– Se mi buttano fuori dal paese, io ci rientro, ma voi non potrete sapere mai che cos'ho visto.

– Ma sarai stronzo…! Tira fuori subito tutto quello che sai se non vuoi che…

Lui non mostrò il minimo timore, né la minima reazione alle minacce del mio collega. Pensai che convenisse cambiare tattica.

– Senta, il fatto è che… Mi scusi, come si chiama?

– Non importa come mi chiamo.

– Il fatto è che noi non abbiamo la possibilità di darle il permesso di soggiorno. Questo dipende dai giudici, dalle autorità che sovrintendono all'immigrazione, da mille cose su cui noi non abbiamo nessuna influenza. Al massimo potremmo firmarle un documento in cui risulterà che lei ha reso un servizio a questo paese collaborando con la polizia nel far luce su un delitto. Ai fini del rilascio del permesso di soggiorno questo potrà sempre contare a suo favore.

Ci pensò su per un bel po'. Gli sembrava meglio di niente. Ma poi introdusse un elemento imprevisto:

– Sì, però voglio qualcosa di più.

– Che cosa?

– Non lo so, qualcosa.

All'improvviso capii.

– Possiamo darle venti euro, come piccola gratificazione.

– No, cento.

– Cento è troppo.

Intervenne Garzón, abbastanza fuori di sé:

– Ma ispettore, non si rende conto che questo disgraziato è obbligato a parlare? Lasci che lo sistemi io, vediamo se si decide.

– Trenta euro, non un soldo di più – buttai lì.

– Cinquanta.

– D'accordo.

Fece un segno d'assenso e aspettò che gli dessi il denaro. Garzón, accanto a me, bolliva.

– Ho visto due uomini che sparavano al vecchio. Poi hanno frugato nella sua roba e hanno preso una cosa. L'hanno portata via.

– Mi parli di quegli uomini. Saprebbe riconoscerli?

– No, era di notte e portavano un casco da moto.

– Erano giovani, alti, robusti?

– Erano normali, alti.

– Hanno parlato con lui?

– No, hanno solo sparato, senza parlare.

– Sono arrivati in moto?

– Non so. Sono andati via a piedi, non correvano.

– Li ha visti qualcun altro?

– No. Io ero dietro un vecchio camion. Avevo paura.

– Poteva essere una specie di scatola quello che hanno portato via?

– Può darsi, era una cosa piccola.

– Li ha sentiti parlare?

– Poco. Ho sentito solo: «È qui».

– Va bene. Adesso le do il nostro indirizzo, così potrà passare a ritirare il foglio in cui diremo che ha collaborato con noi.

– No, non importa, me ne vado.

Uscì a tutta velocità dal bar. Mi parve buffa la sua mancanza di interesse per il documento promesso. Lo dissi a Garzón, ma niente di quel che era appena accaduto sembrava minimamente divertirlo.

– Ecco la voglia che hanno di integrarsi in questo paese.

– Ma Garzón! Cosa pretende, che canti l'inno nazionale? Quello lì mangia merda da quando è nato. E poi non è un cretino, sa benissimo che gli stavo offrendo carta straccia.

– Sì, ma i soldi, quelli no, non sono carta straccia.

– Mi sorprende il suo candore, davvero.

– Candore sarà il suo, che distribuisce quattrini in giro come se piovessero e poi sono sicuro che non li mette neppure in conto spese a Coronas.

– È il mio modo di fare la carità, visto che non appartengo a nessuna associazione benefica... Bene, parliamo di qualcosa di interessante o continuiamo a divagare?

– D'accordo. Crede che le informazioni che ha comprato valgano qualcosa?

– Come prova oggettiva, certamente no, ma da un punto di vista soggettivo non hanno prezzo.

– Può spiegarsi meglio?

– Con sommo piacere. Le faccio una comunicazione solenne: finalmente sono sicura che Tomás il Saggio era implicato in qualche storia poco pulita legata al portachiavi che ho qui. Un'associazione benefica fasulla? Una banda di truffatori? Non lo sappiamo, ma da quando abbiamo cominciato queste benedette indagini, mi sa che per la prima volta stiamo andando da qualche parte.

– Può darsi che abbia ragione, ma se uno malmesso come Tomás si era ficcato in qualche losco affare, perché non si era tirato fuori dalla miseria?

– Lui non voleva tirarsene fuori, ma i suoi traffici gli davano il minimo per tirare avanti e per fare qualche offerta ai frati.

– Proprio come lei, che distribuisce soldi a tutti i disperati.

– Può anche darsi che fosse costretto a collaborare per qualche tipo di ricatto.

– E chi potrebbe ricattare un tipo così?

– Le ricordo che era istruito. Un contabile esperto può essere molto utile in un'organizzazione illegale.

– A me tutto questo comincia a sembrare un'allucinazione, ispettore: barboni che fanno la carità e presunte organizzazioni caritatevoli che derubano i barboni. È il mondo alla rovescia.

– Il mondo è sempre alla rovescia, Fermín; è diritto solo nella nostra mente.

– Il che è già qualcosa.

I giornalisti cominciarono a diffondere storie allarmanti. Un gruppo di skinhead si era dato a ripulire dai barboni tutta la città. In mancanza di informazioni concrete, riempivano le pagine riportando le caratteristiche ideologiche delle formazioni neonaziste europee. Di tanto in tanto, lo stesso Coronas rilasciava un comunicato stampa privo di contenuti e zeppo di luoghi comuni: «Stiamo seguendo nuove piste, sono allo studio diverse linee investigative, ma non possiamo fornire ulteriori dati per non ostacolare l'andamento delle indagini». Tuttavia non concesse al caso nessuna priorità particolare né vennero messi a nostra disposizione aiuti extra. Era evidente che l'uccisione dei senzatetto generava nell'opinione pubblica un vago desiderio di giustizia sociale, ma non vero timore. Gli onesti cittadini potevano continuare ad andarsene in giro tranquilli. I loro figli e la loro sicurezza personale non erano in pericolo, quindi tutto poteva ritenersi sotto controllo. In tali circostanze non era necessario strafare. Eppure Coronas continuò a esercitare su di noi una certa pressione. Venne a trovarmi nel mio ufficio a fine pomeriggio.

– Senta, Petra, cosa ne dice se faccio sapere ai giornali che abbiamo messo dentro uno skin?

– Ma non ha niente a che vedere col caso, commissario.

– Lo so, ma se a quei cani della stampa gli diamo un osso da rosicchiare, ci lasceranno in pace per un po'.

– Mi sembra troppo, a dir la verità, gettare il sospetto di due omicidi sulle spalle di quel ragazzo...

– Le interessa tanto il buon nome di uno stronzo che l'ha mandata all'ospedale?

– Ha una madre.

– Quello è carne da macello, proprio come i barboni, tutta gentaglia...

– Faccia quello che vuole, ma forse così è peggio. Finisce che ci accuseranno di creare dei falsi colpevoli.

– Non so, penserò a cosa ci conviene di più. Per il momento, lascerò le cose come stanno. Crede che chiuderete presto le indagini?

Mi guardava negli occhi, non con intenzioni intimidatorie, con semplice curiosità, o almeno così sembrava. Mi armai di tutta la mia grinta e risposi:

– Non ne dubiti. È solo questione di giorni.

– Meno sono, meglio è. A parte l'opinione pubblica, che mi interessa fino a un certo punto, mi secca che lei e Garzón siate completamente bloccati da questa storia dei barboni. Per di più, con Llorente in malattia... Sembra che la sfortuna si accanisca su di noi!

Si allontanò bofonchiando fra sé e guardando a terra. Era stanco, probabilmente non ne poteva più neanche lui. Doveva essere proprio in un momento di crisi per mostrarsi così poco autoritario.

Era venuta l'ora di andarsene. Spensi il computer e raccolsi le mie cose. Di colpo, mi ricordai di Garzón. Secondo gli accordi, quella notte sarebbe venuto a dormire a casa mia. Andai a cercarlo e lo trovai chino sulle sue carte.

– Ancora qui?

– Sto facendo passare il tempo. Devo andare a cena con mio figlio e il suo...

– Compagno.

– Sì, il suo compagno.

– Non è il caso che glielo dica, Fermín: lei può disporre della mia casa quando vuole, non solo per dormire. Queste sono le chiavi. Vada pure, si riposi, accenda il televisore, entri in cucina e apra il frigorifero... Per questa settimana faccia come a casa sua, senza preoccuparsi di me. D'accordo?

– Lei è un capo davvero fuori del comune.

– Non ho altra alternativa con un subordinato come lei.

– Preferisco non sapere cos'ha voluto dire.

Uscii con una risata. Il povero Garzón, così tradizionalista, ci avrebbe messo un po' a capire che le tendenze sessuali di suo figlio non erano una cosa di cui vergognarsi.

Appena in strada, chiamai Ricard.

– Che te ne pare se usciamo a cena stasera?

– Mi pare giusto e necessario.

– Passo a prenderti e offro io. Che altro puoi chiedere?

– Di andare a casa tua dopo.

– Era una domanda retorica.

– Alla quale ho dato una risposta.

Risi come una stupida. Quell'uomo era davvero speciale, mi era simpatico. Forse un po' caotico, ma il caos presenta sempre degli aspetti divertenti.

Cenammo meravigliosamente in un ristorante messicano, e all'uscita ero più che disposta ad accontentarlo. Ma durante il tragitto verso casa mi sentii in dovere di spiegargli la situazione.

– Stanotte non potrai rimanere a dormire.

Con la coda dell'occhio notai sulla sua faccia una smorfia di disappunto.

– Certo che ho fatto in fretta a perdere i miei privilegi!

– Ho un ospite, e non mi va che ti veda girare per casa domattina.

– Pensavo che avessi superato certi pregiudizi.

– Si tratta del viceispettore Garzón, il mio collega. Passerà una settimana a casa mia e non ho voglia di dargli spiegazioni.

– Va bene.

– Mi capisci o ti stai solo adeguando?

– Per te cambia qualcosa?

– Ricard, non creiamo dei problemi dove non ce ne sono.

– Mi stupisce che una donna liberata come te...

– Non ho intenzione di giustificare le mie decisioni.

– È vero, non c'è niente che ti obblighi.

Calò fra noi un silenzio carico di imbarazzo e sensi di colpa. Cominciai a pensare a quanto sia difficile evitare gli attriti in una relazione fra un uomo e una donna. Ricard dovette leggermi nel pensiero.

– Non vorrei che tu sentissi la mia presenza come un peso, scusami.

– Dimentichiamo la questione, d'accordo?

– Tutte queste cose non succederebbero se decidessimo di vivere insieme.

– Ne succederebbero di ben peggiori.

– Ma cosa dici! Io ti pulirei le pistole tutte le mattine come un perfetto attendente.

Le risate allentarono la tensione e allontanarono molto opportunamente l'argomento tirato in ballo da Ricard. Era troppo presto per pensare a qualunque tipo di convivenza di lungo corso.

All'una del mattino, dopo un intenso round amoroso, sentimmo aprirsi la porta d'ingresso.

– È il tuo collega? – chiese sottovoce Ricard.

– Sì.

– Spero che non venga a fare rapporto o qualcosa del genere.

– Non è sua abitudine.

Ci abbracciammo ridendo e cercando di non far rumore. Poi caddi in un sonno profondo, piacevole, senza pensieri. A un'ora imprecisata mi accorsi che Ricard si stava alzando, ma non ripresi conoscenza al punto da preoccuparmene. Poco dopo, però, mi ritrovai sveglia di colpo. Delle urla terrificanti mi diedero l'impressione di essere strappata da dentro il mio corpo. Saltai giù dal letto senza capire cosa stesse succedendo e corsi sulle scale. Guardai giù, ma al piano di sotto c'era solo silenzio e buio. Cominciai a reagire in modo incoerente.

– C'è qualcuno?

Accesi la luce, e ai miei occhi comparve una scena che non potrò mai dimenticare. Ricard se ne stava a mani in alto in mezzo alla stanza e Garzón gli puntava la pistola contro. Capii subito il malinteso, cosa che non placò affatto la mia furia contro quei due intrusi.

– Ma cosa diavolo state facendo?

Balbettarono entrambi come scolaretti colti in fallo.

– Stavo scendendo le scale, e visto che entrava un po' di luce dalla strada, non ho acceso, ma appena sono arrivato al piano di sotto...

– Mi dispiace, mi dispiace molto. Quando sono arrivato mi sono seduto un attimo a riposare in soggiorno e sono rimasto sovrappensiero. Forse mi sono un po' assopito. Poi ho visto uno che attraversava la stanza al buio e... il primo istinto è stato quello di estrarre la pistola.

– D'accordo, d'accordo, è stato tutto uno spiacevole equivoco, come suol dirsi. Capirete che non è il momento più adatto per le presentazioni. Siamo tutti persone pacifiche, questo è quello che conta. Vieni, Ricard, ti accompagno alla porta.

– Io mi ritiro in camera mia, ispettore. Sono molto spiacente per quello che è successo, davvero, non era mia intenzione spaventare il signore e neppure...

Presi Ricard per un braccio e lo condussi verso la porta. Per la prima volta mi resi conto che ero in pigiama, scalza, spettinata e che, probabilmente, avevo una faccia da far paura. Non desideravo prestarmi a nessuno scambio di convenevoli. Non appena rimanemmo soli, Ricard mi disse sottovoce:

– Sarebbe meraviglioso poter venire a casa tua senza ritrovarmi ogni volta una pistola puntata addosso.

– Si sa che la vita dell'amante ha i suoi alti e bassi.

– La mia comincia a somigliare a una storia dell'orrore...

– Io direi che sembra piuttosto un vaudeville da quattro soldi. Su, adesso vai, ti chiamo io domani.

Lo baciai lievemente sulle labbra nervose e sottili prima di spingerlo in strada. Lasciai passare un minuto per essere ben sicura che Garzón si fosse ritirato. Guardai nel soggiorno: nessuno. Salii le scale e spensi la luci. Una volta a letto, caddi in preda a una crisi di ilarità che non cercai neanche di frenare. Dovetti soffocare le risate col cuscino.

Il mattino dopo mi passò ogni voglia di ridere. Garzón mi aspettava in cucina perfettamente sbarbato e vestito come se avesse passato una lunga notte di sonno del tutto priva di contrattempi. Dover parlare con qualcuno di prima mattina e nell'intimità della mia cucina fu uno scoglio difficile da superare. Il viceispettore si guardò bene dal fare commenti sulla scena notturna, eppure, mentre mi aiutava con sollecitudine a preparare il caffè, ebbi l'imbarazzante sensazione di dovergli delle spiegazioni. Pensai che la mia insofferenza per questo tipo di obblighi impliciti, che nessuno sembra riconoscere apertamente, ma che pesano come pietre, era un'altra delle ragioni per cui mi piaceva vivere per conto mio. Le tranquille colazioni solitarie, l'aroma del caffè che si mescola con le idee ancora da riordinare, i suoni consueti, il coltello che taglia il pane, il cucchiaino nella tazza... tutto senza il dovere di domandare: «Hai dormito bene?». Ah, un piacere che rimpiangevo. Per di più fare colazione con un estraneo ci porta a constatare fino a che punto noi adulti viviamo di piccole manie: io amo il caffè molto carico, intingo i biscotti, non riesco a mangiare se prima non bevo un bicchier d'acqua... manie rivendicate con assoluto autocompiacimento. Che vergogna. Garzón invece non mostrava particolari fissazioni. Si sedette allegramente davanti a me e cominciò a divorare con la stessa foga di sempre.

– Com'è andata la cena, ieri sera, Fermín?

– Boh, non so cosa pensare!

– Di cosa?

– Aveva un orecchino.

– Chi? Suo figlio?

– No, l'altro.

– Senta, se vuole non ne parliamo.

– Perché?

– Perché mi sembra un interrogatorio: troppe domande e poche informazioni.

– È che non c'è molto da raccontare. Quel tipo si chiama Alfred e lavora in un'agenzia di pubblicità. Parla lo spagnolo abbastanza bene.

– È simpatico?

– Ride troppo per i miei gusti.

– Gli americani sono allegri, hanno un carattere aperto.

– Così dicono. Ma questo rideva troppo e aveva l'orecchino. Per fortuna è stato discreto, non si è fatto numeri strani.

Mi ero proposta di non sbottare, ma sbottai.

– Ma insomma, Garzón, non dica assurdità! Non crederà che tutti i gay debbano per forza fare le checche o le drag-queen.

– A me non me ne frega niente di quello che fanno. Mi sono limitato a dire che quell'Alfred aveva l'orecchino. E che mio figlio, un uomo fatto e finito, e chirurgo per di più, viva sotto lo stesso tetto con un tipo che porta l'orecchino e ride in continuazione mi dà fastidio. Cosa vuole che le dica?

– Il suo è un pregiudizio.

– Ma lei non ne ha di pregiudizi, ispettore?

– Io? Vede bene che non ne ho. Ieri notte casa mia era piena di uomini che andavano e venivano come se fosse la Puerta del Sol!

Lui mise su la faccia neutra di chi sta aspettando alla fermata dell'autobus e si pulì la bocca col tovagliolo come l'educato ospite di una pensione.

– È stato uno spiacevole incidente – disse laconico.

Mi resi conto che ero io, in realtà, a volergli dare qualche spiegazione, quindi mi autocensurai a tutta velocità alzandomi in piedi.

– Forza, che è tardi.

– Mi faccia almeno lavare le tazze.

– Lasci perdere, se ne occuperà la donna di servizio.

Il poveretto voleva rendersi utile, forse per rimediare a quel suo ingresso col piede sbagliato. Andando a prendere l'impermeabile passai davanti alla sua stanza e vidi che aveva rifatto il letto con somma cura. Dovevo sforzarmi di essere gentile e accogliente con lui, in fondo l'avevo invitato io.

In commissariato ci aspettava una piacevole sorpresa. Si era fatta viva una sorella di Tomás il Saggio: tale Teresa Calatrava Villalba. Abitava a Sarrià ed era sposata con un rispettabile ingegnere. Un'amica l'aveva informata con qualche giorno di ritardo che il primo barbone trovato morto era suo fratello. Aveva lasciato i suoi dati perché la interrogassi. Le telefonai e le diedi un appuntamento nel mio ufficio. Arrivò puntualissima. Chiesi a Garzón di partecipare anche lui all'incontro.

Era una signora discreta ed elegante, sulla cinquantina, che comparve con un'aria molto spaventata. Le offrii un caffè perché si sentisse più a suo agio, e lei subito accettò. Era visibilmente agitata. Cominciai attenendomi a uno sperimentato copione:

– Siamo molto dispiaciuti per quanto è accaduto a suo fratello, signora Calatrava.

– Grazie – mormorò.

– Era molto che non vi vedevate?

– Due o tre anni.

– Cos'era successo a suo fratello, signora?

195

In quel momento, inaspettatamente, si mise a piangere in silenzio.

– Dio mio, io... Mi scusi, non dovrei...

– Si prenda tutto il tempo che desidera.

Com'era nostra abitudine di fronte a familiari addolorati, Garzón ed io ci mettemmo a guardare il soffitto mentre lei cercava di riprendersi e si soffiava il naso senza fare rumore.

– Mi dispiace, ma l'ho saputo solo un paio d'ore fa, non sono nemmeno riuscita ad avvertire mio marito. La mia amica pensava che fossi già al corrente, e ha cominciato a parlarmene per telefono, quindi può immaginare...

– Vuole che continuiamo più tardi, si sente poco bene?

– No, no, sto già meglio. Ma cercate di capire, mio fratello, assassinato per strada come un cane... Lui, che era così intelligente, così brillante!

– Come è potuto avvenire un cambiamento simile nella sua vita?

– Stava male. Il medico gli aveva diagnosticato un esordio di schizofrenia, e di lì in poi... Si mise a fare cose strane, cominciò a trascurare il lavoro. Poi, Inés, sua moglie, lo lasciò. Non riusciva a reggere il deteriorarsi del loro rapporto. Allora lui crollò del tutto, fino a ridursi nelle condizioni che conoscete. All'inizio mio marito ed io cercammo di aiutarlo, ma era inutile, ci respingeva completamente. Arrivammo al punto che io mi limitavo a incontrarlo di tanto in tanto per dargli qualche soldo. Vedevo che stava sempre peggio, che si stava trasformando in un vagabondo. Un giorno mi disse che non aveva più bisogno dei miei soldi, che aveva trovato lavoro come contabile in una piccola ditta. Pensi un po' che fantasia! Le assicuro che cercai più volte di farlo ricoverare in qualche istituto psichiatrico, dove potessero aiutarlo, ma lui si rifiutava, e non solo, un giorno reagì violentemente. Mi disse che volevo farlo rinchiudere, che non l'avrei mai più rivisto. E da allora sparì.

– Lei ha fatto qualcosa per ritrovarlo?

Scosse la testa, desolata, e le si riempirono di nuovo gli occhi di lacrime.

– No, Dio mio, no. A un certo punto mi sono disinteressata di lui, era più comodo, e adesso l'hanno ammazzato, da solo, buttato in mezzo a una strada.

– Non si senta colpevole, signora, non si poteva fare molto per lui – disse Garzón ricorrendo al suo miglior stile consolatorio.

– Mi parli della moglie.

– Di Inés? È una persona per bene. Non voglio fargliene alcuna colpa. C'è chi ha il carattere per sopportare la sofferenza e chi no. Lei non ce la faceva a tollerare un marito che non era più in grado di ragionare. Si vide davanti una montagna e non ebbe la forza per scalarla.

– Dov'è adesso?

– Ha sposato un medico francese. Sono molti anni che ha divorziato da mio fratello. Abita a Lione.

– Signora, suo fratello possedeva dei beni, del denaro?

– Vendettero l'appartamento, e immagino che mio fratello sia vissuto di questo. Ma non aveva nient'altro, tutto quel che c'era sul conto lo lasciò a Inés, visto che non avevano figli...

– Quindi non esiste la possibilità che per interesse...

– Mi domanda se qualcuno potesse trarre qualche beneficio dalla sua morte? No, assolutamente, no.

– Mi riferisco anche a... È difficile dirlo, ma crede che suo fratello potesse chiedere del denaro all'ex moglie, magari molestandola in qualche modo?

– No, no, è assurdo pensarlo! Non si erano mai più rivisti, che io sappia...

– Lei ha l'indirizzo attuale di sua cognata?

– Certo. La farete venire qui?

– Non lo so. È ancora presto per dirlo.

– Avete delle idee su chi possa essere stato?

– Ci sono varie linee investigative aperte.

– Non avrei mai pensato che l'uomo di cui parlavano i giornali fosse mio fratello. O forse non ho voluto pensarci. E poi il suo nome è comparso solo dopo.

Per la terza volta affiorarono le lacrime.

– Dovrà andare a identificarlo. La fotografia non è sufficiente dal punto di vista legale.

– Lo so. Poi potremo fare il funerale, vero?

Annuii e la accompagnai alla porta. Era davvero sconvolta, anche se forse la morte del fratello poteva essere un sollievo per lei. Chissà in quante notti fredde doveva aver pensato a lui, chissà quante volte aveva temuto di trovarselo davanti mentre andava a fare acquisti o usciva da un cinema. Garzón scosse la testa con gravità.

– Non avrei mai pensato che una signora così distinta potesse avere un fratello barbone.

– Lo vede, caro collega, in tutte le famiglie ci sono cose inconfessabili.

– Non lo venga a dire a me.

Captai subito che quell'ermetica allusione aveva a che fare con l'omosessualità di suo figlio. Forse era opportuno che gliene parlassi apertamente, che gli offrissi la possibilità di ragionarci sopra, ma che lui la vivesse come una disgrazia mi risultava intollerabile. Era suo figlio a doversi lamentare di avere un padre del genere. Non sono mai stata molto indulgente con i difetti, ma con i pregiudizi lo sono ancora meno. Quindi, dati i problemi che avevo da affrontare, era meglio che alla terapia psicologica ci pensasse da sé.

– Accompagni la signora all'Istituto di Medicina Legale, Fermín. Credo che lei possa tranquillizzarla.

Ci pensò un attimo, cercando di capire se nelle mie parole ci fosse qualche frecciata nascosta. E visto che non ne trovò, uscì con una certa mal dissimulata frustrazione. La visita di quella signora addolorata ci era servita per avere conferma del fatto che Tomás il Saggio era uno schizofrenico, e che quindi non si poteva dare per scontato che i suoi atti fossero governati da una logica. Inoltre annotai subito un fatto: «Lavorava come contabile in una piccola ditta». Una fantasia, come aveva supposto la sorella, o qualcosa di più?

Yolanda mi stava aspettando, fresca e graziosa come sempre, con una lista delle principali organizzazioni benefiche nella tasca della sua impeccabile uniforme.

– Fatto – disse, come una bambina diligente, non appena mi vide. – Ci sono molte opere pie in città, ma quella che ha più informazioni e che conta di più è la Caritas. Ho già chiamato il direttore e lui mi ha detto che sarà in ufficio tutta la mattina. È disposto a riceverci in qualunque momento.

La osservai attentamente e le sorrisi.

– Ti piace quello che stai facendo, vero?

– Non mi ero mai divertita tanto ai vigili urbani.

– Perché non passi in polizia?

– Ci penserò. Ma potrei continuare a lavorare con lei?

Era un bel complimento, che mi colse impreparata. Non nego che mi facesse piacere, eppure al tempo stesso mi faceva sentire vecchia e materna, e nessuna delle due cose mi lusingava. Reagii con sarcasmo.

– Sì, lavorerai con me, e ci daranno una bella medaglia. Faremo rifulgere la verità. Sarà tutto meraviglioso.

Si strinse nelle spalle senza dare importanza a quell'uscita inopportuna. Cosa poteva pensare di Garzón e di me? Che eravamo due carcasse arrugginite? Ma non le importava, lei era nel pieno delle forze, impaziente di entrare nel gioco della vita. Mi domandai se io fossi mai stata così, così diretta, così priva di dubbi, così piena di entusiasmo. No, non lo ero mai stata.

Il direttore della Caritas di Barcellona era un uomo sulla sessantina, con la pelle scura di un emiro. Mi diede l'impressione che ormai ne avesse viste di tutti i colori e che affrontasse il problema con la tranquillità di chi è avvezzo all'inevitabile. Non batté ciglio. Che avessero assassinato due barboni gli parve quasi naturale, probabilmente aveva esperienza di casi ben peggiori. Eppure spese dieci minuti esprimendo la sua indignazione per i mali della società in un discorsetto trito e infarcito di luoghi comuni che doveva aver pronunciato milioni di volte. Normalissimo, eppure dalle persone che si occupano di carità ci aspettiamo sempre parole insolitamente umane e sincere. Niente di più sbagliato: per tutto ci sono dei luoghi comuni già pronti. A dire il vero riuscii quasi a tirarlo fuori da quella sua specie di abitudinario sopore chiedendogli se avesse mai visto un portachiavi uguale al mio. Non si aspettava una domanda così stupida.

– No.

– Secondo lei potrebbe appartenere a una campagna di raccolta fondi per qualche istituzione benefica?

– Potrebbe essere qualunque cosa. A volte le associazioni vendono di questi oggetti, così come le parrocchie, e i gruppi di giovani cattolici… Un portachiavi come questo potrebbe essere stato realizzato per mille iniziative diverse: una gita studentesca di fine anno, un comitato di casalinghe… va' a sapere! Potrebbe anche essere servito per una truffa.

– Esiste anche questo nel mondo della carità?

– Sì, certo, è sempre esistito: mendicanti con false menomazioni, ciechi fasulli… è un classico. Oggi il ritorno di valori come la solidarietà ha rinverdito queste pratiche. Sono diventate più moderne, certo: c'è gente che raccoglie abiti smessi in nome di ONG inesistenti e poi li rivende, imbroglioni che organizzano false tombole di beneficenza…

– Ci sono mai state condanne per questo genere di cose? Lei certo lo saprà meglio di noi.

– Immagino di no, sono piccole truffe che finiscono per smontarsi da sé. Soltanto una volta abbiamo sporto denuncia: degli individui andavano di casa in casa a chiedere denaro a nome della Caritas. Si trattava evidentemente di una truffa e quella volta si aprì un'indagine.

– Come andò?

– Non lo ricordo bene, niente di significativo, comunque. Erano un paio di disgraziati e non venne nemmeno istruito un processo.

– Può indicarmi le date in cui avvenne il fatto?

– Cercherò nel nostro archivio.

Si alzò stancamente e chiamò una segretaria svogliata quanto lui. Confabularono senza che io potessi udire una parola, e la segretaria, che aveva l'aria di un fiore secco, scomparve senza lanciarci nemmeno uno sguardo di curiosità. Pensai che vedere quotidianamente l'aspetto miserabile del mondo deve essere come una specie di vaccino contro l'emotività. Poi mi domandai come si possa esercitare la carità se non si possiede un forte desiderio di giustizia o non si prova un grande amore per il prossimo o...

– Bella schifezza, la carità – dissi a Yolanda quando uscimmo di lì senza aver ricavato altro che una misera data. Mi guardò stupita.

– Perché?

– Non è una buona soluzione.

– Non vedo perché no. Se tutti facessimo un po' di carità non ci sarebbero tanti poveri in giro.

Parlava sinceramente e non volli contraddirla. A che scopo? Lei partiva dal presupposto che il mondo è così com'è, mentre io ero arrivata alla stessa conclusione dopo aver pensato per tanto tempo che fosse possibile cambiarlo. In realtà ci separava unicamente lo scetticismo che nasce dalla delusione, nulla su cui sia dato elaborare una teoria convincente.

– Può darsi che tu abbia ragione – dissi per chiudere il discorso, e subito dopo sentii la mancanza di Garzón, dal quale forse mi separava un oceano di convinzioni e di ragionamenti, ma al quale mi sentivo accomunata dall'esperienza, il più solido degli argomenti che due persone possano condividere.

– Cosa facciamo, ispettore?

– Io vado in commissariato, voglio rintracciare questi piccoli truffatori. Forse loro saranno in grado di darci altre informazioni.

– Ma se il direttore della Caritas avesse ragione, e il portachiavi l'avessero fatto fare degli studenti per la gita di fine anno?

– Gli uomini che hanno assassinato Anselmo non avevano certo interesse a portarsi via il portachiavi di una gita, Yolanda. E poi, solo un cretino può pensare che a degli adolescenti di oggi venga in mente di fare una cosa del genere.

– È vero, non ci avevo pensato. Mi rendo conto che nelle indagini conta molto avere ben chiare le idee importanti e cancellare tutte le altre possibilità.

– Le indagini sono un gran casino, Yolanda, credimi. Su, va' avanti tu a visitare le altre opere pie. Ti lascio il portachiavi, ma sta' attenta a non perderlo. È una delle poche cose concrete che abbiamo in mano.

Riferii il magro risultato della nostra visita al vice-ispettore.

– Piccole truffe, ispettore? Io credo che dei piccoli truffatori di questo livello non si arrischino di certo ad ammazzare due persone.

– Quanto più basso è il livello, tanto più la violenza è gratuita.

– Allora vuol dire che i giornalisti hanno ragione e che abbiamo a che fare con uno che ammazza senza motivo, un serial killer di barboni, in sostanza.

– Ma quale serial killer e serial killer! Non diciamo idiozie. In ogni imbroglio economico, per piccolo che sia, ci sono sempre dei motivi per uccidere, e mi gioco quello che vuole che siamo di fronte a un movente economico.

– Ispettore, non sarebbe più onesto ammettere che non sappiamo niente di niente?

– Tomás il Saggio era implicato in qualche affare poco pulito, e il povero Anselmo è stato ucciso perché forse sapeva qualcosa, tanto più che si sono portati via i portachiavi che gli aveva regalato Tomás. Un filo lo stiamo seguendo.

– Sì, una scia di morti.

– I morti parlano, Fermín, ed è dovere di un poliziotto starli ad ascoltare.

– Bella frase, ma a quei morti lì non c'è verso di cavar fuori niente.

– Prima o poi qualcosa diranno.

– Intanto io vado a vedere cosa si può fare con i dati così vaghi che abbiamo avuto dalla Caritas. Spero che la truffa risalga ai tempi dell'informatizzazione, perché se no prima di aver trovato qualcosa arrivo alla pensione.

Dal suo scarso entusiasmo lavorativo si vedeva lontano un miglio che era tormentato dai problemi personali. Gli succedeva sempre così. Mi augurai che suo figlio ripartisse presto per gli Stati Uniti e lo lasciasse tranquillo.

Poco dopo tornò nel mio ufficio, mogio e bofonchiante.

– Hanno cominciato a cercare, ma non so proprio se...

– Senta, Garzón, se è venuto appositamente per demoralizzarmi, se lo risparmi, lo sa che non ho bisogno di aiuto in questo senso.

– No, ero venuto solo per invitarla a prendere un caffè.

Attraversammo la strada ed entrammo alla Jarra de Oro. Era evidente che Garzón voleva parlare, e non potevo far niente per fermarlo. Mi sarebbe toccato subire nuove lamentele sulle presunte finocchierie dell'americano, o forse anche peggio. E non mi sbagliavo.

– Mio Dio, ispettore, sono disperato! Stasera mio figlio e quel... quell'americano vogliono che li accompagni a uno spettacolo di flamenco.

– Può essere divertente.

– Sì, divertentissimo! Non solo mi tocca fare da suocero a un... be', a un uomo, ma come se non bastasse sono costretto a fare la parte del turista nella mia stessa città. Senta, perché non viene anche lei?

– Ah, no, manco per sogno!

– Lo vede?

– Cos'è che devo vedere?

– Be', lo so che lei non è tenuta a venire, ma di sicuro se le avessi proposto di cenare con me e mio figlio da soli avrebbe accettato.

– Lei vede più fantasmi di un medium, Fermín. Il fatto è che io stasera ho già un appuntamento.

– Con quel signore che…?

Lo incenerii con lo sguardo.

– Sì, con lui.

– Mi è parso molto simpatico.

– Certo, mentre gli puntava la pistola addosso, vero?

– È stato un incidente. Quindi lei sta bene, vero, Petra?

Feci finta di non capire, anche se sapevo dove voleva arrivare.

– Perché? All'improvviso mi ha vista radiosa?

– No, volevo dire che… be', ispettore, non sapevo che avesse un fidanzato.

Stavo per diventare una furia e saltargli al collo, ma mi trattenni e sorrisi, anche se il mio era il sorriso di uno psicopatico omicida.

– Caro viceispettore, io sto bene, lei sta bene, stiamo tutti perfettamente bene. Ma vorrei ricordarle che il fatto di pernottare in casa mia non le dà il diritto di ficcare nemmeno mezza narice nella mia vita. D'accordo?

– Non è il caso di prendersela così! Per un semplice commento senza importanza.

– Mi pareva di ricordare che questo caffè lo offrisse lei.

Vidi un mezzo sorriso aleggiargli sulle labbra mentre pagava. Sì, il fatto di conoscere il mio segreto sentimentale gli procurava un piacere difficile da spiegare. Era come la dimostrazione che io avevo un lato umano, un «fianco vulnerabile» per dirla con le parole di uno stratega.

Perché quel che avevo detto a Garzón non risultasse una vile scusa, pensai di improvvisare una cena con Ricard, ma prima ancora che lo chiamassi io, lui aveva già telefonato. Lo informai che se voleva che quella sera facessimo l'amore, dovevo andare io a casa sua. Non desideravo altre intromissioni del mio vice.

– Per me non c'è nessun problema. Che giorno della settimana è oggi?

– Martedì.

– Merda! Oggi non viene la donna di servizio. Senti, Petra, forse troverai tutto un po' in disordine. E poi, io non abito in una bella casa ristrutturata come la tua, ma... be', in un vecchio appartamento dell'Ensanche.

– Non intendo comprare casa tua, solo venirti a trovare.

– Va bene, sarà un piacere riceverti. Andrò a prendere dei fiori. Anzi, credo che potremo perfino fare una cenetta. Cucinerò per te.

Mi piacque la sua reazione. Forse, sotto la vernice sarcastica e assente di Ricard si nascondeva quello che noi donne definiamo «un uomo tenero». Magari questo mi avrebbe un po' delusa, perché devo ammettere che il suo atteggiamento da professore distratto e un po' cinico aveva le sue attrattive.

Mentre mi facevo bella per andare all'appuntamento, mi preoccupai. Ero uscita dal commissariato a tutta velocità senza informarmi sugli ipotetici progressi delle indagini. Non avevo nemmeno telefonato a Yolanda per chiederle come le fosse andata. La mia mente era tutta presa da domande del tipo «che vestito mi metto?», del tutto estranee al contesto investigativo. Mi stavo forse innamorando di Ricard? La sola idea mi spaventava, perché l'innamoramento non è che l'inizio di un mucchio di situazioni imprevedibili, e non rientrava nei miei piani alcun tipo di complicazione che alterasse il ritmo della mia esistenza. Eppure l'esperienza mi aveva insegnato che ci si innamora solo quando esiste già una predisposizione, e in quel momento, in mezzo a una complicata indagine che avanzava a singhiozzo, i rischi che correvo erano minimi.

Ricard abitava in calle Mallorca, in un vecchio palazzo dall'elegante scala scolpita. Venne ad aprirmi con un grembiule recante la scritta: «Le donne in ufficio. Gli uomini in cucina». Brutto segno per cominciare. Nessuno scapolo che non sia una specie di dongiovanni professionista possiede un grembiule del genere. Mi guardai intorno con curiosità.

– Scusa, ma la tua donna di servizio pratica l'alpinismo?

Non era una semplice battuta mordace, ma un'osservazione pratica. La casa di Ricard, grande, scura e démodé, era una replica barocca del suo ufficio. Pile di carte, giornali vecchi e riviste mediche si accatastavano in ogni angolo. Tutti i portacenere traboccavano di mozziconi, esposti come offerte buddiste. Di tanto in tanto, un particolare incongruo animava la natura morta: torsoli di mela morsicati e dimenticati qua e là, un vasetto di yogurt vuoto... Abiti disseminati in giro completavano il quadro che un attrezzista di teatro avrebbe composto per ricreare gli effetti dell'esplosione di una bomba.

Ricard si rese conto che il mio sguardo si posava con insistenza sul caos che regnava tutt'intorno.

– Sono molto disordinato, ormai l'hai visto, è il mio modo di vivere. Di fatto so che sono disordinato perché me lo dicono gli altri, ma io non me ne accorgo. Però, se decidessimo di vivere insieme, sono sicuro che cambierei, è solo questione di volontà.

– A giudicare da quello che vedo, avresti bisogno di qualcosa di più della volontà. Forse un lavaggio del cervello sarebbe sufficiente, ma non ne sono molto sicura.

– Non riesco a credere che l'ispettore Petra Delicado sia così convenzionale. Come potrò vivere con una donna che dà tanta importanza all'aspetto esteriore delle cose? Anche tu dovrai cambiare un po'.

– Credo di avere la soluzione giusta anche per questo: farò un periodo di pratica vivendo con i miei amici senza fissa dimora, adesso che so dove trovarli.

Mi guardò sorridendo. Mi prese per mano e mi condusse attraverso la devastazione della sua casa.

– Questa risposta significa che stai considerando seriamente l'idea di vivere con me.

– Era una battuta, nient'altro. È uno dei miei difetti, se mi viene in mente una cosa che fa ridere, devo per forza dirla, anche se non credo in quello che dico.

Ci sedemmo sul divano dopo aver spostato varie cartelle cliniche. Mi portò una birra. La aprì e si sedette davanti a me con faccia di circostanza. La sua voce si fece grave all'improvviso.

– Petra, tu pensi che io non parli sul serio, ma ti sbagli. Ci piacciamo, ci capiamo, siamo soli tutti e due. Non abbiamo l'età per una storia troppo romantica, ma questo non toglie interesse alla cosa. Io credo che staremmo bene insieme, ci adatteremmo facilmente l'uno all'altra. Tu lavoreresti alle tue cose, io alle mie, e poi potremmo avere una tranquilla vita in comune, senza tensioni, senza bruschi cambiamenti: pace e amore.

– Sembrano gli auguri di Natale di una catena di grandi magazzini.

– Anche questa è una battuta divertente che non sei riuscita a risparmiarti?

– Scusami, ma non capisco perché tu senta di colpo la necessità di dare un altro status alla nostra relazione. Non stiamo bene così?

– No. Io voglio vederti di più. Penso a te, ho voglia di stare con te quando torno a casa, di fare dei progetti insieme...

– Ma se ci conosciamo da pochi giorni.

– La prassi psichiatrica e la conseguente conoscenza del carattere umano mi portano a concludere che non è necessaria una grande intimità per cominciare una vita di coppia.

– Purtroppo la mia prassi professionale mi porta a concludere che non c'è bisogno di molto per arrivare a detestarsi e perfino a uccidersi.

Si alzò di scatto rischiando di far cadere il suo bicchiere di birra.

– Basta con le battute sarcastiche! Ti comporti come una bambina viziata incapace di prendere le cose sul serio. Sono stufo di gente immatura! Quando esco dal mio ambulatorio dopo aver passato tutta la giornata con persone che non sanno affrontare la vita con realismo, desidero solo incontrare qualcuno che abbia un po' di sostanza.

Mi alzai in piedi e cercai l'impermeabile.

– Non andartene. Mi dispiace di avere alzato la voce.

– Non ha importanza. Addio.

Infilai il corridoio mentre udivo il tonfo di qualcosa che cadeva sul pavimento e l'esclamazione «merda!» dietro di me. Presi un taxi. Non ero agitata né nervosa, solo triste e stanca. Aveva ragione lui, mi ero comportata da sciocca: frasette spiritose e uscite teatrali. Comunque, non importava, molto probabilmente ero una delle persone immature che lui detestava, incapaci di cogliere le opportunità per essere felici.

In casa mia la luce era accesa. Entrai in cucina e trovai il viceispettore impegnato a sbattere delle uova. Fu sorpreso di vedermi, proprio come lo ero io di vedere lui.

– Buonasera, ispettore. Col suo permesso, mi stavo facendo una frittatina.

– Faccia pure, Fermín. Ma non doveva essere fuori a cena?

– Ho preso un aperitivo con loro, ma quando è cominciato lo spettacolo avevo mal di testa e me ne sono andato. A dire il vero il flamenco non mi ha mai detto molto, io sono più per la jota aragonese.

– Ah.

– E lei?

– Io detesto il folclore.

– No, voglio dire, nemmeno lei è rimasta fuori a cena.

– Avevo un impegno, ma poi è saltato.

– Be', allora le preparo una frittata! Mi vengono benissimo.

– Non si disturbi.

– Al contrario, così mi farà compagnia.

Mi sedetti a tavola e rimasi a osservare Garzón che si dava da fare per prepararmi la cena. Aveva assunto i gesti del perfetto padrone di casa e sapeva già dove trovare tutto quel che gli occorreva. Buon per lui, perché ero così stanca che necessitavo di cure speciali. Condì dei pomodori, tagliò un po' di formaggio e mi mise davanti una frittata bella soffice e una birra gelata.

– Sia ringraziato il cielo – dissi.

– Il cielo non ha niente a che vedere con tutto questo. È pura e semplice sapienza umana.

Scoppiai a ridere. Dovevo ammettere che arrivare a casa triste e sconsolata e trovare qualcuno pronto a cucinarmi un'amichevole frittata non era niente male. Certo che non mi sarei ridotta in quello stato se non avessi avuto una complicazione sentimentale. Bevvi un buon sorso di birra e assaggiai il capolavoro di Garzón.

– Caspita, viceispettore! Di tutte le frittate che ho mangiato in vita mia, questa è di gran lunga la migliore!

Il suo sguardo, ironico e bonario, mi trafisse.

– Lo sa cosa mi capita con lei, Petra? Che mi pare di vedere del sarcasmo dietro a tutto quello che dice.

– Sono così cattiva?

– Diciamo che non è semplice.

– Be', le assicuro che mi piacerebbe esserlo. La complessità mi pesa sempre di più. Sa quale sarebbe il mio ideale per essere felice? Starmene in campagna, in una casetta tranquilla, circondata da cani, gatti e libri, magari con una buona bottiglia di vino di tanto in tanto.

– Questo è il suo bastimento carico di riso.

– Che non avrò mai.

– Perché non esiste. La realtà che immaginiamo non esiste. Perché se lei si ritirasse davvero in una casetta in campagna, qualcosa di sicuro rovinerebbe tutto: cani e gatti litigherebbero, ci sarebbero le zanzare, o le verrebbe una noia tremenda.

– Può darsi.

– Che cosa avrebbe fatto il povero Anselmo col suo bastimento carico di riso?

– Non lo so. L'hanno ammazzato. Ormai non importa più. È tutto uno schifo, Fermín.

– Accidenti a lei, forse mi avrebbe messo più di buon umore il flamenco.

Suonarono alla porta. Ci guardammo sorpresi.

– Aspettava qualcuno, ispettore?

Riflettei per un attimo.

– Credo di sapere chi è. Non tiri fuori la pistola, per favore.

In effetti, Ricard mi guardò dallo spiraglio della porta come un cane implorante l'adozione.

– Mi dispiace, Petra, il mio senso dell'ospitalità non è certo stato esemplare, oggi.

– Entra. Il mio, invece, è così grandioso che ho già un ospite, ma credo che tu sia ancora in tempo per la cena.

Finalmente li presentai come si deve. Garzón si offrì subito di preparare un'altra frittata, ma Ricard, forse per rimediare alla cattiva impressione che aveva potuto farmi in casa sua, volle a tutti i costi cucinarsela da solo. Decisi di abbandonare le redini della situazione. Mi sedetti e assistetti a uno spettacolo piuttosto strambo. Ricard diede inizio alla cerimonia gastronomica con l'aiuto del viceispettore, che in modo cortese ma metodico, cominciò a puntualizzare su quel che dovesse o non dovesse fare. «È sicuro che ci sia abbastanza olio nella padella?», «Ha sbattuto bene le uova?», «Aspetti, se la gira così si macchierà». Ricard si difendeva da quella soffocante consulenza senza demordere. «Sì, non mi piace troppo unta», «No, non è necessario sbatterle tanto», «Lasci stare, se macchio, poi pulisco». Capii che stavo assistendo a una battaglia territoriale. La stanchezza che avevo addosso triplicò.

Cenammo scambiandoci educati luoghi comuni, e quando i due uomini stavano per accapigliarsi su chi avrebbe riordinato e lavato i piatti, decisi di impormi.

– Non se ne parla, signori miei. Si lascia tutto così.

La mia donna di servizio non sopporta che qualcuno si immischi nel suo lavoro.

Il viceispettore ci salutò, non senza opporre una certa resistenza passiva.

– Bene, adesso sarà il caso di andare a dormire, perché domani bisogna alzarsi presto. Anche lei si alza presto, Ricard?

– Sì, fra poco me ne vado anch'io.

Appena rimanemmo soli, il mio amante mi chiese sottovoce:

– Fino a quando si ferma qui quella specie di Daniel Boone con la sua carabina?

– È un mio amico.

– Si comporta come se fosse tuo padre, o il tuo fratello maggiore.

– Si prende cura di me. Magari pensa che se avesse un altro capo sarebbe molto peggio per lui. E poi mi è riconoscente perché gli sto prestando la mia casa.

– Da parte di una persona gelosa come te della sua intimità è senz'altro un gesto di cui essere grati. Scusa, non volevo offenderti. Volevo chiederti se potevo rimanere a dormire.

– Sì, cosa importa, rimani pure. Domani preparerò io la colazione, così non dovrete litigare su chi mette a scaldare il latte.

Fu una bella cosa che rimanesse con me, quella notte, e mi fece piacere ricevere le sue scuse, le sue carezze e i suoi baci. Fu molto commovente sentirgli dire che aveva parlato con un robivecchi perché svuotasse casa sua di tutte le cianfrusaglie inutili.

8

Era vero: quasi nessuno denunciava i raggiri connessi con la beneficenza, e i delinquenti che ne approfittavano erano poco perseguiti. Ma uno degli individui coinvolti nel caso della Caritas era schedato, e trovarlo non fu difficile. Era un certo Juan de Dios Llorens, un piccolo truffatore arrestato più volte per furto e altri reati minori. Garzón andò a cercarlo all'indirizzo che risultava nei nostri archivi. Volevo rimanere sola per un po' in modo da poter riflettere tranquillamente sulle indagini, anche se per la verità non appena cercavo di riordinare le idee la mia mente deviava verso un pensiero ossessivo: Ricard. Sarebbe stato così arrischiato andare a vivere con lui? Una simile convivenza avrebbe avuto qualche possibilità di successo? Quell'uomo mi piaceva al punto da compiere un simile passo? Era davvero così importante condividere la propria abitazione con una persona dell'altro sesso? Le voci elaborate in altri tempi dalla mia coscienza mi assalirono all'improvviso: «Non riprovarci, Petra. Da sola starai sempre bene». Due matrimoni falliti alle spalle erano sufficienti per far sospettare una tendenza innata al disastro amoroso. Per di più, non doveva essere facile vivere con me, dal momento che io trovavo difficile vivere con gli altri. Questa volta però non ero trascinata dalla passione, e per la prima volta potevo considerare con lucidità i pro e i contro di una nuova organizzazione della mia vita. L'amore tende a sottovalutare gli inconvenienti anche quando si presentano con chiarezza. Si pensa sempre che la volontà di far funzionare le cose basterà per smussare gli attriti. La teoria è buona, ma giunge sempre un momento in cui la volontà stessa vacilla e non si sa più da dove tirar fuori le forze per andare avanti.

Di Ricard non ero innamorata. Mi piaceva molto, ero lusingata dalle sue attenzioni, e mi pareva che vivere con lui avrebbe potuto presentare dei vantaggi: avere qualcuno con cui chiacchierare, per esempio, avere qualcuno con cui fare l'amore, avere qualcuno sulla cui spalla appoggiare la testa nei momenti difficili. In definitiva, avere qualcuno. La gente si sposa con tanto di abito bianco e banchetto di nozze per motivi molto meno convincenti. Eppure, se avessimo fatto la prova e gli avessi permesso di trascorrere un periodo a casa mia, avrei perso quei meravigliosi momenti di solitudine a cui ero abituata. E il peggio era che avrei potuto perderli definitivamente se la cosa avesse funzionato mediamente bene. I motivi per rifiutare anche solo una prova mi parvero meschini come quelli di una zitella egoista che non vuole sacrificare a nessuno le sue tazze di tè e le sue piacevoli letture. Ma ugualmente prosaici erano i motivi per accettare, come quelli di una vedova che ormai si è lasciata alle spalle la gioventù ma non vuole accontentarsi di dire parole affettuose al gatto. Ci pensai ancora un po' ed entrambi gli esempi mi parvero penosi stereotipi. Non potevo soccombere. Dovevo riflettere in modo maturo. Fortunatamente l'ingresso di Yolanda nel mio ufficio mi impedì di fare nulla di così noioso. Aveva i capelli legati in una coda e la faccia pulita e senza trucco. La invidiai, perché aveva un fidanzato che forse era il primo della sua vita e perché forse non aveva mai dubitato di volerlo sposare.

– Ispettore, ci sarebbe una cosa. Magari è una sciocchezza, mi dica lei.

– Siediti, Yolanda, non avrai perso il portachiavi...

– No, eccolo qui. Lei non si fida di me! Quello che ho da dirle riguarda proprio il portachiavi. Un impiegato dei Cristiani Uniti l'ha riconosciuto. Mi ha detto che qualche mese fa due ragazzi sono venuti a chiedergli se volesse comprarne qualche centinaio da distribuire nella sua organizzazione.

– Come?

– Sì, dicevano di appartenere a una fondazione benefica senza grandi mezzi né infrastrutture. Purtroppo il tipo che me ne ha parlato non riusciva a ricordarsene il nome. Dice che ne esistono molte, va' a sapere. Gli hanno lasciato un numero di telefono nel caso decidesse di aiutarli.

– Però l'ha perso.

– No, è qui, ce l'aveva ancora.

– Cavoli, Yolanda, potevi dirlo prima!

Le strappai quasi il foglio di mano. La ragazza mi guardò senza capire.

– Le avrei comunque spiegato il resto.

Feci cercare il nome e l'indirizzo dell'abbonato e chiamai Garzón perché tornasse immediatamente in ufficio. Così fummo in tre a sorprenderci nello scoprire a chi era intestato quel numero: Tomás Calatrava Villalba. L'indirizzo che risultava all'azienda telefonica era in calle Princesa.

Mandai Yolanda a verificare se l'appartamento fosse in affitto, o di proprietà di Tomás il Saggio. Mi infilai l'impermeabile e guardai Garzón, che rimaneva lì seduto.

– Su, si mobiliti.

– Lì fuori ci sarebbe Juan de Dios Llorens. Cosa ne facciamo?

– Che aspetti. Poi gli diamo una bella ripassata. E dica agli agenti di non lasciarlo andare via. Ultimamente non c'è posto meno sicuro di questo commissariato.

L'appartamento di Tomás il Saggio era in un vecchio stabile ben tenuto. Non sembrava potessero abitarvi emarginati o gente in gravi difficoltà. La vecchietta che viveva sullo stesso pianerottolo di Tomás ci fece entrare molto gentilmente in casa sua e ci invitò ad accomodarci nel suo salottino. Aveva due gatti che ci guardavano di traverso.

– Gradite un caffè? Lo stavo giusto preparando.

Vedendo con quale lentezza si spostava verso la cucina, mi pentii di aver accettato. Rischiavamo di passare lì tutta la mattinata. Garzón non perdeva di vista i gatti.

– Mi guardano così fisso che mi innervosiscono.

– Gli parli, i gatti rispondono molto alla voce.

– Non saprei cosa dire.

– Accidenti, Fermín, non si tratta mica di fare conversazione!

Si alzò e si avvicinò a uno degli animali tenendosi a distanza precauzionale. Tentò di accarezzarlo, ma il gatto saltò all'improvviso, facendo cadere un orribile vasetto di ceramica che stava su un tavolino. Il soprammobile si ruppe in tre pezzi.

– Caspiterina! E adesso, cosa facciamo?

– Non si preoccupi, dirò alla signora che lei ha un temperamento infantile, che non la si può portare da nessuna parte.

– Molto spiritosa, ma...

– Non anneghi in un bicchier d'acqua, stia calmo.

Mi alzai, raccolsi i pezzi di ceramica e li nascosi dietro il divano.

– Ecco fatto.

– Ma ispettore!

– Cosa c'è?

– Non so, non mi sembra... etico. Questa povera signora ci riceve in casa sua e ci offre perfino il caffè... E poi lei dice che prova pietà per i deboli...

– È vero, provo pietà per tutti, ma fare qualcosa per loro qualche volta è troppo. Non ho voglia di chiedere scusa, di sprecare un'intera mezz'ora a parlare di quello stupido vaso. La gente è molto noiosa.

La vecchietta tornò col servizio da caffè delle grandi occasioni accuratamente disposto su un vassoio.

– Sono contenta che siate venuti a trovarmi. Vivo

da sola e non ricevo molte visite. Fa sempre piacere parlare con qualcuno.

Garzón mi lanciava malevoli sguardi colpevolizzanti mentre dicevo:

– Peccato che non abbiamo molto tempo, signora. Potrebbe rispondere a qualche domanda?

– Collaborare con la polizia è un dovere del cittadino.

Altri sguardi di Garzón.

– E allora cominciamo. Che cosa sa dirci sul suo dirimpettaio?

– Il mio vicino? Non ho mai capito se fossero uno o due, oppure un gruppo di persone. C'era sempre gente diversa che entrava e usciva. A volte portavano dei pacchi, e nessuno si fermava mai a dormire. Alla fine ho pensato che fosse una specie di ufficio, o di magazzino.

– Ha mai parlato con qualcuno di loro?

– Solo una volta, credo. Stavo tornando dalla messa e ho incontrato un giovanotto davanti alla porta. Gli ho chiesto come stava, se si trovava bene qui, ma credo che non avesse voglia di parlare, perché mi ha subito messa a posto con quattro sciocchezze, di quelle che si dicono ai vecchi. Io sarò vecchia ma non sono mica scema. La gente pensa che quando sei vecchio ti può fregare subito, ma vi assicuro che io mi rendo conto di tutto.

Gli sguardi del mio collega giunsero a esprimere un livello di biasimo insostenibile. Intanto io mostravo alla signora la foto di Tomás il Saggio.

– Ha mai visto entrare o uscire quest'uomo dall'appartamento di fronte?

– Dio mio! È morto?

– Ho paura di sì.

– In realtà non potrei riconoscere nessuno di quelli che venivano qui perché... so che quello che sto per dirvi magari vi sembrerà poco bello, ma... io li vedevo solo dallo spioncino. Non pensate che sia una ficcanaso, ma se qualche volta passavo in corridoio e sentivo dei rumori, be', andavo a controllare.

– Le pareva che fosse gente strana, sospetta?

– Non saprei cosa dire, quando esco ormai tutti mi sembrano strani: come si vestono, come parlano... Però, a dire la verità, erano tutti uomini, e questo già è strano. Voglio dire che lì non abitava una famiglia normale.

– Capisco. Ricorda qualcosa di speciale, qualche particolare, qualche movimento che le sia parso fuori dal comune?

I suoi occhi appannati dalla vecchiaia guardarono nell'aria in cerca di ricordi. Era preoccupata, come se diffidasse di se stessa. Di colpo il suo viso si concentrò.

– Ah, sì, mi ricordo, ma non bene. Stia zitta... aspetti. Sì, il giorno che ho parlato con quel giovanotto, lui mi ha dato una cosa. Mi ha fatto un regalo, sì, una cosa che aveva in tasca. Me l'ha data per tagliare corto, perché lo lasciassi tranquillo, di questo me ne ricordo bene, perché come le dico non sono scema, però... non mi ricordo che cosa mi ha dato.

Garzón ed io ci guardammo. Io aprii la borsa e tirai fuori il portachiavi.

– Era una cosa come questa, signora?

Lei lo prese e lo tenne nel palmo rugoso e fragile.

– Gesù, sì, era proprio come questo! Cosa c'è, ispettore, ho parlato con un assassino? Me lo dica, per favore, sono una donna che vive sola.

– Non si spaventi, signora. Di sicuro si tratta solo di una coincidenza. Ha ancora questo portachiavi?

– Io non butto mai via niente, quindi devo averlo messo da qualche parte, solo che... aspetti, con un po' di fortuna, magari in camera da letto...

Si alzò faticosamente in piedi e uscì. Garzón, nervoso, si agitava sulla sedia.

– Ispettore, credo che dovremmo dirle del vaso. È una così brava donna!

– Lasci stare il vaso. Pensi piuttosto che nell'appartamento di fronte bolliva in pentola qualcosa: c'era un andirivieni continuo di tizi che portavano pacchi. Bene, stiamo andando bene. Credo che sarà molto interessante dare un'occhiata lì dentro. Bisogna chiedere un mandato al giudice. Telefono subito perché ci mandino qualcuno per piantonare l'ingresso.

– L'ho trovato! Era in una scatolina di madreperla che tengo sul comò. Quando viene mio figlio a trovarmi mi dice sempre che non dovrei tenere tante porcherie. Adesso potrò dirgli che le mie porcherie sono servite per le indagini della polizia!

Ci consegnò un portachiavi esattamente uguale al nostro. Lo avvolsi in un fazzoletto di carta. Avremmo verificato se ci fossero delle impronte. Mi alzai soddisfatta, eravamo sulla buona strada, non c'era alcun dubbio. La signora ci accompagnò fino alla porta, contenta di sentirsi protagonista e cittadina esemplare. Una volta lì, rimasi di sasso alle parole del viceispettore:

– Vede, stavo dimenticando di dirle che mentre lei era in cucina, il suo gatto...

Capii cosa stava per succedere e gli diedi un colpetto sulla spalla.

– Io la aspetto sotto. Devo fare una telefonata urgente.

Aprii la porta e uscii senza guardare in faccia il mio collega. Che se la vedesse lui con la sua etica caritatevole. Appena uscita in strada chiamai il commissariato chiedendo un uomo che rimanesse di guardia all'appartamento, ma con mio stupore ottenni un rifiuto.

– Oggi siamo in pochi, ispettore. Dice il commissario che fino all'una non è possibile.

Lanciai qualche imprecazione prima di riattaccare e feci il numero del cellulare di Yolanda.

– Vieni in calle Princesa numero dieci. Dovrai rimanere di guardia per un po'. Che cosa hai saputo?

– Tutto, che però è molto poco. L'appartamento è stato affittato a Tomás Calatrava Villalba dall'agenzia Hispania, dove ha firmato il contratto e ha pagato di persona le prime mensilità. Solo che nessuno si ricorda di lui. Poi l'affitto è sempre stato versato entro la scadenza, non da un conto corrente, ma con un versamento in contanti presso uno sportello della Caixa, quindi è impossibile sapere chi effettuasse le transazioni.

– Bene, è sufficiente, ma adesso raggiungimi subito.

Garzón ci mise dieci minuti a scendere. Vedendolo arrivare un po' alterato, gli sorrisi.

– E allora, ha fatto la sua buona azione quotidiana? A giudicare dal tempo che ci ha messo credo che le basterà per tutto il mese.

– Con tutto il rispetto devo dirle, ispettore, che lei ha il cuore più duro di una pietra.

– Peggio, una pietra è chewing-gum in confronto al mio cuore.

– Non venga più a parlarmi di pietà né di carità perché ormai non le credo più.

– Mio caro Garzón, la pietà la si può provare col pensiero, mentre per fare la carità bisogna agire, lasciarsi coinvolgere dalle persone, parlare e sopportare che ti ringrazino. È troppo per me, soprattutto perché detesto essere ringraziata. Che cosa le ha detto la signora?

– Che il vaso non aveva nessuna importanza. Cosa voleva che mi dicesse?

– E lei che cosa le ha risposto?

Aprì la tasca del soprabito. Dentro c'erano i tre pezzi del vasetto rotto.

– Le ho detto che gliene avremmo comprato un altro. Ma a quanto pare era un esemplare unico che le aveva regalato suo marito, quindi cercherò di incollarlo.

Scoppiai in una risata.

– Lei è un filantropo, Fermín!

– Il problema non è incollarlo, ma dover sopportare un'altra chiacchierata di un'ora quando verrò a riportarlo.

Risi di nuovo. Il viceispettore mi guardava cercando di mostrarsi arrabbiato, ma sotto i suoi baffi covava già la risata.

– Sono contenta che abbia ritrovato il suo buon umore, caro collega. Ultimamente era piuttosto antipatico, a dire la verità.

– Be', non credo di avere molte ragioni per essere contento. È strano, ma questa visita di mio figlio non finisce di crearmi dei problemi.

– Cosa succede adesso?

– Ieri ha voluto parlarmi in privato. Dice che sembra che mi vergogni di lui, che rifuggo la sua compagnia, che non li ho presentati a nessuno dei miei amici. Dice che non ha visto nemmeno lei, che in fondo è l'unica del mio ambiente che conosce. Insomma, tutta la complicazione di venire a stare a casa sua non è servita a niente.

– Credo che suo figlio abbia ragione. Perché non diamo una festa a casa mia? Agli americani piace questo genere di cose. Un piccolo party in onore di Alfred.

– Non so, ispettore, mi pare un po' esagerato, è come riconoscere pubblicamente che...

– Senta, Fermín, un giorno dovrà pure accettare i fatti. Suo figlio sta con qualcuno, e per lei deve essere esattamente lo stesso che stia con un uomo, una donna o una capra.

– Le capre non portano orecchini.

– Non avrei mai pensato che desse tanta importanza alle apparenze.

– Se sono discrete, non ci faccio caso, ma non mi piace chi vuole per forza distinguersi dagli altri.

– Allora dovrebbe mettersi un orecchino anche lei.

– Non mi prenda in giro, ispettore.

In quel momento vedemmo Yolanda scendere da un taxi. Si avvicinò giusto in tempo per sentirmi dire al mio collega:

– Non si preoccupi, daremo una bella festa a casa mia e tutto andrà benissimo.

– Una festa? Voglio venirci anch'io! – disse la ragazza con serafico entusiasmo. Garzón la guardò come se volesse stamparla contro un muro.

– Perché no? Un po' di gioventù darà vivacità alla serata, vero Garzón? Mi farebbe molto piacere se ci venissi anche tu.

– Ma certo, di sicuro sarà una festa fantastica, però potremmo anche continuare a lavorare, no? Yolanda, tu dovresti rimanere qui a sorvegliare l'appartamento al secondo piano, porta a sinistra, finché non manderanno qualcuno a sostituirti dal commissariato. D'accordo?

– Va bene, io rimango sull'attenti con gli occhi bene aperti. Non preoccupatevi.

Garzón ed io ce ne andammo, mentre lui non la finiva più di brontolare:

– Se tenesse gli occhi aperti e la bocca chiusa sarebbe molto meglio. Ai miei tempi eravamo più educati. Avevamo il buon gusto di non autoinvitarci alle feste dei nostri superiori.

– Se continua a rifiutarsi di vivere nel presente farà la fine di un vecchio dinosauro, Garzón.

– Le mie ossa non avranno mai il trattamento di favore di quelle di un dinosauro.

– Questa sarebbe l'unica differenza, mi creda.

Brontolò qualcosa di incomprensibile che aveva tutta l'aria di essere una sfilza di parolacce. Mi dispiaceva riconoscerlo, ma mi divertiva da matti quando si arrabbiava per queste cose. Lo trovavo magnifico nel suo ruolo di coscienza critica delle nuove generazioni, anche se non avevo nessuna intenzione di confessarglielo.

– Vada a prendere il mandato del giudice, Fermín. Io intanto passo in commissariato per vedere se si riesce a sapere qualcosa di più sul contratto d'affitto di quell'appartamento. Ci ritroviamo qui più tardi, ok?

– Ok è un'espressione ridicola.

Gli strizzai l'occhio mentre salivo in macchina.

– Addio, amato brontosauro. Le auguro che al museo le diano una sala tutta per lei.

Invocò silenziosamente qualche divinità della pazienza e sparì fra i passanti. In fondo aveva ragione. Superata una certa età, gli usi e i costumi in voga ci appaiono progressivamente estranei. Ma ci sono due modi di reagire: pensare che il mondo ha perso la bussola, o cominciare a sospettare che sia il nostro modello di bussola ad aver bisogno di qualche ritocco.

Non appena entrai in commissariato fui assalita dall'agente Domínguez.

– Ispettore Delicado, oggi non mi è scappato nessuno.

– Complimenti, Domínguez. La segnalerò per una promozione.

Indicò con la testa un tipo male in arnese seduto su una panca in corridoio. In quel momento non avevo la minima idea di chi fosse. Poi mi tornò in mente.

Juan de Dios Llorens, il truffatore della Caritas. Ricordare il suo nome non mi servì a molto. Cosa diavolo avevo pensato di chiedere a quell'uomo? Perché si trovava lì? Credo che lo feci entrare nel mio ufficio più per premiare lo zelo di Domínguez che per vero interesse. Quando lo ebbi davanti lo squadrai senza dire una parola. Aveva un'aria ignobile: magrissimo, tinto di biondo e con un orecchino. Per fortuna Garzón non era presente. Ritenni che non fosse necessario parlare, si sarebbe espresso lui in qualche modo. E così fu.

– Non è giusto, ispettore. Sempre la stessa storia, con la polizia. Uno sbaglia una volta e poi è segnato per sempre. Io è da un mucchio di tempo che sono pulito. Lavoro onestamente e mi guadagno da vivere col sudore della fronte. Faccio il fattorino in una ditta, guido il furgone. Da quando mi hanno preso per quella brutta storia non ho più sgarrato.

Alzai un sopracciglio e dissi qualcosa di vago come:

– Ah, sì?

– Sì! Ma se adesso cominciate a venire in ditta a ficcare il naso, mi dica lei che cosa può pensare il mio capo. Le giuro su Dio che non ho fatto niente, è la verità. E se non ci crede le dirò che ho scelto la via dell'onestà perché non potevo fare altrimenti. Non sono un santo, non lo sono mai stato. Ma ormai nel giro della carità non si può più scherzare. Adesso ci sono delle mafie che ti caghi sotto, con licenza parlando. A un certo punto l'ho capito da solo che non era più storia, perché a me mi va bene di guadagnare qualcosa per i fatti miei, ma che venga uno a dirmi quello che devo fare...

– Di cosa sta parlando?

– Di truffe organizzate, ispettore. Di raccolte di fondi per organizzazioni che non esistono e cose così. Adesso sono dei professionisti, una vera e propria mafia, come le ho detto.

– Mi dica qualcosa di più preciso.

– Di più preciso io non so niente, ma dei colleghi mi hanno avvertito: attento a dove metti i piedi, che è tutto terreno minato. Ora, non mi chieda se è la mafia russa o quella di Roccacannuccia, perché non lo so. Sta di fatto che ho pensato: cazzo, per quattro soldi che ci tiro fuori mi tocca mettermi in un casino che se non sto ai patti quelli mi fanno fritto e neanche me ne accorgo... Quindi, ho lasciato perdere.

– Chi dice che c'è la mafia?

– Non so se è la mafia o cosa. Ma mi sono arrivati degli avvertimenti. Queste cose si sentono, sono nell'aria, ispettore.

– In particolare, chi l'ha minacciata?

– Nessuno, glielo giuro, sono voci che corrono. Comunque adesso io penso solo al mio furgone, e me ne vado in giro tranquillo a fare le consegne dove mi dicono.

– D'accordo, Juan de Dios, l'ho capito e lo accetto. Ma proprio perché non c'entra niente nessuno le chiederà delle spiegazioni se mi dà qualche suggerimento su come posso muovermi. Un contatto, una pista.

Rimase zitto per un po', si guardò le mani, esaminandosi con attenzione gli orli delle unghie. Capii che stava valutando se darmi o meno un'informazione importante. Trattenni il respiro e aggiunsi:

– Ci sono già due morti, due poveracci che non avevano quasi da mangiare. Come si fa a essere tanto spietati da ammazzare gente così? Me lo dica lei.

– E come faccio io a fidarmi della polizia?

– Cosa vuole che le garantisca?

– Che nessuno sappia che ho parlato con lei.

– D'accordo.

– Vada al bar La Gabia. La padrona sa delle cose, e lì ci va molta gente. Ma io ormai sono fuori da tutto questo, ispettore, e se finisco di nuovo nella merda sarà colpa sua.

– Le ho promesso che non aprirò bocca e così sarà. Vada a chiedere in giro se di Petra Delicado ci si può fidare o no.

– Sì, adesso mi metto a fare un'inchiesta. Col cazzo. Questi rischi li corro perché ho dei sentimenti. E di sicuro più sentimenti hai, peggio è.

Su questo eravamo d'accordo. Ma pensarla come un delinquente non mi scandalizzava: sono coincidenze che si fanno sempre meno rare con l'accumularsi dell'esperienza.

Stavo per uscire quando mi chiamò Coronas con urgenza. «Ecco che arriva la lavata di capo» pensai, guardandolo in faccia.

– Vediamo un po', Petra, vediamo di chiarirci le idee perché questo è un casino che non finisce più. Mi ha appena chiamato dalla Francia l'ex moglie di Tomás Calatrava Villalba. Chiede se è il caso che venga a Barcellona. È molto allarmata. Sua cognata le ha detto che poteva essere chiamata a testimoniare.

– Già.

– Come, già? Ho aperto il suo fascicolo sul caso e di questo non dice mezza parola.

– Lo so, commissario, ma è una linea investigativa sulla quale non credo che proseguiremo.

– Si ricordi che quando prende una decisione di questo tipo deve renderne conto nel fascicolo dell'inchiesta, altrimenti io rimango completamente all'oscuro, e un capo deve sempre sapere quello che succede.

– Dipende dal tipo di inchiesta, commissario. Abbiamo molte linee investigative in sospeso che prima o poi potrebbero riaprirsi.

– Ho visto. Il suo fascicolo sembra un nodo ferroviario, non c'è modo di venire a capo di niente. E sa cosa succede in questi casi? Che i treni vanno a sbattere. Lei sta conducendo queste indagini senza alcun metodo, Petra.

– Non sono d'accordo, commissario. Ciò che qualcuno chiama mancanza di metodo spesso è semplicemente un metodo che esula dai criteri convenzionali.

– Basta! Non mi contraddica! Lei è più attaccabrighe di un ubriacone. Le sto dicendo che il suo fascicolo…

Suonò il mio cellulare. Coronas mi fece segno di rispondere. Era Garzón. Annuii varie volte. Chiusi la comunicazione, guardai con gravità il commissario.

– Temo di dovermene andare, signore. C'è un imprevisto piuttosto sgradevole.

– Sarebbe troppo chiederle cos'è successo?

– Hanno aggredito Yolanda Santos, la vigilessa che ci aiuta nelle indagini.

– Ci mancava anche questa! Fra due secondi avrò il capo dei vigili urbani al telefono a chiedermi spiegazioni.

– Mi scusi, commissario.

– Al suo ritorno voglio un rapporto dettagliato, ha capito? E col metodo tradizionale! Anche se questo è indegno della sua genialità. Non me ne importa niente se rimane alzata tutta la notte a scrivere.

– Certo, commissario, certo, sarà fatto.

Un paio di agenti e il viceispettore mi aspettavano in calle Princesa. Yolanda era stata portata al pronto soccorso più vicino. A quanto pare, mentre era di guardia, due uomini che indossavano dei caschi da moto l'avevano colpita al capo fino a farle perdere i sensi. Non era riuscita a difendersi. La porta dell'appartamento era rimasta aperta.

– Come sta la ragazza?

– Un po' ammaccata, ma bene. Ci ha raccontato tutto senza difficoltà.

Entrammo nell'appartamento, i due poliziotti rimasero di sotto. C'erano dei vicini che sbirciavano sulle scale. Garzón li fece rientrare in casa. Entrando, non potei fare a meno di spalancare gli occhi di fronte al vuoto che avevo davanti. L'appartamento era stato completamente sgomberato, non c'era niente, assolutamente niente di niente, non una sedia, non uno spillo, non un pezzo di carta.

– Non solo l'hanno svuotato, devono averlo anche pulito da cima a fondo. C'è odore di detersivo, lo sente?

– Sì. È evidente che ci sono sempre stati alle calcagna: interroghiamo un barbone e lo eliminano, individuiamo una base e la ripuliscono.

– Con un leggero anticipo. Ma se qui era già tutto vuoto, perché correre il rischio di tornare?

– Dovevano aver dimenticato qualcosa, o volevano controllare se qualcosa che avevano perduto non fosse qui...

– Doveva trattarsi senza dubbio di qualcosa di importante, se hanno osato aggredire un agente.

– Qualunque cosa è importante quando si vogliono cancellare delle tracce.

– Siamo davanti a qualcosa di grosso, ispettore, ormai ne sono sicuro.

– Anch'io, Fermín. Faccia mettere i sigilli all'appartamento, e chiami la Scientifica perché rilevi le impronte, anche se dubito che possa servire a qualcosa.

Ispezionammo l'appartamento palmo a palmo. Era come se fosse passata una ditta di traslochi e avesse lasciato tutto pronto per il prossimo inquilino.

– Chieda ai vicini, qualcuno avrà pur visto portare via i mobili.

– Già fatto. Nessuno ha visto niente. Sembra impossibile, ma è così.

– Probabilmente di mobili non ce n'erano. La vecchietta di fronte l'ha detto: doveva essere una specie di magazzino. È molto facile andarsene portando via degli scatoloni di notte, in silenzio e con discrezione.

– Può darsi. Chiederemo nel vicinato.

Dedicammo quasi tre ore a questa impresa. Purtroppo non c'erano negozi né officine nei dintorni. In genere negli esercizi aperti al pubblico i dipendenti passano molto tempo a guardare fuori. Interrogare gli abitanti dei palazzi fu inutile: nessuno aveva visto portare via niente. Tornammo nell'appartamento. Lì, insieme agli agenti, ci aspettava un addetto della raccolta rifiuti. Un paio d'ore prima aveva visto due uomini uscire quasi di corsa dalla casa. Portavano un sacco della spazzatura. Lui li aveva notati perché pensava che l'avrebbero gettato in un cassonetto, e invece l'avevano portato via con sé. Si erano allontanati a piedi, anche se entrambi avevano in testa un casco da moto. Erano alti e atletici e, a giudicare dai movimenti, si sentiva di dire con sicurezza che erano giovani.

– Elementare – disse Garzón. – Ecco cosa sono venuti a prendere: un semplice sacco della spazzatura dimenticato dopo la pulizia generale. Poteva contenere delle carte, degli oggetti coperti di impronte... Sarebbe stato preziosissimo per noi. In certi momenti, ispettore, provo una frustrazione tale che mi suiciderei.

– Be', non lo faccia. Ho delle cose da raccontarle, in macchina. Ho avuto una conversazione interessante con Juan de Dios Llorens.

– Dove andiamo?

– Per prima cosa, in ospedale. Voglio vedere Yolanda. Poi andremo a far visita a un ristorante che si chiama La Gabia.

– Sarà già molto tardi.

– Allora ci andremo domani. Il ristorante di certo non si sarà mosso da dov'è, mentre io mi sento responsabile di quel che è successo a quella ragazza.

Uscimmo sul pianerottolo e si aprì la porta di fronte. Comparve la fragile figura della vicina. Sorrise nel vedere Garzón.

– Viceispettore, non mi dica che è già venuto a riportarmi il mio vasetto aggiustato!

– Il suo vasetto?

Il mio collega portò la mano alla tasca ricordandosi all'improvviso dell'incidente. Ne tirò fuori il mandato del giudice, e poi un gran numero di cocci assai più piccoli di quelli originari.

– Mi sa di no, signora. Ma lo farò, non abbia paura. Dovesse essere l'ultima cosa che faccio in vita mia, glielo assicuro.

Yolanda non era più in ospedale, era stata dimessa e se ne era andata a casa. Secondo le migliori tradizioni, abitava con i genitori finché non si fosse sposata. A quanto risultava sulla sua scheda, suo padre faceva il bidello e sua madre lavorava in una tintoria. Una famiglia umile, ma senza problemi economici. Mi piacerebbe poter dire che ci ricevettero bene, eppure mi parve di avvertire una certa aria di rimprovero nell'ambiente. Appartenere ai vigili urbani non era rischioso come lavorare per la squadra omicidi della polizia. Probabilmente la famiglia si domandava che cosa ci facesse con noi la loro figliola. Era vero che correva maggiori pericoli, e dovetti riconoscere il mio egoismo, perché non avevo mai considerato la cosa da quel punto di vista. Entrammo nella sua stanza e i genitori si ritirarono. Rimasi molto sorpresa nel vedere che i mobili erano carichi di bambole e pupazzi di peluche. Quanti anni aveva Yolanda? Venticinque? Cosa diavolo ci faceva in quella stanza tutta quella paccottiglia infantile?

Aveva qualche medicazione in faccia, ma a quanto pare il danno maggiore l'aveva subito all'occipite.

– Come stai?

– Non sono riuscita a vederli in faccia, ispettore. Sono usciti dall'ascensore e, prima ancora che me ne rendessi conto, li avevo già addosso. Portavano un casco da moto, sono arrivati da...

– Sì, lo so, non preoccuparti, ti sto chiedendo solo se stai bene.

– Sto bene. Credo che fossero giovani perché...

– Senti, adesso quello che devi fare è prenderti qualche giorno di riposo, senza pensare al lavoro. Devi soltanto stare tranquilla.

– Ispettore, non può farmi questo. Non può lasciarmi fuori dalle indagini proprio adesso. Ho lavorato con voi fin dall'inizio e voglio arrivare alla fine. Che cosa c'era nell'appartamento? Avete scoperto qualcosa? Mi racconti, per favore.

– Va bene, calmati.

La misi al corrente di tutto. Sospirò profondamente e si lasciò andare sul cuscino.

– Stiamo per prendere gli assassini, lo sento. Non ha anche lei lo stesso presentimento?

– Ci avviciniamo, ci avviciniamo – disse Garzón, più per gentilezza che per vera convinzione.

Sentimmo bussare alla porta, ed entrò un ragazzo. Era alto e robusto, quasi rapato a zero, con un'espressione brutale sulla faccia, labbra carnose ed enormi occhi verdi. Un bellone di quartiere tremendamente sensuale. Si precipitò verso il letto senza nemmeno salutarci.

– Cos'è successo?

– Niente, Sergio, stai tranquillo.

– Tranquillo? E che cazzo, tranquillo? Guarda come ti hanno ridotta!

– È il mio fidanzato –. Yolanda si voltò verso di noi, ma il ragazzo non sembrava disposto a una cortese presentazione.

– Si può sapere perché l'avete tirata dentro a questa storia? Già non mi piaceva che facesse il vigile, ma che adesso debba mettersi anche a fare la poliziotta…!

– Sergio, stai zitto, per favore!

– Non dirmi di stare zitto, perché ho ragione! Loro ce li hanno già i loro sbirri, no? E allora che si aggiustino fra di loro!

Yolanda era desolata, sull'orlo del pianto, quasi isterica. Pensai che la cosa più prudente fosse sparire.

– Ragazzi, non litigate. Noi ce ne andiamo. Curati,

Yolanda. Ci vedremo fra qualche giorno. Ti telefonerò per sapere come stai.

– Ispettore, un momento, aspetti!

Uscimmo in corridoio. Nel soggiorno la madre era in lacrime, suo marito la consolava. Nella camera della ragazza era ricominciata la discussione. Cercai la porta senza nascondere la fretta e lanciai un «arrivederci a tutti!» che suonò stupidamente festoso.

L'aria della strada mi riconfortò.

– Accidenti, è scoppiata una tragedia greca!

Garzón, col sorrisetto di chi la sa lunga, disse con sufficienza:

– È normale.

– È eccessivo. Ha visto come gridava quell'energumeno? E la madre, che piangeva come se sua figlia fosse già nella bara?

– Lei non può capire, perché è di un'altra classe sociale, ispettore.

– Ma cosa dice? Ci mancava solo questa!

– È la pura verità. Lei ha studiato, è abituata ad altri ambienti.

– Certo, lei ed io ci muoviamo nel jet-set!

– No, non è questo. Nel lavoro lei entra in contatto con le frange emarginate della società, ma quando finisce se ne torna nel suo mondo sofisticato di libri e dischi di Chopin. Va da un estremo all'altro, ma non conosce la gente normale.

– Non dica corbellerie, Garzón!

– È così. La gente normale non ha altro che i propri figli, e non aspira ad altro che a vivere con serenità.

– Mi sembra un predicatore televisivo.

Lungi dal difendersi, si mostrava tranquillo e sicuro.

– So quello che dico, ispettore.

– D'accordo, conosce la materia. Lei è un paria, un servo della gleba, e ha diritto a un posto fra gli affamati della terra. Me ne vado, viceispettore, sono stufa di sentire le sue storie.

– E dove va? È tardissimo.

– In commissariato. A fare un lavoretto senza importanza. Visto che sono un membro dell'oligarchia oziosa me ne vado a stendere un paio di rapporti che Coronas vuole tassativamente per oggi. Niente, un capriccetto da signora bene.

Mentre mi allontanavo, lo sentii ridacchiare. Con la coda dell'occhio vidi che alzava la mano grassoccia, e mi gridava:

– Non faccia tardi, la aspetto a casa!

Riguardai i rapporti che avevo scritto fino a quel momento. Erano farraginosi ed ermetici come un romanzo sperimentale. Non era facile imporre un minimo di coerenza a quel guazzabuglio. Come aveva sottolineato il commissario, troppe cose erano rimaste in sospeso. Eppure un rapporto non è un'opera di finzione, e se i fatti erano quelli che erano, non potevo certo cambiarli per far piacere a lui. Tutte le piste in realtà confluivano in una sola direzione, ma le ipotesi che ne risultavano, contrariamente al solito, erano scarse e deboli. Ed è ovvio che, senza ipotesi su cui basarsi, si può avanzare soltanto spinti dai fatti, fatti che si presentavano in maniera imprevedibile e in misura del tutto sproporzionata. Se si trattava soltanto di piccole truffe, perché ci trovavamo di fronte a delitti così gravi? Due omicidi concatenati non sono cosa da poco. Che si uccida una volta può avere molte spiegazioni: un eccesso di durezza in un regolamento di conti, un raptus che poi si cerca di coprire o attribuire ad altri... ma due volte significa che c'è un motivo potente. Chi mai assassina due uomini per confondere le tracce di uno stupido raggiro come la vendita di portachiavi di latta per conto di un'associazione benefica inesistente? A quale delinquente da quattro soldi poteva venire in mente di far picchiare Tomás il Saggio già morto prima di abbandonarlo nel parco? Senza contare l'ultima impresa dei due «motociclisti» che si azzardano a tramortire in loco una rappresentante delle forze dell'ordine. Ma il sospetto che dietro a quella storia si nascondesse qualcosa di grosso continuava a non essere altro che questo, un sospetto. E come può nascondersi qualcosa di importante in un caso dove le vittime sono barboni senza un centesimo? No, non c'era modo di dare una logica a quello che stavo scrivendo. Non era ancora possibile intravedere un metodo. Avrei aggiunto un altro capitolo dedicato all'aggressione a Yolanda e finito lì. Mi ero appena messa a battere sui tasti, quando suonò il telefono.

– Ispettore, pensa di averne ancora per molto?

– Lei mi sembra un marito, Fermín.

– No, scusi, ma ci sarebbe una visita: il suo amico Ricard.

– Gli offra una birra, arrivo subito.

Mio Dio, ci mancava anche questa! Ricard e la sua mania delle improvvisate! È evidente che un poliziotto ha due possibilità nella sua vita privata: o dispone di una famiglia perfettamente organizzata dove tutto obbedisce a regole precise, o impara a farne completamente a meno. Io avevo scelto questa seconda possibilità, ma se non la smettevo di accumulare uomini a casa mia rischiavo di ritrovarmi con un harem maschile. Spensi precipitosamente il computer e corsi a casa domandandomi che cosa mai mi sarei trovata davanti.

Il quadretto non era particolarmente suggestivo né originale, ma nemmeno troppo inquietante. Ricard Crespo e Fermín Garzón seguivano annoiati una partita di calcio alla tele. Sul tavolino c'erano due bottiglie di birra ancora a metà. Li salutai con più entusiasmo di quello che provavo.

– Allora, signori miei, come state?

Risposero con un paio di monosillabi stiracchiati. Garzón, nel suo ruolo di uomo di casa, si offrì di portarmi una birra. Ma, con mio sbalordimento, Ricard si intromise.

– Meglio un tè, no? Credo che a quest'ora Petra lo preferisca.

– Un tè prima di cena? Non mi sembra molto adatto.

– Be', magari in teoria no, ma sono sicuro che quando Petra è stanca le fa sempre piacere un buon tè caldo.

– Senta, caro Ricard, l'ispettore ed io lavoriamo insieme da anni. E ne abbiamo presi di tè, di caffè e di birre insieme! E le posso assicurare che...

Alzai la voce, cercando di apparire il più naturale possibile:

– Non preoccupatevi. In realtà avrei voglia di un succo di pomodoro che andrò a prepararmi da sola fra un minuto.

– No, cara – disse Ricard, – non mi va che per l'insistenza del tuo amico Garzón tu debba prepararti da sola le cose quando sei stanca.

– Senta, Ricard, se è questo il problema, glielo preparo io, perché deve sapere che....

Mi alzai in piedi di colpo e con un movimento rapido afferrai borsa e impermeabile. Raggiunsi la porta in due falcate. Mi girai e li guardai. Entrambi mi fissavano sbalorditi.

– Amici, ho cambiato idea. Ho voglia di prendermi un whisky doppio in un bar, di vedere un po' di vita, in completa solitudine, naturalmente. Buona serata, fate come a casa vostra.

Sorrisi e chiusi la porta dietro di me, cercando di non sbatterla.

Mentre camminavo verso il Villaggio Olimpico ridevo come una matta. Sì, avevano fatto due facce che erano tutto un poema. Fortunatamente la notte era giovane. Non presi nessun whisky, ma mangiai un delizioso hamburger al sangue e poi entrai al cinema Icaria. Vidi un documentario sulle migrazioni degli uccelli su e giù per il mondo. Sotto gli stormi silenziosi si vedevano le immense steppe russe, solitarie, le giganteshe catene montuose americane, solitarie, i gelidi paesaggi nordici, solitari anche loro. Ero incantata da quella sovrabbondanza di solitudine.

Verso l'una tornai a casa riconciliata col mondo, che non si esauriva entro i ristretti limiti del mio soggiorno. Tutto era buio e silenzioso. Ringraziai Dio per quel regalo di pace. L'odore delle sigarette di Ricard impregnava ancora l'aria. Non doveva essersene andato da molto. Andai in cucina e mi versai un bicchiere di latte. Subito comparve Garzón, spaventandomi a morte. Portava un pigiama stampato a piccoli motivi araldici e un'elegante vestaglia di seta blu che aveva tutta l'aria di essere stata comprata appositamente per l'occasione.

– Ehi, viceispettore, cosa fa sveglio?

– L'ho sentita arrivare e... In realtà Ricard è andato via poco fa.

– Ah, perfetto! E avete fatto un po' di boxe?

– Credo di doverle delle scuse. Anche lui ha detto che vuole scusarsi.

– Magnifico! Ma preferirei che ciascuno si scusasse per conto suo. Non vorrei che vi metteste a discutere su quale scusa sia più adatta a me.

– Ma no, ispettore, siamo amici! E poi ha vinto la nazionale spagnola. Abbiamo passato una bella serata. Il fatto è che ci siamo comportati da stupidi. Be', io, soprattutto.

– Lui è stato perfettamente all'altezza, non creda.

– Be', ci siamo accorti che cercando di venirle incontro l'unica cosa che abbiamo ottenuto è stata metterla ancora più a disagio.

– Me lo immaginavo che con un sottile accenno, come andarmene da casa mia, per esempio, avrei richiamato la vostra attenzione su questo punto.

– Insisto sul fatto che la colpa è stata mia. Lei mi accoglie qui e io non so fare altro che aggredire i suoi ospiti. Credo che abbia ragione, Petra, sto diventando un vecchio fossile.

– Avevo detto un dinosauro.

– È lo stesso.

– Non c'è paragone!

– Be', vado a dormire. Lo sa, ispettore, che il sapone e le lozioni che ha nel bagno hanno lo stesso odore di quelli di mia moglie e mi fanno ricordare tante cose? Non so se buone o cattive.

– Vuole che li tolga di lì?

– No, no, va benissimo così. Buonanotte.

In quel momento telefonò Ricard. Voleva scusarsi, si sentiva l'uomo più ridicolo su questa terra, il più miserabile, il più fuori posto. Si sentiva come un Adamo coi calzini, come Freud con un piercing al naso. Mi misi a ridere e accettai un appuntamento per il giorno dopo.

Bevvi il mio latte in silenzio. Gli uomini sono strani, pensai. Difendono ferocemente il loro territorio, ma sono capaci di grande tenerezza e affetto. A volte si comportano come cuccioli di cocker e altre come lupi infuriati. Ma è inutile trarne un bilancio negativo, perché li trovo più affascinanti di ogni altro essere vivente, eccezion fatta per il colibrì.

9

Alle otto del mattino avevo già ricevuto un messaggio amoroso sul cellulare. Ricard non mi dava requie. Sarebbe ridicolo dire che non mi facesse piacere, cominciavo ad avere un'età in cui questo tipo di insistenza suscita un compiacimento immediato; ma forse, sempre a causa dell'età, ero diventata anche molto diffidente. Perché quello psichiatra seduttore insisteva tanto affinché vivessimo insieme? Nessuno dei due sembrava in preda a una passione amorosa irrefrenabile. Non poteva trattarsi di un semplice espediente per sistemarsi? Non gli andava più a genio vivere solo e gli pareva che un cambiamento di rotta potesse tornargli comodo. Proprio in quel momento io passavo di lì per caso, lui non mi trovava poi tanto male e, zac! decideva di reclutarmi per la nuova tappa della sua esistenza. E allora? Che cosa c'era di male in tutto ciò? Be', tanto per cominciare lo trovavo poco lusinghiero. Certo, maturare significa imparare a contenere il proprio narcisismo, e io continuavo a dare troppo peso all'impressione che facevo sugli altri. Perché non cercavo piuttosto di concentrarmi su quel che volevo e sentivo io? Peggio. A considerarlo così, il problema appariva sotto una luce ancora meno rosea. Non ero più un'adolescente che disegna cuoricini sui margini dei quaderni. Ormai davo per escluso l'amore romantico dalla lista delle priorità. Eppure non ne volevo sapere di rassegnarmi. Perfino noi che abbiamo deciso di vivere senza un amore sentiamo che riconoscerlo apertamente sarebbe terribile, perché equivarrebbe a rinunciare al più inebriante protagonismo che la vita può offrirci. Ma il tanto celebrato realismo, che altro non è se non l'accettazione di ciò che di brutto vi è nella vita, mi imponeva di valutare se sarebbe stato piacevole tornare a convivere con un uomo. A quel punto della mia vita, era ancora il caso di cedere? Di vendere la mia solitudine per un piatto di lenticchie condivise? Cosa viene prima? Il piacere di poter raccontare a un compagno che qualcosa ci è andato storto nel corso della giornata, o la sensazione di autosufficienza che si ricava dall'affrontare da soli le piccole tempeste quotidiane? Mio Dio! Quando ci si può ritenere completamente liberi dalle ombre e dai dubbi che l'altro sesso proietta su di noi? Una volta superati gli ottant'anni? In seguito a una brutta esperienza? Dopo un disastro naturale? Mai, immagino. Né la vecchiaia, né il fallimento, né un terremoto devastante riusciranno mai a far cadere dalla mano del demonio la mela più lustra e appetitosa del mondo.

A tutto questo stavo riflettendo davanti al mio computer mentre avrei dovuto concentrarmi per una perfetta pianificazione della giornata di lavoro. Non c'è da stupirsi se quando il commissario Coronas si affacciò nel mio ufficio fui invasa da un senso di colpa pari a quello che avrei provato se fossi stata sorpresa davanti a una pagina erotica di internet. Cercai di riprendermi a tutta velocità, forse a una velocità eccessiva, perché non appena Coronas esordì con: – Non so nemmeno se sia il caso di dirle buongiorno –, io mi affrettai a replicare:

– Sì, lo so, commissario, abbiamo la stampa che ci dà addosso e siamo sempre allo stesso punto, tutto va a rilento, adesso per di più è stata aggredita Yolanda e i suoi genitori hanno presentato un esposto contro di me. E allora? Cosa vuole che le dica?

Strizzò gli occhi nel tentativo di avere uno sguardo malizioso e profondo, e sorrise con aria di superiorità.

– La miglior difesa è l'attacco, vero, ispettore? Lei fa come Agostina d'Aragona. Un francese le dice «bonjour» e lei lo prende a cannonate, non si sa mai. Ebbene, si sbaglia, sa? O meglio, si sbaglia in parte. È vero che i giornalisti continuano a darci delle noie e che il caso è ancora ai blocchi di partenza, ma i genitori non dicono proprio niente. E non solo. Mi ha appena chiamato il capo di Yolanda. La ragazza ha richiesto il passaggio dai vigili urbani alla Polizia Nazionale. Vuole essere assegnata alla squadra omicidi. Che gliene pare, eh?

Era gonfio d'orgoglio come alla festa di laurea del figlio prediletto. Io non riuscivo ancora a capire quale fosse lo scopo di quel discorsetto.

– Questa è una buona notizia, no?

– Mi dispiace doverlo riconoscere, ma sono fiero di lei. Credo che quella ragazza l'abbia presa a modello, e il fatto che i giovani vogliano entrare nel corpo ci dà prestigio e conferma le prospettive della polizia per il futuro. Ne sono molto compiaciuto.

– Povera ragazza! E dire che le nostre indagini non arrivano da nessuna parte.

– Ma ci arriveranno, ispettore, ci arriveranno. Ho molta fiducia in lei. E non dica che la sgrido sempre. In questo commissariato siamo una buona squadra, possiamo dirlo forte! Continuate pure a lavorare così.

Si girò con portamento atletico, accennando perfino un lieve saltello nel camminare. Io non riuscivo a riavermi dallo stupore. Davvero credeva a tutte quelle sciocchezze sul prestigio e sul futuro della polizia? Che idiozia, stava proprio invecchiando. E quel tono da politico in piena campagna elettorale, da padre soddisfatto dopo il pranzo della domenica? Pensai a quanto fosse inelegante mostrare pubblicamente un sentimento di orgoglio, anzi, qualsiasi sentimento, di qualunque tipo. All'improvviso lo vidi riaffacciarsi alla porta.

– E visto che lei vive sempre fuori dal mondo, le ricordo che stasera c'è la cena del commissariato in onore del nostro santo patrono.

– E chi sarebbe il nostro santo patrono?

Scoppiò in una risata.

– Mi piace il suo stile Petra, anche se è vero che lei vive fuori dal mondo. Arrivederla.

Mi resi conto che il mio capo mi piaceva molto di più quando abbaiava come un cane rabbioso. Per la miseria! Quella cena era proprio la goccia che faceva traboccare il vaso. Ogni anno me ne dimenticavo e ogni anno qualcuno aveva il cattivo gusto di ricordarmela in tempo. Ecco il motivo dell'euforia paternalistica di Coronas. Si stava preparando al discorsetto serale, in cui avrebbe rappresentato degnamente il suo ruolo di capo della nostra famigliola di sbirri. Un'altra distrazione dal lavoro, come se non ne avessi già abbastanza con i miei dubbi sentimentali su Ricard! In quel momento capii che dovevo avvertirlo, era da escludere un appuntamento per la serata. Presi il telefono, ma mentre stavo facendo il suo numero entrò Garzón, come al solito senza bussare.

– Cosa diavolo sta facendo, ispettore? La stavo aspettando. Non dovevamo andare subito a quel ristorante?

Mi misi l'impermeabile e partii. Il mio destino era affrontare dei rompicapi: nella vita professionale come in quella privata... e dire che fin da bambina non mi erano mai piaciuti: ricostruire qualcosa di già fatto mi sembrava una perdita di tempo. Ma ero una bambina pratica e sicura di sé, qualità che ho perduto crescendo.

La Gabia era un bar colossale, una di quelle trattorie con menu a prezzo fisso aperte un mucchio di anni fa che a mezzogiorno si riempiono di operai. Un bancone proporzionato alle dimensioni del locale si estendeva per tutta la sua lunghezza. Mi preoccupai vedendo che ci lavoravano almeno tre donne. Quale delle tre sapeva qualcosa che potesse interessarci? Ben presto, però, la mia preoccupazione si dimostrò eccessiva: quella con cui dovevamo parlare era la più anziana, probabilmente la moglie del titolare, un donnone robusto e dai gesti energici che ci invitò a sederci. Aveva i capelli raccolti in uno chignon e il suo volto non aveva ancora perso i tratti di un'antica bellezza. Si asciugò le mani nel grembiule, ci guardò in faccia apertamente. Sulla sua bocca non c'era il minimo accenno di un sorriso.

– Quindi siete poliziotti. Lo prendete un caffè? Clara, portaci tre caffè.

Non fu necessario fare domande, cominciò subito a parlare lei, in tono franco, secco e deciso.

– Sentite, per prima cosa ci tengo a chiarire che questo è un bar normalissimo. L'ho ereditato dai miei genitori, e mio marito ed io ci lavoriamo da vent'anni. Si capisce che un esercizio che non è a posto con la legge o dove succedono storie strane non va avanti tutto questo tempo, mi spiego?

– Si spiega molto bene.

– Questo non vuol dire che qui non entri molta gente, e che fra tutta questa gente non ci possa essere qualche disgraziato.

– È perfettamente chiaro. Noi siamo venuti perché Juan de Dios Llorens...

Non mi lasciò finire. Tacque, mentre ci servivano i caffè, e poi riprese con un'energia e un'attitudine al comando che avrei voluto avere io.

– Tanto per cominciare vi dirò che conosco quel subnormale di Juan de Dios perché fu fidanzato con mia sorella molti anni fa. Fortunatamente lei lo mandò a stendere perché era un poco di buono e uno spiantato. Ma non è cattivo. Ha combinato guai per un po', solo che non era capace neanche di imbrogliare la gente. L'hanno beccato subito. Adesso ha un lavoro normale, uno schifo di lavoro, ma non fa niente di male.

– È questo quel che le ha chiesto di dirci?

Si aggiustò una ciocca di capelli che le era sfuggita allo chignon e fece segno di no con una mano corrosa dai detersivi e dal duro lavoro.

– No, ispettore. A me di Juan de Dios non me ne importa un fico secco. Io mi preoccupo solo di questo ristorante e della mia famiglia. Ogni tanto viene, paga, e se ne va per i fatti suoi. Se prende un caffè al banco chiacchieriamo cinque minuti, non di più. Visto che sapevo di quella storia che aveva combinato con la Caritas, gli ho parlato di quel tipo là, ma...

– Guardi che a noi di Llorens non ce ne importa niente. Ci parli piuttosto di quell'altro.

– Be', forse non è proprio una cosa che valga la pena raccontare alla polizia, comunque... Veniva qui uno, sui quaranta e qualcosa, ben vestito, tutto imbrillantinato. A volte con altri, gente come lui. E io, mentre li servivo, sentivo qualcosa di quello che dicevano. Una volta lo sentii che faceva: «Vi assicuro che con la beneficenza c'è da guadagnare più che con i benzinai, più che con le carte di credito, più che con tutte le altre balle». Non mi è piaciuto per niente. Per di più, un giorno, mentre andavo al mercato, l'ho visto nel vicolo qui dietro con un poveraccio. Gli stava dando dei soldi. Poteva essere un'elemosina, d'accordo. Ma sono sicura che non lo era, perché quello i soldi li contava, e uno non conta l'elemosina davanti a chi gliela dà. Sono sicura che dietro c'era qualche brutto affare. Per questo, per mettergli paura, ho raccontato tutto a Juan de Dios e gli ho detto che quella era gente della mafia, che si togliesse dalla testa l'idea delle truffe, perché il campo è già minato. Credo che a qualcosa sia servito.

– Si ricorda che aspetto avesse il povero che ha visto? – chiese il viceispettore.

– Sì, era piuttosto alto, grosso, con la barba. Un barbone.

– Come questo? – Le mise sotto gli occhi la foto di Tomás il Saggio.

– Mio Dio, sì, era questo! Ma che cosa gli è successo?

– È stato assassinato.

– Sentite. Spero proprio di non correre nessun rischio parlando con voi, perché alla fine sarebbe il colmo se...

– Viene spesso quel tipo a mangiare qui?

– Sono mesi che non lo vedo.

– Ha mai detto il suo nome?

– No.

– Ha mai pagato con una carta di credito?

– No. Noi non le accettiamo.

– Lo riconoscerebbe, se lo vedesse?

– Mi converrebbe dirvi di no, ma al diavolo! Non facciamo altro che protestare per tutta la delinquenza che c'è in giro e poi quando si tratta di dare una mano siamo sempre pronti a tirarci indietro. Sì, lo riconoscerei, eccome se lo riconoscerei! L'ho capito subito che quello non era una persona per bene, anche tutto incravattato com'era. Bastava vedere come si frugava in bocca con lo stuzzicadenti... E poi, se fosse stato un uomo di classe, non sarebbe certo venuto a mangiare qui, a meno che non volesse far perdere le proprie tracce.

– Dovrà venire da noi in commissariato per cercare di identificarlo guardando delle fotografie, signora.

– Oh, anche questa, poi! Basta che non sia di giovedì. Il giovedì c'è paella sul menu, e dobbiamo farla sul momento.

Si allontanò disinvolta, e prima ancora di arrivare al bancone stava già impartendo ordini. Garzón fece un fischio.

– Caspita. Ha le idee chiare la signora!

– Dev'essere lei a dirigere tutta la baracca. Capita spesso: la donna è la più attiva e il marito ha solo un ruolo di facciata.

– Non so perché ho aperto bocca!

– Si rilassi Fermín. Nel nostro caso il ruolo di facciata devo avercelo io, perché non ci capisco un'acca, dico sul serio.

– Come facciata lei non è niente male, se posso permettermi. Però, ispettore, mi sembra che le cose si stiano chiarendo.

– Ah, sì? Si spieghi, sono tutta orecchie.

– L'individuo in questione aveva escogitato qualche trucco per far soldi con la beneficenza. Non mi chieda che tipo di trucco perché ancora non lo sappiamo, ma probabilmente imbrogliava della brava gente con la storia di qualche fondazione inesistente o qualche vendita di beneficenza o chissà quale altra diavoleria. Tomás il Saggio faceva parte del giro e, per qualche ragione, ha sgarrato. C'è stato un regolamento di conti. Non le pare una concatenazione perfetta dei fatti?

– Troppo semplice. Come fa un tipo squallido come quello, stando alla descrizione della signora, a commettere non uno, ma ben due omicidi? Lei sa che i truffatori da quattro soldi non si assumono certi rischi.

– Le situazioni possono sfuggire di mano, ispettore, e non c'è niente da fare una volta che questo succede. Si commettono errori su errori nel tentativo disperato di sistemare le cose.

– Ma andiamo! Quello ha a sua disposizione due killer giovani e muscolosi perfettamente allenati. Tutto doveva essere calcolato.

– Anche il calcolo più perfetto si infrange contro i banali imprevisti della vita quotidiana, mio caro ispettore.

– Accidenti, questa sì che è filosofia!

– Volevo dimostrarle che non ho solo un ruolo di facciata.

L'archivio fotografico dei truffatori schedati dalla polizia di Barcellona è ingente, come chiunque può immaginare. Era necessario fare un accurato lavoro di selezione prima di sottoporre la lista dei sospetti alla padrona del ristorante. Altrimenti il suo menu ne avrebbe gravemente risentito. Cominciammo a escludere quelli che erano defunti o in carcere, e i rimanenti li passammo al setaccio per età, tipo di reato, periodi di reclusione... Capii subito che quel lavoro ci avrebbe portato via del tempo prezioso e sentii la mancanza di Yolanda. Ne parlai al viceispettore. La sua risposta mi stupì moltissimo:

– Sì, manca anche a me quella ragazza. Non creda. E poi mi fa pena pensare che si sposerà con quella specie di animale. La vita è proprio ingiusta. Sa cosa penso di fare oggi? Passerò a trovarla prima di tornare qui alla cena del commissariato. Le porterò dei fiori.

– Garzón, questa sì che è una novità!

– Devo riconoscere che l'ho sempre maltrattata, e senza motivo, in fondo. Tanto più che la ragazza ha dimostrato che vale, presentando domanda per passare in polizia.

I misteri dell'anima umana sono insondabili, ma quelli dell'anima del viceispettore sono da annoverare fra i grandi enigmi dell'universo. Avrei potuto passare il resto dei miei giorni accanto a lui, ma non sarei mai riuscita a capire che cosa passasse per la sua testa pelata. In ogni caso, avrei approfittato della sua iniziativa a mio beneficio.

– A pensarci bene, mentre lei fa la sua visita di cortesia, io mi occuperò di qualche commissione. Continueremo domani con questa faccenda delle foto.

– D'accordo. Ci vediamo a cena.

Uscii a razzo e cercai un angolo tranquillo per chiamare Ricard.

– Ricard, cosa ne dici di mollare tutto e venire a casa mia? Ho solo un paio d'ore e stasera non potremo vederci.

– Sono con un paziente, però... credo di potercela fare. Vengo subito.

Bene, quando un uomo lascia tutto per te come un discepolo per seguire Gesù Cristo, la gioia intima che ne ricavi si estende sulle tue guance sotto forma di piacevole calore.

Arrivata a casa, in preda a una specie di frenesia, mi cambiai di maglia, buttai i pantaloni nell'armadio e mi misi una gonna leggera. Poi mi spazzolai i capelli con furia, come se volessi strapparmeli. Una spruzzatina di profumo sul collo completò quelli che avrebbero voluto essere dei seducenti preparativi. Un po' troppo precipitosi, perché quando Ricard entrò, annusò l'aria come un cane da caccia.

– Ah, ti sei messa del profumo!

Mi parve un'entrée così poco opportuna che gli impedii di continuare incollandogli un bacio sulla bocca. Credo che la mia protesta gli piacque, perché mi si gettò sopra come un leone famelico. Passo dopo passo verso la camera da letto, ci cercammo, ci allacciammo, ci strappammo l'un l'altro i vestiti tirandoli con rabbia. Immagino che al letto ci arrivammo, ma non ne sono sicura, perché quando sentii la sua pelle calda toccare la mia persi ogni nozione dello spazio e del tempo, e solo il centro del mio corpo mi servì da guida.

Riprendemmo coscienza del mondo fra le risate. Veri e propri scoppi di ilarità, quelli con cui si festeggia la pienezza del piacere, la soddisfazione di essere vivi attraverso il sesso, l'allegria per la fantastica marachella che è fare l'amore, uno sberleffo alla tristezza e alla morte. Guardai Ricard e lo trovai bello, con i capelli arruffati e gli occhi pieni di luce.

– Cosa c'è, ispettore? Che modi sono questi di ricevere un gentiluomo?

– Non dirmi che non ti è piaciuto.

Scoppiò a ridere di nuovo, scrollando la testa. Mi mise una mano sulla spalla.

– Viviamo insieme, Petra. È una buona idea.

Gli sorrisi, mi sedetti tirando le ginocchia al petto.

– Credi che sia così indispensabile?

– Sì, lo è.

– E non sarebbe meglio se ci fosse fra noi più follia... non so come dire, più passione?

– Alla nostra età le cose non possono essere come a vent'anni. Ma non mi sembra grave.

– Mi fa paura pensare di decidere una cosa simile in nome del buon senso, e non del desiderio.

– Questa mi pare una questione puramente teorica.

– Tutto diventa una questione teorica quando ci rifletti in solitudine.

– Soprattutto se pensi troppo a te stesso.

– Non sono mai riuscita a fare a meno di riflettere sulla mia vita. Avrei dato qualunque cosa pur di essere come quelle scienziate che si dedicano anima e corpo alla ricerca. Credo sia per questo che ho smesso di fare l'avvocato e sono diventata poliziotto. Credevo che il lavoro mi avrebbe assorbita totalmente, ma vedi bene che non è così.

– Io non ti permetterei di dedicare tanta attenzione a te stessa.

– Anche questo mi fa paura. Se penso tanto a me è perché mi piacerebbe capire la mia vita. Le ragioni delle cose che ho fatto finora.

– Niente di meglio di uno psichiatra, allora.

Gli buttai in faccia la prima cosa che mi venne in mano, credo fosse il mio reggiseno, e saltai giù dal letto.

– Non ho mai visto nessuno meno serio di te, Ricard.

– Non si può prendere la vita troppo sul serio, questa è l'unica cosa da capire. Io, che di sofferenza ne vedo tanta tutti i giorni, ti posso assicurare che la nostra vita non ha niente di drammatico.

– Quello che mi racconti è molto interessante ma adesso devo scappare.

– Una pericolosa missione?

– No, la squallidissima cena annuale del patrono di tutti gli sbirri.

– Sta' attenta che dalla torta non salti fuori un gangster col mitra e non falci via lo stato maggiore al completo.

– Non sarebbe una cattiva idea. Rimani pure qui, se vuoi. Nel frigorifero c'è da mangiare.

– Per poi ritrovarmi faccia a faccia col tuo scudiero vestito da beccamorto? No, manco per sogno.

– Abbi pazienza. Non durerà ancora per molto. Domenica se ne va. A proposito, sabato ci sarà una festa d'addio in onore di suo figlio. Spero che tu venga.

– Se poi quel rompiscatole se ne va sarà la più bella festa a cui abbia mai partecipato.

– Bene.

Ormai vestita di tutto punto, gli mandai un bacio al volo. Lui smise di sorridere, socchiuse gli occhi e abbassò la voce.

– Petra, stavolta pensaci sul serio, d'accordo?

Compresi la serietà della sua espressione e risposi:

– Sì, te lo prometto.

E non stavo mentendo.

La cena del benedetto nume tutelare della sbirraglia si teneva in un salone nei sotterranei del commissariato. Prima almeno la si faceva in un ristorante, ma Coronas aveva deciso di sospendere l'iniziativa per ragioni di sicurezza. Doveva immaginarsi una specie di notte di San Valentino, come aveva giustamente congetturato Ricard. In effetti la possibilità che a qualcuno venisse in mente di far fuori un'intera squadra di poliziotti in un colpo solo era reale, ma noi tutti sapevamo che anche i motivi di ordine economico avevano il loro peso. In questo modo il commissariato risparmiava un bel po' di soldi. Lunghi tavoli con le tovaglie di carta, bicchieri e posate di plastica, accoglievano un catering modesto che lo stesso Coronas si premurava di ordinare in una trattoria. Il menu era quello d'uso: tortilla de patatas, calamari fritti, chorizo e prosciutto, crocchette fredde come ghiaccioli e fette di pane con olio e pomodoro a volontà. Roba da poveracci, in sostanza, anche se la cosa che mi riusciva più indigesta erano i commenti dei miei colleghi sulla cattiva qualità dei cibi, sulla loro eccessiva umiltà. Illustravano alla perfezione la nuova sindrome delle classi medie spagnole: tutti sembrano improvvisamente diventati perfetti conoscitori di vini e buongustai in grado di distinguere senza esitazioni fra un foie entier e un mi-cuit. Patetico, in un paese dove fino all'altro ieri ci si rimpinzava di lenticchie come unico rimedio contro la fame. I miei colleghi non facevano eccezione alla regola generale. Al momento dell'aperitivo non lesinarono battute su quel che ci aspettava. Io girellavo qua e là col mio bicchiere di spumante tiepido, del tutto imbevibile, cercando inutilmente Garzón. Dove diavolo si era ficcato? E proprio in una delle occasioni in cui avevo più bisogno di lui per di più. I miei rapporti con gli altri ispettori si limitavano all'ambito professionale, mai che riuscissi a trovare un argomento di conversazione minimamente piacevole ed educato. Ma il maledetto viceispettore non compariva. Come se la situazione non fosse già abbastanza grigia di per sé, all'improvviso mi si parò davanti Fernández Bernal.

– E allora, Petra, come va?

– Lo vedi. Festeggio anch'io il patrono.

– Non credere, sai, anche a me queste cose non vanno troppo a genio.

– Non so a cosa tu ti riferisca, io mi sto divertendo un mondo.

– Dài, Petra, come puoi dire una cosa simile, tu sei al di sopra di tutto questo! Sono sicuro che pasteggi ogni sera a caviale e champagne.

– Senti, Bernal, adesso basta. Non ho nessuna intenzione di stare ad ascoltare le tue idiozie. Che sono sofisticata, che sono viziata, che a casa ho il maggiordomo in livrea. Io vengo qui a sgobbare e tu anche, no? E allora non facciamola tanto lunga.

Gli voltai le spalle e lo lasciai letteralmente a bocca aperta. Forse avevo esagerato, ma ne avevo fin sopra i capelli delle insinuazioni di quel cretino. Mi autogiustificai, come faccio ogni volta che mi comporto in modo terribilmente sgradevole. Perché sorridere sempre? Perché essere sempre complici della commedia sociale? È così essenzialmente sbagliato dire ogni tanto quello che si pensa? È davvero necessario che gli altri abbiano una buona impressione di noi quando quella buona impressione è basata sulla falsità? Dopo questa salva di domande retoriche mi sentii un po' meglio. Per dimostrarmi che non ero un mostro mi avvicinai a Eva e Begoña, due ispettori più giovani di me. Con le donne è più facile. Puoi sempre parlare del nuovo colore di capelli, di come ti sta bene la camicetta o di come ti cade bene il pantalone comprato in saldo. Quando ormai ero lanciata nella piacevole frivolezza della chiacchierata estetica, vidi arrivare Garzón. Strabuzzai gli occhi, perché non riuscivo a credere a quello che vedevo. Sembrava vestito per un matrimonio di paese e portava al braccio una giovane sposa un po' impacciata con la faccia tumefatta: Yolanda!

Mi passarono davanti senza neanche accorgersi della mia presenza e si diressero verso Coronas. Questi fece un mucchio di feste alla ragazza. Intorno a loro si formò un piccolo gruppo, al quale mi avvicinai senza farmi notare. Toccai sulla spalla il viceispettore e lo presi da parte.

– Gliel'ha ordinato Coronas di andare a prendere Yolanda?

– No, è venuto in mente a me. Che gliene pare?

– Un po' strano.

– Ma questo non è tutto. Le ho chiesto di venire alla sua festa di sabato, anche se si sente ancora un po' debole.

– Caspita! Lei non finisce mai di stupirmi!

– Quella ragazza se lo merita, ispettore.

– Certo, certo che se lo merita.

Non riuscivo a capire il cambiamento così repentino del mio collega, ma non mi andava di pormi nuove domande, visto che in ogni caso quel nuovo atteggiamento era positivo.

La cena, lenta, spasmodica, convenzionale, insopportabile, si svolse secondo l'annuale rito millimetricamente identico a se stesso. Si susseguirono le solite battute sugli aumenti di stipendio, le barzellette di dubbio gusto, gli aneddoti divertenti sulla vita di commissariato, le parole di commozione per le persone che non erano più con noi. Ecco, si potrebbe dire che alla mia suscettibilità non fu risparmiata nessuna umiliazione.

Al momento del dolce, mentre venivano deposte sui tavoli delle torte che sembravano cappelli per le corse di Ascot, il commissario, in mancanza di un bicchiere di vetro, diede qualche colpetto sul tavolo per chiedere silenzio. Il discorso era inevitabile.

– Signori, lo so cosa state pensando: ci tocca mandar giù una cena bisunta e per di più il nostro capo ci costringe a subire la solita rottura di scatole.

Ci fu un'armonica risata generale, su cui l'oratore già contava.

– Ma devo dirvi che questa volta vi sbagliate. Non sulla cena bisunta, no, questo lo riconosco...

Questa volta risi perfino io, devo dire che il commissario dimostrava buone doti di improvvisazione.

– ... ma sul fatto che pensi di snocciolarvi un discorsetto prefabbricato uguale a quello dell'anno scorso. Niente di tutto questo, signori! Stasera quasi non parlerò, ma quel che dirò sarà molto originale, e non per le mie capacità di oratore, ma per l'argomento che ho la fortuna di poter trattare.

Ci fu un mormorio di aspettazione generale.

– Stasera voglio presentare, a chi non la conosca ancora, Yolanda Santos, la giovane agente che vedete qui accanto a me. Bene, questa vigilessa, alla quale l'ispettore Delicado si è rivolta per una collaborazione in un caso difficile, ha lavorato con noi per breve tempo, è vero. Eppure il suo coraggio è ampiamente dimostrato, purtroppo, dai segni che vedete sul suo volto. Questo di per sé potrebbe non sorprendere, perché tutti conosciamo l'audacia e l'esperienza dei colleghi che lavorano per il Comune. Ma quel che dobbiamo festeggiare questa sera è che Yolanda, malgrado i pericoli a cui si è esposta, abbia chiesto di entrare a far parte della Polizia Nazionale e di rimanere a lavorare nelle nostre file. Signori, non è cosa da poco che la gioventù la pensi in questo modo, che scelga una strada dura come la nostra, pur avendo toccato con mano che la nostra vita non è tutta rose e fiori, che gli ideali non bastano, ci vuole coraggio. È la dimostrazione che il nostro lavoro, talvolta frainteso dalla società, possiede un senso profondo che deve riempirci d'orgoglio. Questo è il nostro vero spirito. Nient'altro. Buonanotte a tutti.

L'intero uditorio si alzò in piedi. Tutti applaudivano, gridavano, si commuovevano, erano davvero entusiasti. Mi alzai con prudenza e applaudii anch'io. Inconcepibile, nessuno stava fingendo, quella reazione era spontanea e sincera. Non riuscivo a capire. Quanto mi sarebbe piaciuto credere in qualcosa a quel modo, lanciarmi anch'io a rotta di collo giù per la china del sentimento. Abbracciare la missione, la professione, il sacro senso del dovere. Eppure mi sentivo solo molto sorpresa nel constatare con quale facilità potessero infiammarsi gli animi di persone del tutto tranquille che non avevano nemmeno bevuto alcolici di grande qualità.

Qualcuno chiese che Yolanda prendesse la parola, e in pochi secondi la richiesta si trasformò in clamore. La ragazza si alzò timidamente in piedi, trasfigurata in eroina e martire. Tossicchiò.

– A dir la verità, la prima cosa che ha fatto l'ispettore Delicado quando ci siamo conosciute è stata mandarmi al diavolo… – Risate, manate sui tavoli e sguardi maliziosi mi fecero quasi arrossire. – Ma poi si è dimostrata molto paziente con me e mi ha dato l'opportunità di scoprire la mia vera vocazione. Grazie, ispettore, davvero.

Trovarmi all'improvviso al centro di quell'orgia di autocompiacimento e di pestilenziale euforia fu come vivere il peggiore degli incubi. Qualche malintenzionato gridò: «Che parli Petra!», la truppa gli fece eco: «Petra, Petra!». Era meglio non sottrarsi. Mi alzai a mia volta.

– Insomma, cari colleghi, cosa volete che vi dica? Avviare la propria conoscenza con qualcuno mandandolo al diavolo non è normale, è più normale il contrario. Ed è un'eventualità che non escludo se l'agente Santos continuerà a collaborare con me e Garzón. Dovrà lavorare sodo, come facciamo tutti, e alla fine la cosa più probabile è che sia il commissario stesso a mandarci al diavolo tutti e tre.

Be', non fu così male, ebbi anch'io la mia parte di successo. Poi qualcuno si alzò e cominciarono a girare le bottiglie di whisky. Infine si alzarono tutti e partì la musica, che mi permise di approfittare della confusione per sgusciare fra la gente e svignarmela di lì. Giunta in strada, tirai tre bei respiri profondi e mi misi a camminare. Che effetto doveva fare vivere su un'isola, in un monastero, in un rifugio nucleare, in un faro? Di sicuro ci sarei stata benissimo.

Mi concessi un bagno lungo e profumato con quegli aromi che tanto turbavano Garzón. È un vecchio sistema per cercare di cancellare dalla nostra pelle almeno un primo strato di quello che siamo in realtà. Un trucco innocente che mi fece bene. Poi mi infilai un pigiama di ispirazione marocchina per completare la benefica evasione, e mi addormentai dopo aver letto tre righe giuste. Eppure, nemmeno travestita da palombaro sarei riuscita a dimenticare la mia vera identità. A un'ora imprecisata mi svegliò un tremendo fracasso nel soggiorno. Mi alzai di colpo e sporsi il naso dalla scala. Era il mio ospite, naturalmente, che lottava al buio per rimettere in piedi una lampada. Premetti l'interruttore e me lo vidi lì, impigliato nel filo elettrico.

– Oh, mio Dio, ispettore, mi scusi, non volevo accendere la luce per non disturbarla e… lo vede, è stato ancora peggio. Siamo andati a prendere qualcosa dopo cena e si è fatto un po' tardi…

Poiché le mie buone maniere riescono a superare anche i peggiori spaventi nel cuor della notte, feci un bel sorriso e risposi:

– Non si preoccupi, Fermín, non ha la minima importanza.

Detesto essere così educata. Per fortuna quella convivenza contro natura stava volgendo al termine. La serata d'addio per il figlio di Garzón sarebbe stata la festa più attesa che avessi mai dato in vita mia.

Il lavoro condotto sull'archivio fotografico dei pregiudicati era stato minuzioso ed esaustivo. In una lista dal 1988 a oggi, un periodo di tempo ragionevole per un'identificazione, comparivano circa trenta individui che avevano avuto problemi con la giustizia in quanto truffatori. Tutti rientravano nella fascia d'età corrispondente alla descrizione della proprietaria del ristorante La Gabia.

– A proposito, Fermín, ha avuto la precauzione di

chiedere il nome della signora? Io me ne sono completamente dimenticata.

Garzón, che sembrava ancora mezzo sbronzo dalla sera prima, e tuttavia si era alzato alle sette senza il minimo indugio, mise mano al suo taccuino.

– Genoveva Pardo.

– Molto appropriato! La faccia chiamare. È giovedì, oggi?

– No, perché?

– Si ricordi che «il giovedì paella».

Mentre aspettavamo la nostra testimone, diedi un'occhiata alle foto al computer. Il passato di quegli individui non aveva niente a che vedere con la beneficenza. Quegli uomini dalle facce poco raccomandabili erano stati per lo più arrestati per reati legati a vendita fraudolenta di immobili, sostituzione di persona, falso in atto pubblico, emissione di assegni scoperti, acquisti effettuati con carte di credito rubate... Al centro di tutto c'era sempre il denaro puro e duro. A chi mai poteva venire in mente di tessere una rete mafiosa basata sulla carità? Era così forte lo spirito caritatevole degli spagnoli? Esisteva veramente un campo d'azione su cui estendersi? Eppure bisogna dire che è caratteristica dei malfattori di tutti i tempi la capacità di rinnovarsi per cogliere impreparata la gente onesta. Forse, ora che soffiavano nuovi venti di solidarietà, era logico aspettarsi grandi truffe «benefiche».

Poco dopo arrivò Genoveva. Non sembrava per niente contenta. Quel giorno non c'era paella sul menu, ma avevamo intralciato la preparazione di una sostanziosa zuppa gagliega con fagioli e chorizo. Io ormai avevo una fiducia assoluta in quella donna. Ero praticamente convinta che se l'assassino era fra i soggetti della lista, per quante metamorfosi avesse potuto subire nel corso degli anni, lei l'avrebbe riconosciuto. Genoveva era la personificazione del buonsenso femminile. Irradiava quel senso di sana praticità che si ritiene caratteristico delle levatrici di campagna. Con lei, anche il filosofo dal pensiero più profondo e intricato sarebbe riuscito a farsi intendere al volo. Per questo avevo creduto alla sua testimonianza, che a rigore non avrei dovuto considerare molto più di un semplice sospetto.

Attenta, succinta nell'espressione, con la pelle acqua e sapone di una ragazza, si sedette davanti al computer e disse: – Su, vediamo –. Cominciarono a comparirle davanti agli occhi le prime facce patibolari. Garzón disse:

– Quando ha finito con un'immagine, me lo dica, così io passo alla seguente.

Lo guardò come fosse un insetto caduto da un albero.

– Non sono mica scema. Mi dica che tasto devo schiacciare e faccio io.

Garzón glielo spiegò e mi guardò con un sospiro. Probabilmente stava elaborando una delle sue considerazioni sulle donne prese nel loro insieme. Genoveva cominciò con recise esclusioni.

– No, questo no. Quest'altro, manco a parlarne, sembra un morto di fame, mentre quello che dico io era un tipo distinto, non aveva l'aria di uno che va in giro a chiedere favori.

Capii che dai suoi commenti sarebbe uscito un profilo molto più preciso di quello che aveva tracciato al bar. Lo feci notare a Garzón sottovoce, perché prendesse appunti. In quel momento mi chiamarono al telefono. Era Domínguez.

– Ispettore Delicado, c'è una signora qui in commissariato che vuole parlare con lei. Insiste, dice che è urgente.

– Come si chiama?

– Aspetti, adesso controllo... Inés Prieto de Latour, qualcosa del genere, sembra francese.

– E di cosa...

All'improvviso ebbi un'illuminazione e strinsi forte il ricevitore.

– Le dica che vengo immediatamente, Domínguez. E stia attento che non se ne vada, capito?

A volte avevo l'impressione che qualunque disabile mentale avrebbe potuto fare l'agente di polizia molto meglio di quei poveretti che avevo intorno.

Entrai nel mio ufficio quasi di corsa, rischiando di perdere quel minimo di compostezza che mi sono sempre proposta di mantenere di fronte al mondo. Le aspettative che riponevo in quella visita erano enormi. Avevamo sottovalutato l'importanza di chiamare l'ex moglie di Tomás il Saggio a testimoniare, ma adesso era qui, e aveva fatto migliaia di chilometri per vedermi. Nessuno affronta un viaggio simile per dire delle banalità. E poi, insieme all'ansia di sapere, provavo l'innegabile curiosità di conoscere colei che era stata sposata con un uomo così singolare.

L'avevano fatta accomodare su una delle poltroncine davanti alla mia scrivania, e non girò subito la testa per guardarmi. Vidi per prima cosa i suoi capelli sfumati di delicate tonalità argentee e sentii il suo profumo dalle note fiorite.

– Buongiorno, signora de Latour, sono Petra Delicado.

Si alzò per stringermi la mano. Aveva una mano fragile ed elegante, ornata da discreti gioielli autentici.

– Come sta, ispettore? Forse lei non sa chi sono.

– Credo di sì: l'ex moglie di Tomás Calatrava, mi sbaglio?

– Ex moglie? È un termine che sento così lontano. Eppure sì, siamo stati sposati.

Malgrado l'età, aveva il volto sereno e armonioso delle donne che sono state molto belle. Ciò che più risaltava in lei erano due occhi azzurri luminosi, ma profondamente malinconici. Era vestita con il garbo e l'originalità di cui sono capaci solo le donne francesi. Respirò profondamente prima di parlare.

– Quel che ho da mostrarle avrei potuto perfettamente inviarglielo dalla Francia, ma ho preferito venire a parlarle personalmente. Volevo che la polizia spagnola comprendesse perché all'inizio avevo ritenuto opportuno non dire niente e ora ho cambiato parere. Come lei sa, talvolta le ragioni del cuore e quelle della ragione non coincidono.

– Lo so.

– Quando mia cognata mi ha informata della sua morte, ho ritenuto del tutto giustificato non venire in Spagna, perché ormai, dopo tanti anni, Tomás era poco più di un'ombra per me. Devo dire che la notizia non mi ha sorpresa, e nemmeno il fatto che fosse stato ucciso. Che cosa ci si può aspettare da un uomo che vive in mezzo a una strada, senza dignità, senza una casa, senza famiglia, senza giudizio? Mi stupisce, anzi, che non fosse successo prima: in una sbronza, in una rissa fra vagabondi... Ma la mia ex cognata mi ha detto che la polizia stava indagando e che non c'erano indizi su chi potesse essere l'assassino. Allora ho chiamato il commissario chiedendogli se fosse opportuno che venissi a prestare la mia testimonianza. Non l'ho fatto molto volentieri, lo ammetto. Non mi piaceva affatto vedermi coinvolta in una storia come questa dopo tanto tempo, ma... ci ho pensato bene, ho riflettuto, ho fatto vedere la lettera al mio attuale marito, e abbiamo deciso entrambi che, in effetti, era più facile non dire niente. Ci siamo perfino chiesti se questa lettera avesse un senso, date le condizioni mentali di chi l'aveva scritta...

– Di quale lettera sta parlando, signora de Latour?

– Di questa. Eccola, ce l'ho qui. L'ho ricevuta circa un mese prima della morte di Tomás.

Aprì la borsetta, ne tirò fuori una busta e me la porse. La aprii trattenendo il respiro. La lettera era scritta a mano con la grafia incerta di un uomo molto alterato. Lessi in silenzio.

Cara,
Esco un momento da questo orrore per avvicinarmi a te. Voglio che tu sappia che non ti ho mai dimenticata. So quan-

to hai sofferto per colpa mia. Mi dispiace, davvero. Non sono mai stato degno di starti accanto. Sono un pazzo e il mio posto è lo schifo in cui mi trovo. Ma voglio che tu sappia che sto per compiere un passo importante. Mi sono lasciato coinvolgere in una questione molto grave e ora voglio uscirne. Parlerò, e cadranno delle teste. Gente molto influente. Sarà qualcosa di cui sentirai parlare perfino in Francia. Sappi che lo faccio perché tu possa essere orgogliosa di me, perché tu veda che non sono una nullità. Non ti disturberò mai più. Ti auguro di essere felice. Viva Argentona!

TOMÁS

– Viva Argentona?

– Sì, il paese di suo nonno. Lo vede, le stranezze di Tomás. Non c'era più con la testa, poverino.

– Lui aveva il suo indirizzo?

– Pensavo di no, ma deve averlo chiesto a sua sorella, o averle preso l'agenda dalla borsa, non lo so.

– Le aveva mai scritto altre volte?

– No, mai. Per questo sono stata molto colpita dalla lettera, per questo l'ho tenuta. Non avrei mai pensato che per lui fosse come un addio alla vita.

– Che cos'ha pensato, leggendola per la prima volta?

– Niente. Cosa potevo pensare? Che il povero Tomás stava delirando! Solo adesso mi è venuto in mente che tutto ciò possa avere a che fare con la sua morte. Non lo pensa anche lei, ispettore?

– È probabile. La ringrazio molto di essere venuta.

– Mi sono detta: Dio mio, ti importa così poco di quest'uomo che non vuoi nemmeno fare qualcosa perché venga punito chi l'ha ucciso? È morto peggio di un cane. E mi creda, ispettore, prima di ammalarsi era un uomo brillante, intelligente.

– Non mi sorprende. Sa come lo chiamavano i suoi compagni di vagabondaggio? Tomás il Saggio. Così era conosciuto.

Avrei dovuto tenerlo per me, perché in quel momento l'emozione fece breccia nel severo autocontrollo della signora, che pur nella sua distinzione, si mise a piangere. Mi maledissi. Per una volta che una testimone non mostrava alcuna tendenza a drammatizzare, facevo del mio meglio per rovinare tutto. Le porsi uno dei fazzoletti di carta che tenevo nel cassetto della scrivania proprio per simili casi e le diedi qualche colpetto di prammatica sulla spalla.

– Si calmi, signora de Latour. Si calmi.

– Ah, mia cara. Quante illusioni ci facciamo! La vie en rose! Quando veniamo al mondo nessuno ci spiega com'è veramente la vita, e poi...

– Eppure, tutti vogliamo continuare a vivere, non le pare?

Mi guardò con gli occhi azzurri pieni di lacrime e disse, quasi sottovoce:

– C'est vrai.

Per farla andar via mi bastò informarla che era tenuta a ripetere le sue dichiarazioni davanti al giudice ed eventualmente a tornare in Spagna per un secondo interrogatorio.

Bene, la lettera era importante. Ci apriva nuove strade, e al tempo stesso confermava quella che già stavamo percorrendo, disegnando un chiaro movente: Tomás era stato tolto di mezzo perché voleva parlare. Accennava a gente influente. Era attendibile una dichiarazione simile da parte di un uomo non del tutto in possesso delle proprie facoltà mentali e dedito all'alcol? Eppure, tranne l'estemporaneo «Viva Argentona!», tutto il resto sembrava scritto in condizioni di piena lucidità. Chi dice che i pazzi lo siano per tutto il tempo? Chi dice che anche noi, che non siamo definiti tali, non attraversiamo momenti di totale pazzia?

Corsi di nuovo in cerca di Garzón. Era accasciato sulla sedia accanto a Genoveva, che andava avanti imperterrita, ipnotizzata dallo schermo. Non mi sentirono neanche entrare. Evidentemente, che si trattasse di identificare un delinquente o di cucinare una paella, quella donna si dedicava ai propri compiti senza risparmio. Mi sedetti vicino al viceispettore e gli bisbigliai all'orecchio la novità. Solo così riuscii a dargli la sveglia.

10

Dopo un'interminabile ora e mezza, quando ormai ero sul punto di darmi per vinta e chiedere all'illustre cuoca di continuare il giorno dopo, lei finalmente esclamò:

– Eccolo qui!

Garzón ed io allungammo il collo verso lo schermo con impazienza. Non c'era altro da vedere che una faccia, ma forse stavamo finalmente contemplando colui che ci avrebbe condotti allo scioglimento dell'enigma. Era un tizio sui quarant'anni, occhi chiari, capelli radi, aspetto comunissimo.

– È lui. Guardatelo, la stessa faccia da saccente che metteva su quando veniva nel mio bar.

Aveva ragione. Pur essendo una foto segnaletica, quell'uomo aveva un sorriso di sufficienza stampato sul volto.

– È di quei tipi pieni di sé, che si credono sempre un gradino più su degli altri. Non so cosa combinasse, ma per me un disgraziato simile non è capace di ammazzare nessuno. E non lo dico certo perché è un cliente, sa? Ma perché sono convinta che gli assassini non sono fatti così.

Avvertii un lieve pericolo di intromissione, per cui ringraziai Genoveva e accennai ad alzarmi in piedi. Ma lei era combattiva.

– Non crederete di liberarvi di me senza nemmeno dirmi come si chiama? Non è che me ne importi molto, ma che prima mi usiate e poi mi mettiate alla porta senza nemmeno una spiegazione… Sono un essere umano anch'io, ho le mie curiosità.

Garzón ed io ci guardammo stupefatti da quella reazione inaspettata. Poteva creare qualche problema che lei sapesse il nome dell'indiziato? Probabilmente no. Il viceispettore si sedette alla tastiera e aprì la scheda. Poi ci guardò tutto serio e disse:

– Arcadio Flores Aragón. Ecco come si chiama.

Temetti che Genoveva osasse chiedere altri particolari, ma non fu così. Fece un gesto di assenso, come se il nome di quell'individuo dicesse già tutto, e si dispose ad andarsene con la massima ragionevolezza.

– Bene, così è già diverso. Non mi va di essere usata e basta. È come quando ti dicono di tagliare le cipolle ma non ti spiegano il resto della ricetta. Non mi va, io voglio sapere cosa ci sta a fare la cipolla nell'insieme. Sono una cuoca, non una sguattera, sarà per questo, forse.

La congedammo con tutti gli onori. Appena fu uscita, guardai Garzón.

– Che gliene pare della signora? Un bel caratterino, no?

– Sì, più che tagliare le cipolle quella taglia i panni addosso alla gente. In ogni caso credo ci sia da fidarsi di quello che dice. Vediamo cosa c'è scritto qui.

Aprì completamente la scheda di Arcadio Flores Aragón e si mise a leggere con interesse.

– È schedato per una truffa molto diffusa: ha venduto lo stesso appartamento a due persone diverse. Naturalmente l'immobile non era nemmeno suo, ma di una sorella, che l'ha denunciato, oltre ai due truffati, naturalmente. È stato accusato di truffa e falso in atto pubblico. Ma non ha fatto più di due mesi di carcere.

– Di quando stiamo parlando?

– Del 1999.

– Nient'altro?

– Nient'altro. Non è mai stato arrestato, né prima né dopo.

– Porca puzzola!

– Questa è una buona esclamazione. Andiamo a casa di questo Arcadio?

– Sì, chiami il giudice che ha istruito il caso perché faccia cercare il fascicolo.

– Agli ordini, ispettore.

– A cosa si deve tanta marzialità?

– Sono contento, ispettore, credo che siamo sulla dirittura d'arrivo, e quando sono contento mi viene un piglio marziale.

– Sì, anch'io sono contenta, ma si ricordi che a volte ci sono diritture molto lunghe.

– Lei quand'è contenta mette su il muso. Che cosa fa quand'è depressa, predice l'Apocalissi?

– Io sono prudente, Fermín, e la prudenza non conosce stati d'animo.

– Porca puttana!

– Anche questa è una buona esclamazione. Andiamo?

L'indirizzo che avevamo sulla scheda ci portò in un quartiere di classe media assolutamente impersonale. Il numero 39 di calle Padilla corrispondeva a uno stabile indistinguibile dagli altri, dove, come c'era da aspettarsi, Arcadio Flores non abitava più da tempo. Dovemmo rivolgerci all'agenzia immobiliare che gli aveva affittato l'appartamento. Ottenemmo informazioni assai poco illuminanti: era stato un inquilino educato, aveva sempre pagato puntualmente ogni mese, ma al momento di disdire il contratto non aveva lasciato alcun indirizzo. Domicilio sconosciuto, questo era il dato di fatto da cui dovevamo partire, cosa del tutto prevedibile ma poco incoraggiante.

Il giorno dopo, una delle cancelliere della sezione numero 11 del tribunale ci illustrò molto cortesemente il fascicolo di Flores.

– In sostanza questo signore ha sottratto il contratto d'acquisto di un appartamento di proprietà della sorella, María Flores Aragón, falsificandone il nome per metterci il suo. Poi si è intascato una caparra di settecentomila pesetas da due acquirenti diversi. Entrambi l'hanno denunciato, così come ha fatto la sorella stessa. Si è beccato una condanna a sei mesi di reclusione, ma visto che era incensurato il giudice ha stabilito che fosse scarcerato dopo due mesi, purché restituisse il denaro alle parti danneggiate e versasse alla sorella un indennizzo di cinquecentomila pesetas. Il tutto entro trenta giorni dalla sentenza.

– E l'ha fatto?

– Sì, ha pagato entro il termine. Pensi, solo una settimana dopo. Doveva aver tenuto da parte tutti i soldi della truffa.

– E risulta nel fascicolo l'indirizzo della sorella?

– Sì, e anche quello delle due vittime. Glieli segno?

– Sì, la prego.

In strada, Garzón mi guardò serio come la morte.

– Lei crede davvero che quello avesse tenuto da parte il malloppo?

– Non è un comportamento molto in linea col profilo di un truffatore.

– E l'indennizzo? Da dove l'ha tirato fuori, secondo lei, l'altro mezzo milione?

– Non lo so, Garzón, l'avrà avuto in banca.

– Oh, certo! Uno è così disperato da vendere due volte l'appartamento di sua sorella e poi, non solo ha un conto in banca, ma mette via il ricavato della truffa... A me non quadra.

– Neanche a me. Bisognerà interrogare tutta questa gente. Credo che le nostre strade debbano dividersi qui: lei va a sentire cos'hanno da dire i due truffati, io vado dalla sorella del truffatore. Sa bene cosa bisogna chiedere: dove l'hanno conosciuto, in quali circostanze, se agiva da solo o c'era qualcuno con lui e, naturalmente, se hanno qualche idea di dove si trovi adesso.

– È un po' che faccio questo mestiere, Petra... Ma adesso è quasi ora di pranzo.

– Meglio, così non staranno lavorando.

– Quasi tutti mangiano fuori oggigiorno. Non sarebbe

meglio buttare giù un boccone anche noi e poi riprendere?

– Viceispettore, le prometto una merenda luculliana alla Jarra de Oro, però...

– Va bene, va bene, ma non dica che sono un mangione solo perché mi piace essere un po' organizzato.

– Un mangione? Non penserei mai una cosa simile di lei!

Non mi aspettavo di essere ricevuta con gli squilli di tromba, ma nemmeno con l'artiglieria pesante, eppure in pratica fu questa l'accoglienza che trovai. La sorella di Arcadio Flores e suo marito stavano pranzando quando suonai alla porta. Venne lei ad aprire. Quando dichiarai di essere un poliziotto, la signora ammutolì e mi guardò spaventata. Comparve immediatamente il marito.

– Cosa diavolo succede qui?

– La signora è un ispettore di polizia.

– Vorrei parlare un attimo con voi di Arcadio Flores Aragón. Lei è la sorella, vero?

Lui sbottò immediatamente:

– Non può venire in un altro momento? Stiamo mangiando, io faccio il tassista, passo tutta la giornata in macchina e vorrei...

Lo bloccai con fermezza.

– Questa non è una visita di cortesia, né un'inchiesta di marketing. Siete tenuti a rispondere alle mie domande.

Mi fecero entrare controvoglia. In soggiorno c'era la

tavola apparecchiata e il televisore acceso. Due piatti di minestra avrebbero ben presto cessato di fumare. Mi rivolsi alla donna.

– Signora, suo fratello…

Lei mi interruppe angosciata.

– Gli è successo qualcosa?

Le ire del marito non si erano placate.

– Ma che cazzo deve succedergli ancora? Si sarà ficcato in qualche altro casino! Non credevate che tutto d'un colpo fosse diventato uno stinco di santo? Cos'ha combinato stavolta?

– Sono venuta a chiedervi se sapete dove vive.

– Noi? E cosa dobbiamo saperne noi? Le pare poco quello che ci ha fatto? Ha rubato a mia moglie l'atto di un alloggio e ha cambiato il nome sopra per poterlo vendere. Quel cornuto! Non vogliamo più saperne niente di lui. Quindi, se si è di nuovo cacciato in qualche brutta storia, qui non caverete un ragno dal buco.

Gli lanciai uno sguardo gelido e chiesi di nuovo a sua moglie:

– E lei, María, sa qualcosa di lui?

Era terrorizzata, stava per mettersi a piangere.

– No, non sappiamo dove abita.

– Ma cosa le ho detto? Scusi, ma secondo lei dopo lo scherzo che ci ha fatto noi stiamo ancora a preoccuparci per quello là? No, per Dio, no! E se si è ficcato in un altro casino non è proprio il caso che la polizia venga a rompere le scatole a noi.

– Ha fatto qualcosa di male? – chiese la sorella con un filo di voce.

– Può darsi, ma non lo sappiamo ancora con certezza, per questo abbiamo bisogno di parlargli.

– Di sicuro ha preso per il culo qualcun altro... Uno così non lo cambi! Per questo ho detto a mia moglie: «Non rivolgergli mai più la parola, hai capito? mai più! E se un giorno si presenta qui, lo butti giù dalle scale!».

– Non vi ha lasciato un indirizzo o un numero di telefono l'ultima volta che vi siete visti?

– Ma se quello si fa vedere io l'ammazzo! Quello è un vigliacco, e lo sa benissimo che non gli conviene.

– Va bene, vi lascio mangiare tranquilli. Ma se mai doveste sapere qualcosa...

La sorella si alzò per accompagnarmi, mentre il marito mi congedò con un grugnito. Sulla porta, mi girai e la guardai dritto negli occhi:

– Signora, mi raccomando, se mai dovesse sapere qualcosa...

Dal soggiorno giunse un ordine imperioso:

– María, vieni a tavola!

– Arrivederla – mi disse precipitosamente, e chiuse subito la porta alle mie spalle.

Dall'altra parte della strada c'era un piccolo bar tutto lustro nella sua modestia. Ordinai una birra e mi sedetti vicino alla vetrina. Mezz'ora dopo vidi uscire il tassista con uno stecchino fra i denti. Aspettai che fosse sparito dietro l'angolo e mi diressi nuovamente verso la casa. Suonai il campanello. Non appena mi vide, María Flores si mise a piangere.

– Entri.

– María, non voglio crearle dei problemi, ma ho avuto l'impressione che lei non potesse parlare liberamente.

Si asciugò gli occhi con aria tristissima. Mi fece entrare nel soggiornino, dove aveva già sparecchiato. Ci sedemmo su due poltrone rivestite di fodere a grandi fiori.

– Mio marito non è cattivo, forse dice troppo pane al pane, tutto qui. Il fatto è che quando si tratta di mio fratello... Io lo capisco, è stato molto brutto quello che ci ha fatto. Ma nemmeno mio fratello è cattivo, è stato sfortunato, ecco. I nostri genitori ci hanno lasciato in eredità due piccoli appartamenti, uno per uno. Lui ha subito venduto il suo. Ha frequentato cattive compagnie, gente che viveva al di sopra delle sue possibilità... Ma lui no, non è cattivo. Io non volevo denunciarlo, avrei voluto che tutto restasse in famiglia, però mio marito ha insistito e allora...

– Ha avuto più notizie di lui?

Si guardò intorno come se il marito potesse essere nascosto da qualche parte.

– Veramente...

– Nessuno saprà che ha parlato con me.

– Che cosa gli farete?

– Niente, ci sono solo dei sospetti, ma se lei sa qualcosa deve dirmelo, per il bene di suo fratello.

– Sarà stato quasi un anno fa, mi ha telefonato. Ci siamo visti in un bar. Se Manolo lo sapesse sarebbe capace di ammazzarmi! Ma è pur sempre mio fratello, dovevo andarci, sapere cosa gli era successo dopo tanto tempo. Lui voleva solo chiedermi scusa per la storia dell'appartamento. Poverino. Ha tirato fuori dal portafogli duecentomila pesetas, in una busta, e voleva che le prendessi. Gli ho detto di no, che non potevo giustificare tutti quei soldi davanti a Manolo. Gli ho chiesto come li avesse guadagnati. Mi ha detto che era tutto legale, che aveva uno stipendio molto buono, lavorava per un tale che aveva una… una fondazione.

– Una fondazione? Che tipo di fondazione?

– Non so, non faccia caso a quello che dico, magari non ha detto proprio fondazione, o magari sì. Ad ogni modo io ero molto agitata, piangevo, se lo può immaginare!

– Le ha lasciato il suo indirizzo? Un numero di telefono?

– No.

– Le ha detto qualcosa su questa fondazione? Dove si trovava? Come si chiamava quel signore per cui lavorava?

– No, ispettore, non ha detto niente. Ho dovuto chiedergli di non telefonarmi più, se non voleva mettermi nei guai con Manolo. È triste questo per una donna, dover scegliere fra il marito e l'unico fratello. Certe volte penso che è meglio che i miei siano morti, così non possono vedere com'è andata a finire la nostra famiglia.

– Vi siete salutati per sempre?

– Non ha più chiamato, glielo giuro su Dio. Ha voluto a tutti i costi che tenessi i soldi. Li ho dati ai miei figli. Abbiamo due figli grandi che vivono già per conto loro. Centomila pesetas per ciascuno. E gli ho chiesto di non dirlo al loro padre.

– Va bene signora. Se mai suo fratello dovesse mettersi di nuovo in contatto con lei… qui c'è il mio biglietto da visita. Considererò le informazioni che mi ha dato come confidenziali.

– La chiamerò, glielo prometto. Non voglio che mio fratello prenda di nuovo una cattiva strada e gli succeda qualcosa di brutto.

Feci rotta verso la Jarra de Oro, e di lì telefonai a Garzón. Mi disse che sarebbe arrivato in meno di mezz'ora. Mentre lo aspettavo bevvi un'altra birra. Una fondazione. Che diavolo di fondazione poteva essere? Aveva capito bene quella donna? Era solo una scusa di Flores per giustificare la somma che le stava dando? Da dove tirava fuori tanti soldi quel furfante?

Garzón quasi non mi salutò.

– Ha già mangiato, ispettore?

– La stavo aspettando.

– Non so come faccia a resistere tanto tempo senza mangiare. Fa yoga o qualcosa del genere? Io non sto più in piedi, a momenti mi gira la testa.

Ci sedemmo a un tavolo e chiedemmo il menu. Ma ormai era tardissimo e i piatti del giorno erano finiti.

– E allora due uova fritte con patatine e prosciutto, e un piattino di olive mentre aspettiamo. Ho bisogno di mettere subito qualcosa sotto i denti.

– Le cose che ha saputo non l'hanno nutrita?

– Non ho avuto questa fortuna. Nessun nutrimento, né per il corpo né per la mente.

– È riuscito a vederle tutte e due, le vittime dell'imbroglio?

– Sì, ma è stato tempo perso. Può immaginarselo, gente semplice, che non capiva niente di niente. E come tut-

286

ti i truffati, segretamente avari. Flores gli aveva offerto l'appartamento a un prezzo molto inferiore a quello di mercato. E quelli hanno abboccato, i furbi, e gli hanno dato la caparra. A nessuno dei due è venuto in mente di verificare i dati al catasto o di chiedere consiglio a un avvocato... niente! Volevano approfittare dell'occasione, spendere poco e basta. Finché non si sono scoperti gli altarini.

– Hanno saputo ancora qualcosa di Flores?

– Figuriamoci! Anche se gli ha restituito i soldi, uno di loro dice che se lo rivede gli spacca la faccia. L'altro era meno compassionevole, quindi... non credo che Flores tornerà mai a cercarli in vita sua.

Portarono le uova fritte, e Garzón ci si buttò sopra come Robinson Crusoe al suo primo pasto decente dopo il naufragio.

– Che cosa dicono quei due sul nostro truffatore?

Malgrado l'energica masticazione, riuscii a capire qualcosa.

– Be', che era un tipo molto distinto, che parlava bene, che si vedeva che aveva studiato... secondo loro, certo. Ben vestito, con un bell'orologio, la biro d'oro, il cellulare ultimo modello...

– Questo completa un pochino il ritratto.

– Molto poco. E a lei com'è andata?

Gli raccontai la faccenda della fondazione. Alzò per un attimo gli occhi dal piatto per considerarla in tutto il suo valore.

– È una donna istruita questa María?

– Non troppo.

– E allora la fondazione può essere qualunque cosa:

un'agenzia di assicurazioni, una banca... e se poi dice che non lo sapeva nemmeno lei... può aver scelto una parola a caso, una parola che le sembrava rispettabile.

– Bisogna chiedere un ordine di cattura, Garzón, magari può servire a qualcosa.

– Dobbiamo anche tornare a visitare gli istituti di carità, bisogna muoversi anche su quella via... Sa cosa mi prenderei, adesso, Petra?

– Altre due uova fritte?

– Ha indovinato! Ma visto che non abbiamo tempo, mi accontenterò di un crème caramel con tanta panna montata. E lei?

– Le uova mi bastano. Prendo solo il caffè.

Chiamò il cameriere con gesto impetuoso e, fatta l'ordinazione, mi chiese un po' turbato:

– Ispettore, non vorrei sembrarle sfacciato ma... domani è sabato.

– E quindi?

– Mio figlio parte domenica mattina.

– Dio mio, Fermín, mi scusi, me ne ero completamente dimenticata! Domani è la sera della grande festa!

– Mi dica di cosa abbiamo bisogno e io vado a fare la spesa.

– Non si preoccupi, ci andremo insieme. E anche la lista degli invitati, la faremo insieme.

– La lista?

– È una grande festa, no?

Devo ammettere che mi ero davvero dimenticata della solenne festa d'addio. In realtà non ne avevo più tanta voglia, ma mi sentivo in debito col mio assistente. Immaginavo che lui avrebbe fatto la stessa cosa per me, come sempre immaginiamo quando non troviamo una buona ragione per fare una cosa che ci viene a noia. Ad ogni modo erano anni che non organizzavo niente a casa mia, e questa volta anch'io avevo un invitato importante: Ricard. Nell'eventualità che un giorno dovessimo vivere insieme, non era una cattiva idea verificare come si muoveva nel mio ambiente. Ma si poteva forse dire che il mio ambiente fosse rappresentato da quell'accozzaglia di invitati? Le sorelle Enárquez, il giudice García Mouriños, il figlio di Garzón e il suo compagno, la povera Yolanda e il viceispettore. Ne avevo viste di feste strane, ma quella prometteva di essere un pezzo da collezione. Anche se in fondo era di questo che si trattava: dare una parvenza di normalità a una situazione traballante nel suo insieme.

Il sabato mattina avevo appuntamento con Garzón. L'ordine di cattura era già stato spiccato, quindi dedicammo la giornata ai preparativi per la festa. Avevamo deciso di ordinare i vassoi di tartine già fatti, un arrosto e diversi tipi di affettati a una ditta di catering. Noi ci saremmo occupati delle insalate. La mia richiesta di pagare tutto fu assolutamente respinta da Garzón, che volle farsi carico di metà delle spese. Non era il caso di litigare e le cose rimasero così.

Per capire che quella festa dovesse essere un po' particolare bastava vedere me e il mio collega in giro per negozi come una coppia affiatata. Naturalmente il viceispettore non considerò nemmeno l'idea di adottare un abbigliamento informale per una mattina come quella. Anzi, si incapsulò in uno dei suoi gessati più emblematici come se avesse deciso di farsi seppellire con gran pompa.

C'era il sole, e in Rambla de Cataluña la gente passeggiava e faceva acquisti con la tipica spensieratezza di una giornata libera. Ci guardavano, naturalmente, facendo ogni genere di congetture sul legame che poteva unirci. A un certo punto il viceispettore fu colpito da una coppia con tre bambini piccoli per mano.

– Che bella famiglia! – disse, in un raptus idilliaco.

– Non si lasci ingannare. I bambini rompono le scatole e i genitori sono tutti stressati. Le famiglie non sono fatte per vivere in città.

– Lei crede? Io avevo sempre pensato che avere una famiglia fosse una grande gioia.

– Un male minore. La gente ha paura, e si sente più tranquilla a fare come tutti gli altri.

– Già. Però a me sarebbe piaciuto diventare nonno, sa?

– Garzón, per favore, un'affermazione del genere è indegna di lei!

– Davvero? Non vedo perché. È il ciclo della vita, e sapere di farne parte è tranquillizzante.

– Balle, tutte balle. La gente cerca di dimenticarsi in tutti i modi che appartiene al regno animale, e poi mitizza delle semplici tappe biologiche: l'amore, la paternità, la famiglia... Nomi sublimi per realtà prosaiche come l'accoppiamento, la riproduzione, la formazione del gruppo.

– Non le do torto. E se le dicessi che io aspiro solo a soddisfazioni animali?

– I leoni non hanno nipoti.

– Porca miseria, ispettore! Ma perché è così antipatica? C'è qualcosa nel mondo che le va bene?

– Ogni tanto sì. Ma detesto le storie che tutti accettano sapendo benissimo che sono fasulle.

Si mise a ridere, rischiando di far esplodere il gilè, che lo fasciava come un busto.

– In fondo lei mi diverte, Petra, sempre ad accapigliarsi con la vita, con le cose più normali… In fondo è un'ottimista. Un pessimista non sarebbe capace di analizzare in modo così spietato la realtà, morirebbe dalla disperazione.

– La disperazione brucia troppe energie. E poi bisogna aver molto coraggio per essere completamente disperati, e io non ce l'ho. Sa cosa penso? Che col tempo divento sempre più vigliacca.

– Come mai?

– Non so, sono considerazioni che faccio. Pensi che l'altro giorno stavo perfino valutando se non fosse il caso di andare a vivere con qualcuno, di finirla con la solitudine.

Rimase muto. Digerì la sorpresa in silenzio e poi chiese, in tono falsamente disinvolto:

– Con chi, con lo psichiatra?

– Con qualcuno, ho detto, senza specificare.

– Ah!

Mi pentii immediatamente di avergli fatto una simile confessione. Prima che potessero saltar fuori altre domande, cambiai bruscamente discorso riportandolo al presente.

– Senta, Fermín, sono un po' stufa di girare a vuoto. Ormai il catering l'abbiamo ordinato. Adesso scendiamo al mercato della Boquería e compriamo le verdure per le nostre insalate. Poi lei mi offre una birra sulla plaza Real. Che ne dice?

– Un piano perfetto, niente da obiettare.

Il mercato della Boquería ci accolse in tutto il suo splendore, e non fu facile strappare Garzón allo stato contemplativo in cui cadeva davanti a qualunque bancarella esponesse merci insolite: funghi, frutti tropicali, verdura esotica... Era come un turista in pieno tour. Non c'è bisogno di dire che il suo abbigliamento fece sensazione fra le venditrici, che per attirare la nostra attenzione non esitavano a lanciargli epiteti come: bello di mamma, fusto, maschione e perfino playboy. Ammetto che mi sentii sollevata quando uscimmo di lì, e ancora meglio quando mi sedetti con la faccia al sole a un tavolino della plaza Real e ordinammo due birre. Ma la felicità è effimera per definizione. Avevo ancora gli occhi piacevolmente chiusi, quando sentii:

– È innamorata di lui?

– Come?

– Be', dello psichiatra, di Ricard.

– Non lo so, non me lo sono chiesto.

– Non se lo è chiesto e sta pensando di vivere con lui? Non la capisco.

– Non c'è niente da capire. È un uomo simpatico, colto, attraente, e gli piaccio da morire. Sarebbe una convivenza facile. Così magari la sera, quando arrivo a casa distrutta, il cattivo umore mi passa parlando con lui.

– O al contrario, potrebbe anche venirle. Secondo me i progetti di vita così razionali non possono funzionare.

– Perché, funzionano meglio quelli irrazionali?

– L'amore mi sembra indispensabile.

– Lei era innamorato di sua moglie?

– No.

– Eppure avete vissuto insieme trent'anni.

– Allora era molto diverso. A quei tempi si rispettavano le tradizioni. Se trovavi una brava ragazza ed eri sui venticinque anni, dovevi sposarti per forza. Non potevi fare altrimenti.

– Be', forse lei non è tanto cambiato. Continua a credere che bisogna per forza fare certe cose per rispettare le tradizioni.

– Cosa vorrebbe dire?

– Lei ha un figlio stupendo, intelligente e brillante nel suo lavoro, ma visto che secondo le tradizioni dovrebbe sposarsi e darle tanti nipotini, non vuole rassegnarsi ad accettare la sua omosessualità.

Divenne serio.

– Questo è un colpo basso, Petra.

– Un colpo basso?

– Stavamo parlando di lei, e per di più ha toccato un argomento molto delicato e personale che sto affrontando con profonda sofferenza.

– Pensa che l'idea di affrontare una convivenza per eludere i momenti più duri della solitudine sia una sciocchezza per me? Crede che il panico di fronte a un possibile terzo matrimonio mi susciti un sentimento facile da affrontare?

Calò un silenzio risentito. Arrivò il cameriere, per chiederci con una cantilena idiota:

– Altre due birrette, signori?

– No grazie, va bene così – rispose educatamente il viceispettore.

Gli misi una mano sul braccio.

– La chiudiamo in pari, Fermín? Mi dispiace se l'ho offesa.

– No, è lei che deve scusare me. Non mi ha offeso, perché ha ragione.

– Lasciamo perdere la vita privata, d'accordo? Ma si rende conto? Questa società ci condiziona al punto che l'unica cosa che ci interessa sono i nostri stupidi sentimenti personali. Dovremmo preoccuparci di cose ben più importanti.

– Come per esempio?

– Problemi di interesse collettivo: l'inquinamento, il pericolo nucleare, la fame nel mondo...

Garzón si guardò intorno con scetticismo. La gente prendeva allegramente l'aperitivo senza un solo pensiero.

– Secondo me è proprio il fatto che non soffriamo la fame a farci pensare troppo ai sentimenti. I nostri nonni si rompevano la schiena dall'alba al tramonto per un piatto di minestra, e non pensavano certo ai traumi psicologici. Chissà se ne avevano, poi. In ogni caso, questo discorso sulla fame mi ricorda che dovremmo pur mangiare qualcosa prima di andare a casa sua e mettere alla prova le nostre abilità culinarie.

– Mangiare? Ma se stasera ci abbufferemo! Uno spuntino leggero, semmai.

– Miseria, ispettore, lei mi impone dei digiuni che quelli di Gandhi al confronto erano passeggiate!

Ci alzammo ridendo tutti e due, ma avevamo ancora un nodo alla gola che ci avrebbe messo un po' a sciogliersi. Troppa vita privata, o troppo poca fame, a volerla vedere come Garzón.

Per tutto il pomeriggio constatai che il viceispettore aveva fatto grandi progressi nella sua carriera di cuoco. Sapeva perfettamente quanto tempo dovevano bollire le uova per essere sode al punto giusto e affettava la cipolla con un movimento meccanico e reiterato come un tic. Si vedeva, per di più, che era molto soddisfatto delle sue nuove abilità, e si permetteva perfino qualche suggerimento innovativo che non sembrava un'eresia, come aggiungere dei capperi alla maionese o del sesamo nell'insalata. Niente a che vedere con la prima cena che avevamo preparato insieme tanti anni prima, quando ancora abitava alla pensione. Glielo dissi, e lui ne fu così orgoglioso che per poco non si tagliava un dito esibendo la sua destrezza.

– È tutto cambiato, Petra. Sono almeno sette anni che lavoriamo insieme, io e lei. Ci conosciamo molto bene, ormai.

– Per questo possiamo farci tanto male con quello che diciamo, vero?

– Non credo, né io né lei vogliamo…

– Può starne certo.

Si tolse il grembiule che gli avevo prestato e fece una piroetta euforica sui tacchi.

– Bene, per festeggiare tutte queste belle cose, e perché non si perdano le buone abitudini, approfitto della confidenza, visto che siamo a casa sua, e propongo di farci un bicchierozzo. Mica tutto dev'essere un'*ora et labora*. Le pare?

– Lei è più saggio dello stesso san Benedetto. Vada, ormai lo sa dov'è il mobile bar.

Bevemmo alla salute di vari santi e anche di qualche beato. Pensai che Garzón ci stesse dando dentro con l'alcol allo scopo di reggere nel modo più brillante possibile quello strano omaggio a suo figlio, ma forse le mie antenne psicologiche erano troppo dritte. Finimmo di preparare le insalate e le mettemmo in frigorifero. Avevano un aspetto stupendo. Il viceispettore guardò l'ora.

– Crede che andrà tutto bene, Petra?

– Ma certo. Fra poco arriveranno quelli del catering, non si preoccupi. Sono quasi sempre puntuali.

– Mi riferivo all'inchiesta. Sappiamo bene che un ordine di cattura può metterci dei mesi a dare dei risultati, se poi li dà.

– Nel frattempo ci affideranno un altro caso.

– È di questo che ho paura. Se ce ne danno un altro, questo rimarrà irrisolto. E a un passo dalla fine! I suoi barboni rimarranno senza vendetta.

– Senza giustizia, vorrà dire. Ma non si scoraggi, incontreremo di nuovo tutte le persone che possono aver visto Arcadio Flores, interrogheremo i clienti del bar di Genoveva, torneremo alla Caritas e in altre istituzioni simili. E poi adesso abbiamo la sua foto. Ci restano ancora molte cartucce da sparare.

Sospirò e guardò il soffitto. Poi buttò giù l'ultimo sorso di martini che gli era rimasto nel bicchiere. Guardò me:

– Speriamo che finisca bene.

– Presto o tardi lo prenderemo, le do la mia parola d'onore.

– Mi riferivo alla storia di mio figlio e del suo fidanzato.

– Senta, Fermín, perché non cerca di dare un filo logico al discorso? Più che altro per riuscire a capirsi.

– Mi scusi. È che sono nervoso, agitato. Quest'idea della festa, non so se…

– Venga con me, sistemiamo le cose nel soggiorno. Poi ci facciamo belli.

Mi obbedì come un bambino che ha bisogno di una guida. Disponemmo piatti e bicchieri a un'estremità del tavolo dove sarebbe stato allestito il buffet. Misi i fiori che avevo comprato in vasi strategicamente disposti e, come ultima cosa, accesi due enormi candele.

– Che gliene pare?

– Molto carino, ma mi dispiace che si dia tutta questa pena per me.

– Non si preoccupi. Come ogni donna di mondo, sono abituata a ricevere.

– Questo si vede.

– Vado a cambiarmi e a darmi un po' di rossetto. Lei intanto potrebbe scegliere i dischi da ascoltare durante la cena.

– Musica classica, no?

– Meglio del jazz.

Salii nella mia stanza e, mentre mi truccavo, sentii suonare alla porta quelli del catering per la consegna della cena, e Garzón che li riceveva dando tutte le istruzioni opportune, da perfetto padrone di casa. Era una situazione curiosa, che mi divertì e che in fondo trovai molto piacevole. È rilassante che qualcuno apra la porta mentre tu stai facendo qualcos'altro, che prenda le redini al momento giusto. Sì, vivere in compagnia presentava dei vantaggi, chi poteva negarlo.

Scesi con un semplice vestito rosso scuro e i capelli raccolti sulla nuca. Senza nessun gioiello, ben truccata. Garzón fischiò.

– Che bambola!

– È un complimento antiquato.

– Sembra una creatura digitale, allora.

Gli sorrisi e considerai la sua tenuta. In cucina era rimasto in maniche di camicia, ma ora si era rimesso gilè, giacca e cravatta, riportando in vita il fantasma di Al Capone. Mi permisi un suggerimento estetico:

– Perché non rimane con la camicia, come prima?

– Perché? Non vado bene così?

– Un po' troppo formale.

– Ma lei è elegantissima.

– È sempre così alle feste private: le donne si vestono in modo ricercato, mentre gli uomini scelgono un look disinvolto.

– Non lo sapevo. Allora mi tolgo la cravatta.

– Aspetti, si tolga anche la giacca e tenga il gilè. Le presto un foulard. No, meglio una sciarpa leggera. Ne ho una di lana inglese che le starà benissimo. Sembrerà Georges Brassens.

– È sicura? Non un cantante di flamenco?

– No, no, assolutamente! Avrà un aspetto... di tendenza! È così che si dice oggi.

– E va bene, facciamo tendenza.

Con la sciarpa disinvoltamente appesa al collo aveva certamente l'aria di un vecchio chansonnier più che di un frequentatore di locali trendy, ma visto che non ero sicura che gli piacesse l'analogia, mi limitai a dirgli che era stupendo.

– Ho una fame, ispettore! Posso assaggiare un canapè?

– Neanche per sogno!

Alle nove in punto il campanello suonò. Dentro di me pregai che non fosse Ricard, non sarei riuscita a sopportare la tensione che si creava ogni volta nel nostro strano triangolo. Le mie preghiere furono accolte, perché si trattava del nostro vecchio amico, il giudice García Mouriños.

– Petra Delicado, la montagna verso cui Maometto non può fare a meno di andare!

– Non si può certo dire che Maometto sia venuto troppo spesso, ultimamente!

– Il lavoro, il lavoro, cosa vuole che le dica! Ma è una vergogna che ci vediamo solo per motivi professionali.

– Ha perfettamente ragione. Ma visto che non mi invita più al cinema e non chiede più la mia mano...

– Perfino Maometto si sarebbe stufato di prendere tante porte in faccia! Ha qualcosa da bere?

– Ho di tutto. Chieda e le sarà dato.

Il viceispettore fece la sua comparsa. Il giudice esclamò:

– Caspita, Fermín, che eleganza! Stasera ha un'aria alla Maurice Chevalier che le dona tantissimo.

– Be', è un po' passato di moda il suo Chevalier!

– Niente affatto. È un classico. Quando il tempo passa e un personaggio rimane indimenticabile, diventa un classico. Non lo sapeva?

– Allora, classico per classico, avrei preferito vestirmi da antico romano.

García Mouriños esplose in una risata da far risuonare un intero teatro.

– Ma quest'uomo protesta sempre! Ha mai visto nessuno che protesta quanto lui, ispettore?

– Quant'è vero Dio no, giudice.

– Stupendo, lei dà ragione al mio capo!

– Sentite, questi battibecchi da commedia brillante sono davvero irresistibili, ma nessuno vuole versarmi un dito di whisky?

Dalla familiarità che correva fra Garzón e il giudice capii che uscivano ancora in «comitiva» con le sorelle Enárquez. Mentre stavo servendo i whisky, suonarono di nuovo. Erano loro, le due inseparabili sorelle, che accolsi con vera gioia. Ci abbracciammo, ci sbaciucchiammo nel migliore stile social-femminile e potei constatare con piacere che non avevano perso un briciolo del loro glamour. Vistose, eleganti con una punta d'eccesso, perfette come sempre fino all'ultimo dettaglio, erano il più chiaro esempio di come si possa essere eternamente giovani. Mercedes fece un giro ammirativo per la sala:

– Che delizia di casa, Petra! Sapevo che non avevi i portacenere pieni di cicche e giornali vecchi sparsi dappertutto come i poliziotti dei film, ma un gusto così squisito è fuori del comune!

Rimpiansi che Ricard non fosse lì a sentire.

– Non credere, quello che si vede nei film è la pura verità, solo che ho cacciato tutti i giornali sotto il letto e le cicche le ho buttate dalla finestra.

Beatriz fu colpita da Garzón:

– Fermín, come ti sei vestito oggi?

Il viceispettore mi guardò con odio. Disse rassegnato:

– L'idea era di avere un look informale.

– E ci sei riuscito! Più che informale direi che è perfino… – cercò la parola senza trovarla. García Mouriños gliela offrì con piacere:

– Deforme?

Il povero viceispettore dovette sopportare le risate generali, sebbene io cercassi di moderare le mie perché mi sentivo un po' in colpa. Per fortuna, in quel momento arrivò Ricard. Non dimenticherò mai la sua espressione quando vide i miei invitati in tutto il loro splendore. Mi lanciò subito uno sguardo canzonatorio. Ma poi, una volta fatte le presentazioni, cominciò a capire che se il loro aspetto poteva apparire pittoresco, e la loro età superava abbondantemente la media, erano tutti in perfetta forma e dotati di un umorismo che non dava tregua.

– Ma da dove hai tirato fuori questa congrega? Sono incredibili!

Gli dissi di stare zitto e di servire da bere, per tenerlo impegnato. Presto l'atmosfera si calmò un poco e cominciammo a bere chiacchierando. Garzón mi bisbigliò all'orecchio:

– E quello stronzo di mio figlio, non può arrivare puntuale come tutti gli altri?

– Vuole cercare di non essere così nervoso? È una festa, mica un processo, non c'è bisogno di arrivare con assoluta puntualità. Anzi, è segno di distinzione farsi aspettare un po'.

– Lei e le sue idee da donna di mondo! Mi ha fatto conciare come un buffone e adesso tutti mi prendono in giro!

– Per favore, Fermín, nessuno la prende in giro. Semplicemente ha un aspetto diverso dal solito e questo attira l'attenzione. È normale.

Brontolò ancora sottovoce. Davvero era conciato così male? Io lo trovavo molto meglio che col suo vestito da caro estinto, ma tutte quelle battute mi avevano fatta sentire responsabile. E poi, cominciai anch'io a patire del ritardo di suo figlio. Naturalmente, come ogni preoccupazione prematura, fu del tutto inutile. Dieci minuti dopo, fra scuse d'ogni genere, fecero la loro comparsa il figlio di Garzón e l'americano. Osservai il fidanzato con molta attenzione. Era alto, attraente, vestito con eleganza. L'orecchino che aveva al lobo era un particolare irrilevante in un aspetto generale assai poco vistoso, molto corretto. Se era vero che rideva di continuo, quello poteva essere semmai un aspetto piacevole del suo comportamento, più caratteristico della sua nazionalità che di una personalità volgare o superficiale. Davvero, Garzón non aveva motivo di lamentarsi. Quell'uomo era ben lontano dall'essere una «checca» sculettante. Com'era inevitabile, anche Alfonso Garzón, commentò l'abbigliamento di suo padre.

– Caspita, papà, sembri un altro!

Garzón strinse le mandibole, e io chiesi a Dio che il giudizio fosse clemente.

– Sei...

– Ridicolo?

– Al contrario, ti trovo molto più attuale. Trendy, oserei dire.

Lanciai uno sguardo di trionfo al mio collega, e mi allontanai per prendere due bicchieri con assoluta soddisfazione.

Con le sorelle Enárquez fra gli invitati, non c'era pericolo che la festa perdesse colpi. Sia Mercedes che Beatriz mi aiutarono prontamente nei miei compiti di padrona di casa, offrendo canapè e premurandosi che tutti i bicchieri fossero sempre pieni. E non solo questo. Si preoccuparono di una cosa ancor più importante: fare in modo che la conversazione non languisse mai. Capii subito che non avevo niente da temere: la festa prometteva di essere un successo. L'unico mio pensiero era quello stoccafisso di Garzón, che se ne stava serio e muto come un penitente, lanciando di tanto in tanto occhiate da far pietà in direzione di suo figlio e del suo accompagnatore.

Poco dopo suonò ancora una volta il campanello.

– Stiamo aspettando qualcun altro? – dissi in tutta sincerità, non per fare la spiritosa. Garzón mi guardò allarmato.

– Dev'essere Yolanda, ispettore. Non mi dirà che si è dimenticata di averla invitata. Vado io.

Scoppiai in una risata idiota, che questa volta avrebbe voluto essere divertente. Era vero, me ne ero completamente dimenticata.

– Sono distratta, ma fino a questo punto...

Mentirei se dicessi che l'ingresso di Yolanda non mi colpì. Senza uniforme né jeans, con un abitino nero molto corto, orecchini pendenti, i capelli sciolti e gli occhi truccati, era splendida. Fu allora che mi resi conto di quello che era in realtà: una donna giovane e bella, piena di seduzione. Le sorrisi e le andai incontro.

– Yolanda, come stai?

– Molto meglio, ispettore. I lividi sono quasi andati via.

– Dammi del tu, per favore. Stasera non stiamo lavorando.

Il silenzio che si diffuse nella sala era di ammirazione. Dietro Yolanda c'era Garzón, con l'aria di un padre orgoglioso.

– Ecco che cos'è un look. Ha visto, ispettore?

– Certo che ho visto. È bellissima.

Il viceispettore non le concesse nemmeno il tempo di dire buonasera. Si lanciò a raccontare a tutti la sua prodezza: come una ragazza della sua età, sfidando il pericolo, avesse chiesto l'ingresso nella Polizia Nazionale malgrado la brutta esperienza di cui era stata vittima. Lo fece in modo così enfatico e ripetitivo che più che un padre orgoglioso cominciò a sembrarmi un mercante di schiavi deciso a vendere la perla della sua carovana. Yolanda era visibilmente imbarazzata.

– Senta, Garzón, perché non lascia bere qualcosa anche alla sua pupilla?

La ragazza mi guardò con sollievo. La presi sottobraccio e procedetti alle presentazioni, ma Garzón continuava a venirmi dietro, come se volesse custodirla. Tutti erano entusiasti della nuova invitata, era il tocco di bellezza che mancava alla nostra riunione perché fosse una vera festa, ma quando raggiungemmo Ricard mi resi conto per la prima volta di come la stesse guardando. Il suo non era uno sguardo di ammirazione, e nemmeno uno sguardo lascivo; era semplicemente affascinato, trasportato, alla vista di tanta avvenenza, di tanta gioventù. Sorrideva leggermente, come se constatasse che, dopotutto, Dio esisteva. Ci mise un po' a darle la mano, a uscire dal suo stupore contemplativo. Allora il suo sorriso si fece aperto, trasparente, franco; si vedeva che dentro di lui stava nascendo una forte corrente di piacere. Lui guardava Yolanda e io guardavo lui, stupita dalla quantità di sfumature sottili ma evidenti nella sua reazione. Mi incupii. Era come se via via che lui prendeva coscienza di quello splendore, io mi rendessi conto di tutti i segni che l'età aveva lasciato su di me. Per un attimo mi vidi com'ero veramente: con le zampe di gallina intorno agli occhi, con una smorfia amara sulle labbra. Cominciavo a sentirmi male, non per quel che avevo percepito in Ricard, ma per quello che avevo scoperto in me. Garzón mi aiutò a uscire dall'impasse. Prese per mano Yolanda e la piazzò davanti a suo figlio, facendo lui stesso le presentazioni. Io buttai giù del whisky sperando che l'alcol divorasse tutti gli umori maligni che mi ribollivano dentro. Mi fece effetto, e il secondo bicchiere mi riportò a un livello accettabile, quasi normale.

La festa era al culmine, i miei ospiti mangiavano, chiacchieravano, ridevano e si divertivano in perfetta tranquillità. Tutti tranne il viceispettore, che era teso e pesante, e che continuava a forzare le situazioni con un'insistenza che mi ci volle un po' a capire. Che cosa cercava di ottenere portando Yolanda verso Alfonso e Alfonso verso Yolanda alla minima occasione? Si assicurava che stessero vicini, proponeva argomenti di conversazione... Sembrava una scena da commedia, ma era la realtà: in qualche modo sperava che suo figlio, folgorato dalla bellezza di Yolanda, tornasse all'eterosessualità in una conversione sulla via di Damasco. Non riuscivo a crederci, ma ogni mio dubbio si dissipò vedendo fino a che punto Garzón insisteva. Capii che non avrebbe mai accettato l'omosessualità di suo figlio, e mi resi conto del dolore che questo doveva dargli. Per fortuna nessuno si accorgeva di quel che stava succedendo, nessuno tranne Beatriz, l'amante di Garzón, che cercò un paio di volte di accorrere in aiuto di Yolanda. La consideravo una donna di grande sensibilità, ma dopo quello che successe poco più tardi, le attribuii doti di coraggio e prontezza non comuni.

Mercedes Enárquez propose di ballare, era una ballerina instancabile. Ci fu un momento di dubbio al momento di formare le coppie nella confusione generale. Subito Garzón si avvicinò a suo figlio.

– Yolanda balla divinamente, vedrai.

Alfonso si irrigidì e guardò suo padre con aria collerica. Aveva deciso di farla finita con quella stupida persecuzione. Sorrise forzatamente e, con fermezza, si avvicinò ad Alfred e lo prese per la vita. Disse in tono chiaro e senza appello:

– Credo che ballerò con lui, sono più abituato.

Dopo un attimo di imbarazzo, Beatriz Enárquez lanciò un grido che voleva essere divertito e in due balzi si piantò davanti a loro e rubò il cavaliere ad Alfonso.

– Basta con le abitudini! Oggi è un giorno eccezionale e questo bel ragazzo me lo prendo io.

Alfred rise come un matto, felicissimo. Io assecondai l'intervento di Beatriz e volai verso Alfonso, che mi accolse un tantino stupefatto.

– E a me nessuno mi toglie questo qui.

Nel parapiglia, Mercedes Enárquez si allacciò a Garzón, e il giudice García Mouriños, per nulla disposto a farsi prendere in contropiede da una donna, invitò cortesemente Yolanda. Ricard rimase spiazzato, ma con prontezza di riflessi andò in cucina e ricomparve dopo un istante appassionatamente avvinto al bastone di una scopa, con la quale si lanciò nelle danze. L'idea fu molto apprezzata.

E così ballammo felici, come se fosse il resto del mondo ad aver perso la tesa. Cambiammo spesso di partner, giocammo al gioco del «ballo rubato», affibbiando la scopa al più tardo di riflessi e muovendoci a ritmi sempre più indiavolati. Era una sorta di rito liberatorio, in cui la sola cosa che contava era divertirsi, ridere, bere e perdere completamente il senso della realtà. Eppure, per quanto mi sentissi euforica e fuori di me, non potevo fare a meno di posare lo sguardo su Ricard quando lo vedevo vicino a Yolanda, e poi voltavo subito la testa rendendomi conto di esercitare un ignobile controllo.

A un certo punto, Beatriz mi si avvicinò preoccupata.

– Petra, mi sembra che il tuo cellulare stia suonando.

– Che orecchio! È vero.

Raccolsi il telefono dal tavolino e andai in cucina, dove il tavolo era ormai invaso dalle bottiglie vuote. Trascinata dallo spirito della festa, esordii con un «allô» condito di accento francese.

– Ispettore Delicado?

– Sì! Chi è? – Tornai con disappunto al presente.

– Accidenti, Petra, che finezza! Credevo di parlare con la tua governante.

Riconobbi all'istante l'odiata voce di Fernández Bernal. Cosa poteva volere a quell'ora?

– È che nei giorni di festa mi dimentico di essere un poliziotto e parlo in francese. Perché oggi per me è un giorno di festa, nel caso non lo sapessi.

– Sì, lo so, ma c'è una faccenda che potrebbe interessarti.

– Avete recuperato un cucciolo smarrito?

– No, un morto stecchito. Secondo me ti interessa

perché in tasca aveva un mazzo di chiavi con un portachiavi proprio come il tuo.

– Quello della carità?

– Sì, quell'orrore.

– Dove sei?

– All'obitorio.

– Vengo subito.

Non sono così sicura che nessuno si fosse accorto della mia breve assenza. In soggiorno continuava la baldoria. Cercai di escogitare una strategia per uscire senza dare nell'occhio. Garzón si stava producendo in una specie di tip tap flamencato acclamatissimo da tutti i presenti, e soprattutto da Alfred, che sembrava pazzo di gioia. Lo affiancai e mi misi a saltellare anch'io come una Ginger Rogers un po' fuori fase. Poi gridai:

– E adesso tutti insieme!

Lo strepito di punte e tacchi sul pavimento era degno della parata di un esercito, anche se non altrettanto coordinato, ma potei approfittarne per dire all'orecchio di Garzón:

– Faccia finta di niente, Fermín. Me ne vado un momento. Hanno trovato un morto che può essere il nostro uomo. Aveva il portachiavi di Tomás il Saggio.

– Non dica fesserie, vengo con lei.

– Non se ne parla, e continui col tip tap perché non voglio che la festa vada a rotoli. Lei faccia il padrone di casa, che è l'ultima sera con suo figlio. Tiri fuori i dolci e lo spumante, spieghi che sono uscita per una questione di servizio e che torno subito. Tenga viva l'atmosfera.

– Ma...

– Continui, per la miseria, che se ne accorgono!

Mi allontanai saltellando di traverso, in una specie di polka ridicola, fino a sparire nell'ingresso. Presi la borsa e l'impermeabile e uscii. L'aria mi parve ristoratrice. Da dentro casa proveniva un vibrato continuo e assordante, come quello degli eserciti di cavallette giganti nei film di fantascienza di serie B. Qualcuno avrebbe potuto chiamare i vigili urbani in qualunque momento.

L'obitorio è sempre un posto deprimente, e lo è ancora di più se arrivi da una festa. Fernández Bernal era nel corridoio, stava fumando una sigaretta con il viceispettore Sabater.

– Buonasera.

– Bonsoir, Madame! – rispose ironico il collega.

Ma io ero decisa a cominciare nel modo migliore.

– Grazie di aver chiamato, Bernal. C'era una festa a casa mia, ma sono venuta di corsa.

– E gli ospiti?

– Sono rimasti lì.

– Ti ritroverai la casa distrutta.

– Non credo, al massimo alleggerita di whisky e pasticcini. Raccontatemi cos'è successo. Dov'è stato trovato?

– Non è stato così semplice, veramente. In commissariato abbiamo un testimone. Poi, se vorrai, potrai parlargli. È uno che fa il guardiano in un parcheggio. Era mezzanotte e aveva finito il turno. Stava scendendo lungo calle Balmes per andare a prendere la sua moto in plaza Molina, quando a un certo punto ha visto due tizi che camminavano sorreggendone un terzo, come se fosse ubriaco. E, chissà perché, forse identificandosi nel ruolo del detective per il semplice fatto di essere un sorvegliante, si mette a gridare qualcosa del tipo: «Ehi, dove andate?». Naturalmente ci resta secco quando vede che quelli si mettono a correre e infilano una via traversa. Calle Sanjuanistas, non so se hai presente. Lui gli va dietro, e loro corrono ancora più forte. Ma il tizio che stavano trasportando cade, oppure pesava troppo e lo lasciano andare, questo non si sa. Sta di fatto che rimane lì steso per terra. Il guardiano si avvicina per soccorrerlo e gli altri due spariscono.

– Scommetto che erano giovani e atletici.

– Esatto.

– Li ha visti in faccia?

– No, e il morto era senza documenti. Ma aveva addosso due cose: lo scontrino di una tintoria, in fondo alla tasca interna, che vi farà molto comodo, e un mazzo di chiavi col tuo portachiavi.

– Com'è morto?

– Gli hanno sparato in pieno petto, a bruciapelo. Il proiettile è un nove millimetri corto. L'hanno già portato al laboratorio.

– Gli avete preso le impronte?

– È già tutto fatto. Il medico di guardia sta prestando i «primi soccorsi», presto saprà dirci qualcosa di più. Se vuoi tornare alla tua festa, io ti terrò informata. Non è che si possa far molto stanotte.

– No, voglio dare un'occhiata al morto. E parlare col testimone.

– Credi che sia il tuo uomo?

– Tutto fa pensare di sì. In ogni caso qualcuno che può identificarlo c'è, e poi ci sono le impronte. Era schedato.

– Fantastico. Allora ho fatto bene a chiamarti.

– Non avresti potuto far meglio, Bernal. Ti ringrazio.

Se Confucio fosse stato poliziotto avrebbe certamente scritto: «Non dire mai di un collega che è uno stronzo perché finirai per doverlo ringraziare». E sarebbe una delle sue massime di più vasta applicazione.

Il medico legale si fece aspettare ancora un po', ma non ebbe molto da dire oltre a quel che già mi aveva comunicato Bernal. La vittima era stata uccisa con un solo colpo d'arma da fuoco sparato a bruciapelo in pieno petto. Era morta immediatamente, intorno alla mezzanotte. Non presentava segni di violenza, solo due ecchimosi sotto le braccia, essendo stata trascinata così come riferiva il testimone.

– Allora, vuoi vederlo? – mi chiese Bernal.

Era già rigido, con la faccia cerea, ma i tratti non erano alterati. Era proprio l'uomo della foto sulla scheda. Se era lo stesso che andava a mangiare nel bar di Genoveva, lei l'avrebbe riconosciuto senza difficoltà.

– Andiamo in commissariato?

– Non vuoi proprio tornare alla tua festa.

– Ho chi fa gli onori di casa per me.

Passai rapidamente in rivista gli effetti personali della vittima, disposti sulla scrivania di Bernal: uno scontrino di una tintoria del quartiere di Gracia e il mazzo di chiavi, col portachiavi giustamente identificato dal mio collega. Una cosa da fare subito era verificare se una di quelle chiavi aprisse l'appartamento di calle Princesa tanto rapidamente svuotato. Certo, il ritrovamento di quel cadavere ci avrebbe permesso di andare avanti, e questo era incoraggiante, eppure quell'uomo era il nostro principale indagato. Cosa si fa quando il principale indagato viene tolto di mezzo? Si ricomincia da capo? Mi sentivo venir meno. La morte di un individuo sospettato di omicidio non è mai casuale. Chi c'era dietro a tutto quanto? Dovevamo proseguire sulla stessa strada oppure quel nuovo avvenimento richiedeva una svolta? La testa mi girava. Il desiderio e l'urgenza di sapere mi avevano messo addosso un'impazienza incontrollabile. Era una situazione che ben conoscevo: trovare delle difficoltà all'inizio di un'inchiesta è completamente diverso dall'assistere allo sconvolgimento di tutti gli elementi che sei riuscito faticosamente a mettere insieme. Dalla frenesia della curiosità all'assoluta demoralizzazione non c'è che un passo, e io mi trovavo sul punto di compierlo. Il viceispettore Sabater arrestò il vortice dei miei pensieri:

– Ispettore, non vuole interrogare il testimone? Così lo lasciamo andare a casa. Si è addormentato sulla sedia, poveraccio.

– Non la disturbi, Sabater, l'ispettore sta riflettendo. Il testimone può aspettare – intervenne Bernal.

– No, preferisco avere qualcosa di più chiaro su cui riflettere. Andiamo a vederlo.

Il guardiano del parcheggio era brutto ed enormemente grasso, una specie di mostro. Vedendolo mi domandai come fosse riuscito a correre dietro a quei due, come ci avesse anche solo provato. Doveva avere una gran fiducia in se stesso, un'autostima davvero elevata. Era giovane, sulla trentina, ma con le capacità espressive e l'intelligenza di un bambino di dieci anni. Non avevo nessuna voglia di interrogarlo, sapevo che non avrebbe potuto aggiungere nulla a quel che aveva già detto, ma non provarci nemmeno sarebbe stata una scortesia nei confronti di Bernal e Sabater. Così mi sedetti davanti a lui cercando di non dimostrare la minima stanchezza.

– E così li hai beccati, eh?

– Sì – disse, tutto orgoglioso.

– Come hai capito che stava succedendo qualcosa di strano?

– Lo stavano trascinando, ma non poteva essere solo ubriaco. Quando uno è ubriaco, anche se lo tengono su, i piedi li muove.

– Hai ragione. Sapevi già che era morto?

– No, credevo che l'avessero picchiato. Si vedeva che quei due non erano tranquilli, guardavano di qua e di là come se avessero paura. Appena hanno visto che li seguivo si sono messi a correre, io gli sono andato dietro. Anche se non sembra, corro come una scheggia, sa? Quando l'hanno mollato, quello è caduto giù come un sacco di patate, e allora ho pensato che doveva essere morto.

– Li hai visti? Li hai visti in faccia?

– Erano lontani.

– Erano alti, robusti, atletici, abbastanza giovani?

– Credo di sì. Più alti di me, un po' più vecchi. Più magri, anche.

Che usasse se stesso come unità di misura complicava un po' le cose, ma almeno la sua testimonianza risultava credibile.

– Portavano un casco da moto? Se non in testa, magari appeso al braccio?

Rimase qualche secondo a pensarci e poi disse, deciso:

– No.

– Va bene. Puoi andare a casa. Grazie di tutto, la tua collaborazione è stata molto preziosa.

Se ne uscì tronfio e soddisfatto come un eroe. Fernández Bernal mi guardò con sarcasmo.

– Coronas vorrà arruolare anche lui, a questo punto.

– Poveretto, faceva quasi pena.

– Ma ci ha fatto comodo. Perché non vai a riposare? Non credo che a casa tua ci siano ancora ospiti.

– Spero di no. Se ne trovo qualcuno, giuro che lo butto fuori.

– Prendila con filosofia, Petra.

– Grazie, Bernal, di avermi chiamata.

– Ma se hai fatto tu un favore a noi. Ci hai tolto dai piedi un morto!

Un morto che capitava fra i piedi a me. Anche Coronas ne sarebbe stato felicissimo quando l'avesse saputo.

Tornai a casa e vidi con allarme che nel soggiorno c'erano ancora le luci accese. Erano le cinque del mattino. Non riuscivo a credere che qualcuno dei miei ospiti fosse così maleducato da trattenersi a casa mia fino a quell'ora. Aprii la porta e vidi Garzón, solo e semi-sdraiato sul divano. Fin dall'ingresso riuscii a sentire che puzzava di alcol, e che aveva ancora un bicchiere di whisky in mano. Solo la sua notoria resistenza all'alcol poteva far sì che la sua voce e la sua cadenza suonassero del tutto normali.

– Ah, vedo che la festicciola è finita!

– Buonasera, ispettore.

– E allora, com'è andata?

– Lo sa lei com'è finita a Waterloo?

– Male.

– Molto peggio.

Mi sedetti davanti a lui, versandomi due dita di whisky. Era distrutto, aveva una faccia da funerale.

– Cos'è successo?

– Sono venuti i vigili.

– Ma non mi dica!

– Davvero. Li hanno chiamati i suoi vicini qui di fianco. Per una festicciola da niente. E poi non credo che lei dia feste tutti i sabato sera, no?

– Cos'hanno detto?

– Di smetterla di fare tanto casino. Però Yolanda si è identificata come vigile e hanno cambiato atteggiamento. Gli abbiamo offerto una fetta di torta e sono rimasti un po' con noi. Ci hanno chiesto scusa. Ma poi quando se ne sono andati non era più la stessa cosa. Non potevamo mica rimetterci a ballare.

– In fin dei conti non è successo niente di terribile.

– No, quella cosa di Waterloo la dico per me.

– Per lei?

– Mio figlio mi ha preso da parte, voleva parlarmi da solo e... insomma, vuole proprio che glielo racconti? Non si è risparmiato niente. Mi ha fatto sentire un verme.

– Può spiegarsi meglio?

– Ha detto che non facevo niente per capirlo, che non lo accettavo così com'era, con la sua omosessualità e i suoi sentimenti. Ha detto che mi vergognavo di lui, che non ero capace di superare i miei pregiudizi.

– E lei cos'ha risposto?

– Non potevo rispondergli, perché aveva ragione. Ha detto che i nostri rapporti rimarranno sempre superficiali.

– Mio Dio, Fermín, lei mi lascia stupefatta.

– Sì, però, che cosa posso farci? Le cose sono come sono. Alla fine mi ha chiesto di non accompagnarlo all'aeroporto. Veda un po' lei.

– E lei non ha cercato di aggiustare un po' le cose?

Buttò giù tutto quel che restava del whisky e mi guardò con l'espressione più lucida che gli avessi mai visto. Non era affatto ubriaco, doveva trovarsi in uno di quei momenti in cui l'alcol conferisce una chiaroveggenza assoluta.

– Petra, sa cosa le dico? Essere volenterosi è una bellissima cosa. Ma a che gioco giochiamo? Perché io quando rimango solo non riesco a smettere di pensare quello che penso. Posso far finta, ma chi mi conosce bene lo capisce che sto mentendo. Posso cercare di cambiare idea, ci ho provato, glielo assicuro, ma non ci sono riuscito. Il massimo che posso fare è promettere di continuare a provarci.

– Ma questo lei l'ha detto a suo figlio?

– Non era il momento. E poi ero incazzato. Quella di mio figlio è stata una provocazione bella e buona. Va bene che sia omosessuale, va bene che a New York faccia la vita che vuole, ma era proprio necessario presentarsi qui con Mister Sorriso? Avrebbe potuto avere un po' più di sensibilità.

– Su questo non voglio fare commenti. Senta, a che ora parte il suo aereo?

– Alle dieci, credo.

– Sa cosa facciamo? Adesso ci rinfreschiamo per bene, ci cambiamo e facciamo colazione. Poi andiamo all'aeroporto a salutarli.

– Senza nessuna spiegazione?

– Esatto.

– E senza dormire nemmeno un'ora?

– Abbiamo tutta la giornata per dormire. È domenica.

– Va bene. Ma poi lei mi racconterà perché è scappata in commissariato.

– Volevo appunto farlo.

– D'accordo, prima però finiamoci la bottiglia di whisky.

In realtà non avevo più voglia di whisky, ma lo bevvi a grandi sorsi, mentre Garzón centellinava il suo molto lentamente. Per tutto il tempo avrei voluto chiedergli se Ricard e Yolanda se ne fossero andati insieme dalla festa, ma riuscii a trattenermi e a conservare più o meno intatta la mia dignità.

Poi mettemmo in pratica il nostro piano, e dopo la doccia riparatrice e un caffè quasi tossico sembravamo perfino due esseri umani pronti ad affrontare con energia la giornata domenicale. Sulla strada per l'aeroporto riferii a Garzón le importanti novità sul fronte delle indagini, che ebbero la virtù di distrarlo e di non permettergli di pensare ad altro. Perfetto, così l'ultimo incontro col figlio non sarebbe stato così carico di tensione.

Alfonso Garzón rimase di sasso nel vederci arrivare, ma, sia lodato il cielo, sorrise. Avemmo il tempo di prendere il caffè tutti insieme e di chiacchierare, soprattutto sulla festa della sera prima, sulla simpatia degli ospiti, sul gran divertimento generale. Il tempo passò a tutta velocità e venne il momento degli addii. Padre e figlio si strinsero in uno di quei vigorosi abbracci maschili che implicano una giusta distanza e una forte dose di virilità. Poi il viceispettore dovette accettare che Mister Sorriso gli stampasse due sonori baci sulle guance come al migliore dei suoceri, e riuscì a superare la prova con ammirevole naturalezza. Da ultimo, ci salutammo.

Di ritorno a casa, mentre guidavo, il viceispettore se ne stava in silenzio. Alla fine gli sentii dire, a voce bassa:

– Grazie, Petra. Ha fatto in modo che ci lasciassimo decentemente.

– È stato un piacere.

– Adesso raccoglierò la mia roba e finalmente la lascerò in pace.

– Anche questo sarà un piacere – risposi, ridendo.

E così fece. Prima mi aiutò a rimettere a posto la cucina e il soggiorno, e poi andò a fare le valigie. Ricomparve pronto per andarsene. Fece una faccia di circostanza.

– Ispettore... non so come ringraziarla...

– Senta, Garzón, lunedì la voglio in commissariato alle otto in punto. Ci aspettano giornate dure. Siamo in un bel casino, lo sa meglio di me, e Coronas non dev'essere per niente contento.

– Stia tranquilla. Volevo solo dirle che sono stato benissimo a casa sua, e che mi mancheranno i suoi saponi e bagnoschiuma da finocchio.

– Gliene regalerò qualcuno per il suo compleanno.

Rimasta sola, feci un giro per tutta la casa. Non mi pareva vera tanta pace. C'erano parecchi messaggi di Ricard sulla segreteria telefonica e lo chiamai.

– Se ne è andato definitivamente il tuo collega?

– Un attimo fa.

– Meno male! Ci vediamo oggi?

– Non sono ancora andata a letto. Ho bisogno di dormire.

– Allora ti chiamo dopo. Adesso che sei di nuovo sola possiamo cominciare a fare dei veri progetti.

– Per cosa?

– Perché tu perda per sempre la tua solitudine.

– Ah, sì, poi ne parleremo.

– Noto scarso entusiasmo da parte tua.

– Sono così stanca!

– È vero, tesoro, perdonami. Poi ti chiamo.

Strano che mi infastidisse tanto la parola «tesoro». Non capivo perché. La associavo a una domesticità fatta di piacevoli tazze di tè ma anche di noiose abitudini, di piccoli battibecchi quotidiani, di meschini doveri.

Avrei dovuto mettermi a letto immediatamente, ma volevo godermi un po' la pace che finalmente si respirava in casa mia. Era una mattina fresca e soleggiata. Mi preparai un altro caffè e misi un *Notturno* di Chopin. Non pensai più alle indagini, non pensai più a Garzón, né a Ricard, né a me stessa; dimenticai i miei desideri e le mie reazioni. Mi lasciai trasportare da quella musica, dalla sua bellezza rara, potente, selvaggia, come lo è ogni bellezza.

11

Il lavoro si stava accumulando, e ce lo ripartimmo con una certa equità. Yolanda, tornata in azione, ebbe il compito di verificare se le chiavi del morto aprissero l'appartamento di calle Princesa. Garzón, per il riconoscimento del cadavere, accompagnò all'obitorio Genoveva, che per fortuna quel giorno aveva messo sul menu lenticchie stufate. Io andai alla tintoria indicata dallo scontrino che era stato trovato nella tasca del morto.

Per evitare malintesi, dissi subito alla signora del negozio che ero un poliziotto. Questo fece scattare l'allarme generale e mi attirò parecchi sguardi furtivi. Agitatissima, la signora consultò il computer – ormai perfino nelle panetterie è difficile che ti diano uno sfilatino senza previa consultazione informatica – e scomparve nel retro. Poco dopo tornò con una giacca perfettamente stirata dentro un sacchetto di plastica. Non volli metterle fretta né interferire con la sua routine per non turbarla più del necessario.

– Può dirmi il nome del cliente?

– Arcadio Flores. Questo è il nome che ha lasciato.

– Avete anche l'indirizzo?

– Solo il numero di telefono.

– Va bene, me lo dia.

– Ha fatto qualcosa di brutto?

– Perché me lo chiede?

– Visto che lei è della polizia...

– Avrebbe potuto chiedermi se è successo qualcosa di brutto a lui.

Sbiancò come alcuni capi di vestiario appesi nel negozio, e pensai immediatamente che avrei dovuto mordermi la lingua. Non era certo il caso di gettarla in un'agitazione ancora maggiore di quella suscitata dalla mia sola presenza.

– Veramente... l'ho detto soltanto perché... non saprei.

– Quell'uomo è stato ucciso.

La sua faccia si fece di un rosso intenso. Le vennero le lacrime agli occhi. Cominciò a tremare come una foglia. Una stiratrice che ci guardava con la coda dell'occhio venne a soccorrerla.

– Eulalia, su, calmati. Non fare così.

Maledissi mille volte la situazione che avevo stupidamente creato, ma ormai non c'era più niente da fare. Eulalia era scoppiata a piangere a dirotto.

– Eulalia, la prego di tranquillizzarsi. Veniva spesso qui, quel signore?

– Sì, qualche volta – riuscì a farfugliare. – Ci portava sempre delle belle giacche, e d'inverno qualche cappotto.

– Parlava con lei?

Si soffiò il naso rumorosamente. La collega le aveva

passato un braccio sulla spalla come se avesse perso una persona cara.

– Un giorno mi ha detto che ero bellissima. Ero stata dal parrucchiere e lui se ne era accorto, ma a parte questo...

– L'ha mai visto in compagnia di qualcuno?

– No, veniva sempre da solo.

All'improvviso parve esitare, e mi guardò attraverso le fessure arrossate degli occhi.

– Prima le ho chiesto se avesse fatto qualcosa di brutto perché una volta ci aveva portato una giacca con un biglietto da cento euro nella tasca. Come se niente fosse. Abbiamo dovuto dirglielo noi, e lui ci ha regalato venti euro. Un premio per la nostra onestà. Prendetevi qualcosa al bar, ha detto. Allora ho pensato che chi non dà importanza al denaro di sicuro non fa tanta fatica a guadagnarlo, non crede?

– È una buona teoria.

La ringraziai e presi la giacca, ma quando stavo per uscire sentii la voce addolorata della sensibile Eulalia:

– Ispettore, scusi, sono sei e quaranta per il lavaggio a secco. Glielo dico perché poi il titolare me li chiede.

Tornai sui miei passi per pagare e pensai alla grande verità che aveva detto: l'importanza che si attribuisce al denaro è legata alla difficoltà di guadagnarlo. Arcadio Flores doveva maneggiare delle discrete somme se disseminava nelle tasche biglietti da cento di cui nemmeno si ricordava.

In commissariato, Yolanda e Garzón mi stavano aspettando sorpresi del ritardo. Feci fare una ricerca sul numero di telefono che mi avevano dato alla tintoria e aspettammo il risultato prendendo un caffè.

– Ha avuto qualche contrarietà, ispettore?

– Solo quelle determinate dalla psicologia umana. E voi due?

– Una delle chiavi del defunto in effetti ha aperto l'appartamento – rispose Yolanda.

– La smetta di chiamarlo defunto. Noi diciamo «la vittima», o semplicemente «il morto». Bene. Speriamo che un'altra delle chiavi funzioni all'indirizzo che ci daranno adesso. Ci risparmieremo di buttar giù la porta. E lei, Fermín?

– Quella Genoveva è tremenda.

– Me lo immaginavo. Sarà stata preoccupatissima per le sue lenticchie.

– Non solo, ma quando ha visto il morto non si è per niente impressionata. L'ha guardato senza fare una piega e ha detto: «È lui, Dio l'abbia in gloria, se è vero che la gloria esiste da qualche parte».

– Le donne del popolo non si spaventano di niente, soprattutto se gestiscono un bar. Ci sono i risultati della perizia balistica?

– Non ancora.

– E allora, cosa ne dice? Che venga tolto di mezzo un presunto assassino non è certo una cosa da fare i salti di gioia.

– No. Se solo riuscissimo a beccare quei due che sono sempre presenti sul luogo del delitto…

– Ho l'impressione che quelli non contino niente. Qui dobbiamo mirare in alto, non scordatevelo.

– A me sembra di essere al tirassegno del luna park e di mirare contro dieci bersagli per volta.

– Non si faccia prendere dal panico, Fermín. La casa della vittima dovrà per forza aprirci delle piste decisive, altrimenti...

– Altrimenti cosa? – chiese Yolanda, che assisteva alla conversazione col fiato sospeso come se stesse guardando un film di Hitchcock.

– Altrimenti il commissario ci rimuoverà dall'incarico, e per te sarebbe un po' presto, no, Yolanda? Visto che non sei nemmeno entrata nel corpo... Senta, Fermín, perché non va a sollecitare questo benedetto indirizzo?

– Ci vado io – si offrì l'aspirante poliziotta.

– No, meglio il viceispettore, lui sa come fare.

Rimanemmo da sole a bere il caffè. La osservai con discrezione. Perfino senza trucco era molto bella, senza una ruga, con i capelli lucidi e gli occhi privi di malizia, di esperienza e di delusioni. Mi ricordai di aver notato, riguardando le mie foto di gioventù, che la principale differenza era nello sguardo. È lì che lasciano il segno le battaglie perse o vinte nella vita. Non c'è trucco per questo, né chirurgia plastica che possa fare nulla.

– Ci siamo divertiti sabato sera, vero?

– Che festa, ispettore! I suoi amici sono una forza. Il giorno dopo avevo un mal di testa che non sono nemmeno riuscita a uscire. Il mio fidanzato se l'è presa a morte.

– Non permettere che si arrabbi per la minima cosa che fai. Abitualo bene.

– Gli uomini sono dei gran rompiscatole, questo si sa. Ma il mio fidanzato è un bravo ragazzo, in fondo.

– Meglio così. Siete andati a prendere qualcosa dopo la festa?

– No, per carità! Eravamo già piuttosto sbronzi! Il suo amico psichiatra mi ha accompagnata a casa.

– Bene. Meglio non andare in giro da sole a quell'ora.

– Io l'avrei fatto. So come difendermi.

L'ingresso in tromba di Garzón spense il suo incantevole sorriso. Il nostro buon viceispettore arrivava tutto euforico infilandosi in fretta e furia l'impermeabile.

– Forza, signore, che i morti si raffreddano! Abbiamo l'indirizzo e il mandato del giudice per compiere il sopralluogo.

L'appartamento di Flores si trovava in fondo all'interminabile calle Valencia, nella zona dove si tiene il mercato delle pulci di Els Encants. Una delle chiavi aprì la porta con facilità. Una zaffata di profumo di sandalo ci riempì le narici. Aprii la spedizione lungo il corridoio senza notare niente di particolarmente interessante. Era una casa normale, né ricca né povera, né bella né brutta. Solo il soggiorno, una sala ampia, di una quarantina di metri quadri, mostrava un insospettabile gusto per le antichità. C'era una tavoletta medievale appesa a una parete, una piccola Madonna romanica su un tavolino… A prima vista pensai che fossero riproduzioni, ma guardando meglio mi resi conto, anche senza essere un'esperta, che dovevano essere autentiche. Garzón ne fu sorpreso quanto me.

– Incredibile, quadri antichi! Ma non era un cafone rifatto?

– Prima i cafoni giravano col transistor all'orecchio, adesso comprano antichità, bevono solo whisky di malto e... continuano a essere cafoni lo stesso.

Per il resto la casa nel suo insieme era effettivamente abbastanza cafona: grandi divani colorati e un televisore con lo schermo panoramico. Ci infilammo i guanti di lattice e cominciammo a ficcare il naso, prima nelle stanze, poi in cucina... Era tutto in ordine, e non sembrava esserci nulla di speciale. Solo in fondo al corridoio trovammo uno stanzino dove era stata sistemata una scrivania con un computer. Su un ripiano si allineavano libri di contabilità.

– Bene, bene. Tanti bei numeri per l'ispettore Sangüesa.

Oltre alle carte, c'erano oggetti antichi di scarso valore: orribili vasi fine Ottocento, un macinino da caffè... Yolanda notò una scatoletta di cartone, molto vecchia.

– Guardi, ispettore, sono munizioni.

In effetti era una scatola di munizioni calibro nove lungo.

– Interessante coincidenza. Garzón, verifichi se questo disgraziato aveva il porto d'armi.

– Non credo. Sono vecchie munizioni che si trovano senza difficoltà sul mercato nero. Ne sono rimaste molte casse dalla Guerra Civile. Comunque controllerò.

– Può darsi che le abbia comprate da un antiquario?

– Proiettili come oggetti da collezione? Tutto può essere.

Diedi un'occhiata ai libri di contabilità senza capirci granché. L'unica cosa che mi colpì fu che alcuni fossero contrassegnati da una F sulla copertina.

– Cosa può voler dire?

– Non lo so. Forse Sangüesa e i suoi uomini lo capiranno. Bisogna che verifichino anche la dichiarazione dei redditi di questo individuo. Bisogna sviscerare cifra per cifra.

– Accendiamo il computer.

– Non credo che servirebbe a molto. Lo sequestriamo, è un altro lavoro per specialisti.

– Che divertente! – esclamò Yolanda. – Alla fine sono gli esperti a fare tutto e all'investigatore non rimane niente da investigare.

Garzón la fulminò con lo sguardo.

– Potrà anche sembrarti così, ma un mucchio di dati slegati non serve a niente.

– Non si arrabbi, viceispettore, volevo solo dire che…

– Signori, per favore! Avete controllato la segreteria telefonica? Avete frugato nelle tasche di giacche e cappotti? Avete guardato se ci sono agende o rubriche telefoniche in giro? Lasciamo le discussioni teoriche a un altro momento.

Mi diedi da fare anch'io, con tutta la diligenza che desideravo imporre agli altri, e invece di perdere tempo con numeri che non mi dicevano niente, aprii uno per uno i cassetti della scrivania. Trovai vecchie bollette della luce e del gas, conti di ristoranti, pubblicità di fiere d'antiquariato, il biglietto da visita di un *bro-*

canteur e diverse fatture per acquisti effettuati nel suo negozio, oltre ai normali documenti che si trovano in ogni casa. A un tratto mi capitò sotto gli occhi un biglietto scritto a mano che mi colpì. Diceva: «Arcadio, oggi non sono riuscito a finire il lavoro. Domani sarà un altro giorno, se Dio ci dà la salute e ci riempie il bicchiere». Non era firmato, ma fui quasi certa di riconoscere la grafia di Tomás il Saggio. Riguardai i libri contabili. Potevo sbagliarmi, ma anche quelli erano scritti dalla stessa mano. Tomás il Saggio era il contabile di Arcadio Flores? Era questa la «questione molto grave» in cui si era lasciato coinvolgere? E quali erano gli affari, senza dubbio sporchi, di Arcadio? Soltanto la falsa beneficenza? Santo Dio! C'era qualcosa che non funzionava, un ingranaggio che non voleva saperne di andare a posto. Ad ogni modo, aveva ragione Yolanda, la mia scoperta non aveva molto valore finché non fosse stata confermata dagli esperti. Ce ne voleva un esercito: informatici, contabili, periti balistici e grafologi, senza contare quelli della Scientifica per il rilevamento delle impronte. Sì, un povero detective non contava proprio niente, soprattutto se non era in grado di mettere insieme un quadro armonioso con diverse macchie di colore.

Ricordo che non avevo troppa voglia di tornare a casa quella sera. Mi succede spesso quando le indagini giungono a un punto incandescente e per poter avanzare è indispensabile il responso degli specialisti. Sono cose che richiedono tempo, ma il tempo sembra non passare mai quando le informazioni urgono. In certi casi il solo fatto di allontanarsi dal commissariato dà l'impressione di abbandonare il campo, il cuore pulsante della vita poliziesca. Ma non è vero. Anche gli esperti mangiano e dormono, tornano a casa la sera e hanno altri lavori a cui dare la precedenza. Decisi che il giorno dopo avrei chiesto a Coronas di attribuire all'inchiesta la massima urgenza, in modo da abbreviare i tempi d'attesa. Questo pensiero mi tranquillizzò, ma solo in parte. Qualcos'altro mi impediva di desiderare ciò che di solito basta a darmi pace, e che poi si riduce a questo: sedermi con un libro nel soggiorno di casa mia. Dovevo essere sincera con me stessa: temevo di stare sola e di mettermi a pensare. Ero sicura che nella mia mente, relegato ai margini dai pensieri del lavoro, avrei trovato qualcosa di poco piacevole. Eppure affrontai coraggiosamente la solitudine: non era logico scappare di bar in bar fino a rimanere intontita e senza capacità di riflessione. No, arrivai a casa, feci una bella doccia, mi preparai un panino e mi sedetti con un libro in grembo. Naturalmente, l'immagine che stavo cercando di eludere si presentò puntuale, era il suo turno, il suo momento di gloria. In quell'immagine, in realtà solo un ricordo, c'eravamo io e Yolanda, e io che tentavo di capire per via indiretta se fosse rimasta sola con Ricard la notte della festa. L'avevo fatto, non me l'ero immaginato. Poi la mia mente passava all'astrazione e cominciava a divagare. Ricard e il suo sguardo di ammirazione per la ragazza. Era una cosa offensiva nei miei confronti, fuori dei limiti di una condotta perfettamente lecita? No, certo. Ricard guardava Yolanda allo stesso modo in cui la guardavo io: constatando la bellezza e la freschezza della sua gioventù. Il problema era mio. Ero io ad avere una parte assai poco dignitosa nella commedia. Mi vedevo come una donna gelosa e poco sicura di sé, timorosa che qualcuno possa portarle via il suo uomo, un uomo con la fama del dongiovanni. Sinceramente, perfino coll'impermeabile stazzonato del lunedì mattina potevo essere qualcosa di meglio. Mi versai un dito di whisky. Se avevo tutte quelle paure, era perché ero convinta che Ricard non mi amasse, che non fosse preso da folle passione per me. Come potevo allora amarlo io? Lo so, queste idee sono frutto del narcisismo più abietto, eppure questa è la mia vera personalità: ho bisogno di avere un'elevata concezione di me stessa e non posso amare se non sono amata. No, non ero affatto disposta a vivere il resto dei miei giorni preoccupata dal deteriorarsi del mio fisico e tormentata dal dubbio che un uomo mi avesse scelta solo come palliativo alla solitudine.

Nel modo più inaspettato, la decisione era presa. Se mettevo su un piatto della bilancia gli svantaggi di una vita solitaria, e sull'altro tutto quel che avevo appena intravisto, l'ago pendeva sicuramente verso la mia attuale vita da single. E, cosa ancora più importante, se ero capace di pesare i sentimenti di Ricard come se fossero del pesce al mercato, era perché non ci trovavo niente che valesse la pena di essere considerato in un altro modo.

Ingoiai il whisky in un sorso. Dentro di noi sappiamo sempre quel che vogliamo fare, ma spesso non abbiamo il tempo necessario per un dialogo profondo con la nostra coscienza. Io avevo trovato il momento ideale. Sapevo che ogni tanto mi sarei pentita della mia decisione: quando avessi avuto un dolore che non potevo confidare, o un dubbio da chiarire, o una gioia intensa da condividere, ma avrei sempre potuto telefonare a un amico, rivolgermi a uno psicologo, comprarmi un cane. Come ultima risorsa mi sarebbero rimasti i dischi di Chopin, la lettura di un buon libro, un vino d'annata. Senza contare che le mie amate vittime, per le quali avrei sempre cercato un colpevole, mi avrebbero accompagnata finché fossero esistiti l'odio, la follia e la cattiveria umana, vale a dire per tutta la vita. Anselmo e Tomás il Saggio non avevano dovuto lottare contro il loro narcisismo né porsi il problema della solitudine: loro avevano scelto di vivere soli in un mondo perverso. Fra poco, se già non lo erano, sarebbero stati del tutto dimenticati, passati come un soffio in un mondo che a malapena si era accorto della loro esistenza. Il pensiero che a me fosse toccata la missione di prenderli sul serio mi sembrava già un buon motivo per andare avanti.

«Al diavolo le paure, Petra!» mi dissi, a conclusione di questi pensieri. E quell'espressione popolare, rozza, ma dotata di una sua filosofia, riuscì a infondermi coraggio.

La prima perizia che arrivò nelle nostre mani fu quella degli esperti balistici. Apprendemmo così che il proiettile che aveva ucciso Arcadio Flores era stato sparato con la stessa pistola usata per uccidere Tomás il Saggio e il povero Anselmo. Era esattamente nelle stesse condizioni: la camicia era espansa e la capsula d'innesco si era spostata all'indietro. Il metallo presentava tacche e graffiature. Non c'era il minimo dubbio. La perizia era completata da osservazioni sulla scatola di munizioni trovata in casa di Arcadio. Si trattava di proiettili calibro nove lungo per una pistola in uso ai tempi della Guerra Civile spagnola. Se ne trovavano ancora in circolazione sul mercato nero. L'ipotesi era la seguente: «Non si può escludere che il proiettile rinvenuto nel corpo della vittima fosse un nove lungo, modificato e sparato con un'arma del nove corto. A ciò sarebbe dovuto l'eccesso di pressione nella camera di scoppio, che avrebbe provocato l'espansione della camicia e lo spostamento della capsula».

Avevamo già letto quelle stesse parole. Garzón mi guardò con gli occhi sbarrati, elaborando i dati a tutta velocità.

– Il fatto che questo tizio sia stato fatto fuori con la stessa arma degli altri due non esclude che...

– Che sia stato proprio lui a far fuori i barboni. Significa soltanto...

– Che è stato ammazzato con la sua stessa pistola.

– La quale deve trovarsi ancora in mano all'assassino.

– È una buona supposizione, ma non esclude altre possibilità. Quello stesso assassino può aver fatto fuori anche Tomás e Anselmo. La domanda è: perché? Nel caso di Anselmo, chiunque sia stato a ucciderlo, il movente è chiaro: l'hanno visto in nostra compagnia e non volevano che parlasse. Tomás il Saggio sembrava deciso a rendere pubblico qualcosa che doveva rimanere nascosto. Ma perché anche Arcadio Flores?

– Forse per lo stesso motivo. Per farlo star zitto.

– Allora esiste comunque un terzo uomo.

– E non precisamente con un ruolo secondario.

– Certo, visto che è lui a rimanere in piedi alla fine.

– A meno che non troviamo un altro morto sulla nostra strada e la catena non continui.

– Appunto.

Ci guardammo soddisfatti del nostro duetto deduttivo. Misi una mano sulla spalla di Garzón.

– Viceispettore, il naso mi dice che il finale è vicino.

– E di cosa sa?

– Mmm, di bruciato, direi.

– Niente a cui lei non possa rimediare con i suoi saponi e i suoi bagnoschiuma.

– Ma adesso ci serve una cosa importante. Le propongo una visitina.

– A chi?

– All'ispettore Sangüesa.

– È presto. Non credo che abbiano finito.

– Ma la nostra visita ha il solo scopo di fare un po' di pressione.

– Ci manderà all'inferno.

– L'inferno è sempre meglio del dubbio.

Il primo sguardo di Sangüesa fu di quelli che non lasciano niente di inespresso. Anche se poi disse ugualmente:

– Già qui? Sei una piattola, Petra!

– Da un raffinato investigatore di reati finanziari come te ci si aspetterebbe un linguaggio più forbito.

– D'accordo, ti dirò che sei un parassita inguinale, se preferisci, ma le cose non cambiano: il rapporto non è finito. I miei uomini stanno lavorando come matti.

Garzón non poté reprimere un risolino che gli rimproverai con un battito di palpebra. Guardai in faccia Sangüesa.

– Senti, non fare lo stronzo, non ti sto chiedendo il rapporto completo, ma di sicuro qualche idea te la sei già fatta e voglio che ce ne parli. Solo una piccola anticipazione.

– Nemmeno «stronzo» è un vocabolo adatto a una signora, avvocatessa per di più.

– Va bene, ti chiamerò escremento solido di forma cilindrica, così siamo pari.

Scosse la testa e si mise a ridere sottovoce.

– Porca miseria, Petra, che rompiscatole sei! Ne ho viste di donne testarde, ma come te nessuna, te lo assicuro. Su, passate nel «salottino» che vi offro un caffè.

L'ufficio in cui lavoravano Sangüesa e i suoi uomini era senz'altro il più inquinato di tutto il commissariato. Il fumo di sigaretta si tagliava col coltello. Lì il lavoro richiedeva lunghe ore davanti al computer, alle prese con problemi complessi, e questo portava automaticamente a fumare senza misura. La sedentarietà e l'eccesso di concentrazione davano a Sangüesa e ai suoi uomini una pessima reputazione di orsi fra gli altri poliziotti. Ma ormai conoscevo bene il mio pollo e sapevo che con qualche battuta non era difficile ammansirlo. Ci fece entrare in una piccola sala riunioni separata da una parete a vetri, e ci offrì del caffè della macchinetta.

– Vediamo un po' che cosa posso riassumervi prima di pentirmi e mandarvi a quel paese.

Estrasse un fascio di fogli da una cartellina e si mise a riordinarli. In maniche di camicia e con gli occhiali sulla punta del naso sembrava più vecchio e più stanco di quanto non fosse, ma aveva fama di essere il migliore nel suo campo. Si orientò subito in quella massa di appunti e operazioni matematiche. Mormorava numeri e date come se pregasse e, alla fine, alzò gli occhi e disse:

– Bene, più o meno mi ritrovo. Ma tenete presente che mancano ancora delle verifiche, quindi è tutto ancora molto provvisorio. Che non vi venga in mente di usare questi dati in un documento ufficiale perché io negherei di averveli forniti.

– Va bene, Sangüesa, non essere noioso! Ne abbiamo bisogno solo per mandare avanti le indagini, e non compariranno da nessuna parte prima che tu ci consegni il rapporto ufficiale. Cosa vuoi, che te lo giuriamo sulla Bibbia?

– Sei fortunata perché qui non ho nessuna Bibbia, altrimenti… Ma passiamo alla contabilità di questo delinquente. Aveva messo su una vera e propria aziendina, amministrata da un contabile che sapeva fare il suo mestiere. Ci sono perfino previsioni di bilancio sull'arco di un intero anno.

– Tomás il Saggio! – proruppe Garzón.

– Avete già il colpevole?

– Vada avanti, ispettore Sangüesa, è stata solo un'esclamazione.

– Sono state registrate fatture per l'acquisto di materiali vari. Cose curiose come: cartoline della misericordia, portachiavi di carità, bandierine della solidarietà. A fronte delle uscite, compaiono le entrate risultanti dalla vendita di tali oggetti. Tutto torna alla perfezione. Poi abbiamo trovato altre voci: mendicità, questue nelle chiese, donazioni, raccolta e vendita di abiti usati, eccetera. Qui non ci sono investimenti, solo utili puri, da cui è stata scontata una quota variabile dal dieci al venti per cento, forse per pagare il personale che svolgeva il lavoro.

– Incredibile.

– Effettivamente, soprattutto se consideriamo che non compare una sola deduzione dell'IVA, e che quindi l'intera attività veniva svolta in nero.

– Puoi chiamarla semplicemente truffa.

– Non osavo dirlo, ma ora vedo bene di cosa si tratta. Mi stupiva che una truffa fosse organizzata in modo così perfetto. Probabilmente era stata messa in piedi tutta una rete.

– Credo che abbiamo sottovalutato Arcadio Flores.

– Il cervello di tutto questo si chiama Arcadio Flores? Nome bucolico per un simile cialtrone. Quando i media metteranno in piazza che c'è stata una truffa su larga scala basata sulla carità scoppierà un casino del diavolo. È un boccone succoso.

– Ti chiedo la massima discrezione.

– Miseria, Petra, manco fossi un principiante! Ma tenetevi forte, che non ho ancora finito. Il punto su cui stavamo lavorando quando avete fatto irruzione contro tutte le regole, sono i libri contrassegnati da una F. Lì compaiono somme versate a Arcadio Flores per opere umanitarie come: sovvenzione per l'iniziativa «Nessuno senza torrone a Natale», contributo per la campagna «Immigrati clandestini» o «Acquisto di forniture per i dormitori degli anziani senza fissa dimora». Sono versamenti sporadici e non molto cospicui, che però non cessano di affluire per tre anni. L'obiettivo finale è misterioso, non esistono giustificativi che attestino il loro impiego per il fine dichiarato. Eppure queste somme, a differenza delle altre, erano gravate di IVA.

Si fece un silenzio assoluto.

– Questo vi dà qualche idea?

– No.

– Chi è F?

– E chi lo sa?

– Eppure l'enigmatico signor F dava del denaro a Flores per campagne umanitarie inesistenti.

– Quindi era una vittima sistematica delle sue truffe. Forse è stato lui a ucciderlo.

– Credi che un filantropo reagisca sparacchiando in giro?

– E se F fosse solo l'iniziale di Flores?

– La faccenda rimane comunque oscura. Senti, Sangüesa, che cosa viene fuori dalla dichiarazione dei redditi del nostro amico?

– Be', ragazzi, per vederla mi serve un mandato del giudice che solo voi potete richiedere.

– Consideralo già fatto. Non so cosa dirti, Sangüesa, sei fortissimo, o come si dice al paese mio, hai più coglioni di un toro da monta.

– Grazie, Petra, da te non mi aspettavo complimento migliore. Ma questo non vuol dire che la prossima volta non dobbiate mettervi in coda come tutti quanti, intesi?

– Te lo prometto su quel che ho di più sacro.

Gli diedi un sommario bacio sulla pelata che fece dire a Garzón, quando fummo di nuovo in corridoio:

– Lei è veramente disposta a tutto pur di ottenere quello che vuole.

– È geloso, Fermín? Lo vuole anche lei un bacio in piena fronte?

Lo presi per le spalle e feci il gesto di baciarlo. Lui si sottrasse con risate mal trattenute.

– Mi lasci! Ma è matta?

Nel vivo della colluttazione fummo sorpresi da Coronas che usciva da uno degli uffici. Maledissi mille volte quell'impeto di entusiasmo.

– Buongiorno, che piacere incontrarvi! E allora? Ve la state spassando o si tratta di molestie sessuali sul luogo di lavoro?

Garzón, senza la minima dignità, si precipitò a dire:

– Siamo quasi alla fine delle indagini, signore.

– Alla fine della carriera, ecco dove siete. Sono due giorni che non scrivete una sola riga nel rapporto ufficiale.

– Sono stati giorni molto duri. E poi le assicuro che stavo proprio per occuparmene, signore, quando siamo stati chiamati d'urgenza.

– Già. E lei, ispettore Delicado, non ha niente da dire?

– Be'... visto che me lo sta domandando... avremmo bisogno di un permesso con la sua firma per chiedere al giudice una verifica fiscale urgente.

– Il giudice? Il giudice che istruisce il vostro caso? Chissà com'è contento! L'altro giorno mi ha telefonato per dirmi che da un po' non gli date una cattiva notizia.

– Sono stati momenti difficili, come dice il vice-ispettore, ma le assicuro che stiamo arrivando in fondo alla faccenda e che non possiamo fare a meno di quel mandato, signore.

– In questo commissariato sembra che l'unica cosa di cui si può fare a meno sono io. Non intendo muovere un dito. D'ora in poi il mio atteggiamento con voi sarà della massima intransigenza, ve lo giuro. Non potete fare sempre di testa vostra.

Si allontanò, senza una parola di saluto. Garzón aveva una faccia preoccupata, sembrava davvero spaventato.

– Ha sentito, ispettore? Diceva sul serio, secondo me è capacissimo di metterci nei guai. È una brava persona, ma quando gli girano...

– Bah, una semplice sfuriata teatrale alla Lawrence Olivier!

– Le ricordo che è il nostro capo, che può sollevarci dall'incarico e toglierci tutte le gratifiche e i rimborsi spese, lasciandoci con lo stipendio nudo e crudo.

– Non lo farà. Primo, perché stiamo lavorando sodo, ed è questo l'importante. Che poi da qualche giorno siamo nell'anarchia più completa secondo me non gli interessa affatto. Secondo, perché i giornalisti hanno smesso di starci addosso, come c'era da aspettarsi. A chi importa che vengano ammazzati un paio di barboni se non salta fuori un serial killer o qualcosa di spettacolare? Per il momento nessuno sa che quest'ultimo omicidio è legato agli altri due.

– Allora vuol dire che il nostro caro commissario stava solo scherzando?

– No, è suo dovere metterci un po' in riga. Visto che siamo un po' disorientati, cerca di riportarci all'ordine. Vuole che imploriamo la sua collaborazione per dimostrarci che esistono ancora le gerarchie, e noi lo asseconderemo.

Mi guardò come uno che teme il peggio.

– Cosa si è messa in testa? Spero non una delle sue solite idee originali.

– Non abbia paura. Il trucchetto più vecchio del mondo. Gli manderemo Yolanda. Non potrà negare nulla alla sua prediletta.

Sbuffò e disse come fra sé:

– Ah, l'astuzia femminile!

– Protesto, Garzón! Quando la diplomazia è esercitata da una donna diventa subito astuzia femminile.

– Ma perché parlo, se posso star zitto! Vado subito a chiamare Yolanda.

– Le dica che si mostri gentile, ma non scema, che faccia capire che è informata, ma non nei particolari, come se si sentisse un po' tenuta ai margini da noi due. Questo spingerà il commissario a tenerle una lezioncina, e non c'è niente che piaccia di più a voi uomini: insegnare qualcosa a una donna, e se è giovane e bella tanto meglio.

Si allontanò brontolando e scuotendo la testa. Riuscii a capire soltanto:

– Anche la diplomazia femminile, stavolta!

Lo richiamai per dirgli:

– Senta, quando avrà contattato la nostra Mata Hari, venga alla Jarra de Oro, le offro un caffè.

– Spero che non ci metta dell'arsenico.

Lo vidi allontanarsi con un certo piacere. Che cosa sarebbe stato di me e dei miei vaneggiamenti teorico-critici se non ci fosse stato il fedele viceispettore a contrastarmi? In un'epoca come la nostra, in cui è sempre più difficile scandalizzare, la sua capacità di inorridire era una benedizione del cielo.

Pochi minuti più tardi eravamo al bar davanti alle nostre tazze di caffè. Sulla faccia di Garzón si dipingeva un sorriso trionfale.

– Ha chiamato mio figlio da New York. Dice che lui e il suo amico sono stati benissimo qui. Le manda i suoi saluti.

– Immagino sia un modo per farle capire che fra voi due va tutto bene.

– È quello che penso anch'io.

Bevve, rimuginando fra sé. Rimanemmo in silenzio.

Mentre inzuppava il croissant, proseguì con la massima naturalezza:

– Questo non significa che io abbia cambiato opinione. Accetto, ma non capisco.

– Non c'è niente da capire. È omosessuale, punto e a capo.

– Sì, però potrebbe evitare di farsi vedere sempre con quell'americano.

Lo guardai esasperata.

– È difficile farla cambiare, vero?

– Alla mia età...

– In ogni caso non è necessario capire tutto. Usiamo il telefono e non sappiamo come funziona, no?

– Perfettamente d'accordo con lei! E poi, perché non possiamo rifiutarci di capire certe cose? È un modo come un altro di esercitare la propria libertà. Io non sono mai stato libero in tutta la mia vita, e adesso sarebbe ora di cominciare, mi sembra. Il fatto è che ci costringono a vivere in base a delle regole: capire, accettare la differenza, condividere... tutti luoghi comuni!

– Anche esercitare la propria libertà lo è.

– Sì, lo è. Una volta si diceva «la libertà». Adesso sembra che ciascuno abbia la sua!

Ci guardammo, un po' stupiti di trovarci d'accordo.

– E se tornassimo al lavoro, ispettore?

– Ma non se ne può proprio fare a meno?

– Le ricordo che il direttore ha le palle in giostra.

– Per l'amor di Dio, Garzón, non sia volgare! Non ha niente di meglio da ricordarmi?

– La sacra missione di difendere i più deboli. O si sente demotivata all'idea che i suoi barboni fossero coinvolti anche loro nella truffa?

– Nessuno è innocente, Fermín, solo gli animali lo sono.

– Non pensa più che i barboni siano i veri aristocratici della nostra società?

– Siamo tutti plebaglia, senza differenze.

– A proposito, sa cos'ho fatto l'altro giorno? Ho incollato per bene il vasetto di pessimo gusto di quella vecchietta e gliel'ho riportato.

– Sul serio? Non ci posso credere! E com'è andata?

– Be', aveva ragione lei, mi ha riempito la testa di chiacchiere e mi ha fatto promettere che sarei tornato a prendere il tè da lei.

– Lo farà?

– Ho commesso l'errore fatale di darle il mio numero di telefono e il mio indirizzo.

– Allora è sistemato.

– Ho paura di sì. Ma in nome della generosità questo e altro. Anche noi un giorno saremo vecchi, e ci farà piacere che qualcuno venga ad aggiustarci i nostri vasetti rotti. E poi…

– E poi, cosa?

– E poi posso sempre mandarla al diavolo se diventa troppo noiosa.

Yolanda svolse egregiamente il suo compito di intermediaria. Coronas concesse tutto quel che gli chiedevamo sentendosi perfino molto lusingato. Che il suo punto debole fosse un'eroica fanciulla non poteva essere un disonore. Tutto funzionò perfettamente, il giudice emise un mandato e Sangüesa, ancora una volta persuaso dell'importanza del nostro caso, gli diede la precedenza su qualunque altra indagine e andò a ficcare il naso all'ufficio delle imposte.

Intanto, sulla mia segreteria telefonica di casa si accumulavano i messaggi di Ricard. Non potevo rimandare oltre un incontro con lui. Il brutto era che non sapevo cosa dirgli. Chiedergli una rottura immediata sarebbe stato assolutamente ingiustificato. Dovevo aspettare che facesse lui la prima mossa per capire come uscirne. Quell'uomo mi piaceva, ma non potevamo andare avanti così. Lo chiamai.

– Finalmente! Ho avuto molto lavoro, e penso sia stato lo stesso anche per te, ma cominciavo a fare piani per piombare in quel tuo commissariato e rapirti.

– Ti avrebbero arrestato. Ceniamo insieme?

– Passo a prenderti fra mezz'ora.

– Meglio un'ora. Voglio farmi bella.

Non tardò neanche un minuto. Ebbi appena il tempo di farmi una doccia e sistemarmi i capelli. Per evitare la tentazione di cenare in casa, prenotai un tavolo in un ristorante libanese. Non volevo rimanere sola con lui.

Ricard era contento, matto come al solito, svagato, gentile e seduttore. Ordinò un gran numero di piattini con diverse specialità e ci divertimmo a piluccare un po' dall'uno un po' dall'altro cercando di indovinare gli ingredienti. Io parlavo troppo, me ne accorsi subito, prolungando il più possibile discorsi senza importanza per evitare di affrontare argomenti personali. Quando lui mi chiese delle indagini, gli raccontai cose sulle quali avrei fatto meglio a tacere per questioni di riservatezza. Molto di più, in realtà, di quanto potesse interessargli.

– Stanotte mi piacerebbe portarti a casa mia – disse all'improvviso. – Rimarrai sorpresa. È tutto pulito e in ordine, vedrai. Credo che finirai per fare di me un altro uomo.

– Non me lo sono mai proposto.

– Be', la convivenza è questione di osservare degli accordi, quando si arriva a una certa età e a una certa esperienza. Faremo un patto: io divento più ordinato, e tu non mi racconti crimini sanguinosi mentre stiamo mangiando.

– Mi dispiace.

– Sto scherzando, Petra, per l'amor di Dio!

– Lo so, stavo scherzando anch'io. Ti sei divertito, l'altra sera?

– È stata una festa stupenda, con tutta quella varietà antropologica: poliziotti, giudici, signore bene, giovani rampanti di Manhattan... Mi è piaciuta moltissimo! Avrei dovuto portare qualcuno dei miei pazienti per completare l'assortimento.

– Parli come se fossi stato allo zoo.

– Senti, c'è qualcosa che non va? Sei così suscettibile!

– Niente di speciale, non farci caso, sono solo un po' stanca.

– Dormirai a casa mia, come una regina. Ti porterò perfino la colazione a letto.

Gli sorrisi con una buona dose di stanchezza non simulata. Ci conoscevamo appena. Non avevamo altra intimità di quella offerta dal sesso, ma per qualche strano motivo lui si ostinava a voler riprodurre in modo fittizio il grado di familiarità condiviso dalle coppie consolidate nel tempo. Non riusciva a capire che stava cercando di creare una situazione inesistente. Era così impaziente di bruciare le tappe da saltare a piè pari uno dei periodi più interessanti di ogni relazione promettente: le schermaglie dei primi tempi, la reciproca esplorazione, la scoperta della personalità dell'altro. Si sentiva davvero così solo? Aveva davvero tanto bisogno di un'amicizia amorosa? Chi ero io per lui?

La sua casa aveva subìto, in effetti, una minima trasformazione di superficie. Le pile di riviste accatastate in tutti gli angoli erano scomparse e i portacenere erano puliti. Il resto era rimasto esattamente com'era, sembrava che la dimensione del lavoro prevalesse su tutto: dossier, libri di consultazione, schedari...

– Cosa ne dici?

– È tutto in perfetto ordine.

– La signora delle pulizie è rimasta sbalordita ieri pomeriggio. Pensava di avere sbagliato appartamento. Ma aspetta. Aspetta e vedrai.

Mi prese per mano e mi portò in camera. Sul letto c'era una trapunta che sembrava nuova e un grazioso cuscino tutto pizzi e nastri che non riuscii nemmeno a immaginare dove avesse potuto recuperare.

– Ti piace? Vero che è molto più accogliente?

– Accoglientissima.

– Senti, non so se mi stai prendendo in giro o se dici sul serio. Non ti vedo tanto entusiasta.

La mia esasperazione stava arrivando al culmine.

– Insomma, Ricard, decidi di sgombrare un po' casa tua, rinnovi la biancheria e compri perfino un cuscino. Cosa dovrei fare io secondo te? Saltare di gioia, mettermi a fare le fusa sui pizzi come un gattino?

– Petra, io ho fatto tutte queste cose per te.

– E io non ti ho chiesto di farle.

Si arrabbiò.

– Voi donne avete la facoltà di rendere difficile qualunque situazione piacevole! Non ti sto chiedendo di darmi dieci in economia domestica, ma solo di prendere atto che sto dimostrando la volontà di cambiare, di adattarmi a una convivenza confacente alle tue abitudini!

– Perché? Pensi che dovremmo venire a vivere qui?

– No, vivremo dove ti pare, ma almeno qui si respira un po' di pace. A casa tua c'è sempre un telefono che squilla, qualcuno che ti cerca, se poi non c'è quel ciccione del tuo collega a rompere le scatole.

– Non è un ciccione!

– Ah, no, e cos'è? È il tipico sbirro nutrito a patate e chorizo!

Girai sui tacchi e partii verso il soggiorno. Mi erano saltati i nervi. Ricard mi seguiva con intenzioni bellicose.

– Sono stufa! Tu credi che un amante si comporti come te? Pensavo di venire qui a passare una notte di passione, e cosa trovo invece? Uno che mi tratta come la sua amichetta d'infanzia e mi fa vedere il cuscino di pessimo gusto comprato ai saldi. È il colmo!

– Il cuscino di pessimo gusto?

– Sì, può darsi che Garzón sia il tipico ciccione rompiscatole, ma quel cuscino è di un cattivo gusto che fa vomitare! Tutto questo è assurdo. Me ne vado.

Afferrai l'impermeabile e la borsa e aprii la porta. Ma non avevo ancora liberato tutto il mio livore, quindi mi voltai verso di lui e aggiunsi:

– Forse ci sono altri poliziotti che ti piacciono di più. Come Yolanda, per esempio. Ho visto come la guardavi l'altra sera.

– Io, la guardavo? È questo che ti ha rovinato la serata? Un volgare attacco di gelosia?

La frase mi esplose nelle orecchie come una frustata. Spalancai gli occhi, sapendo che facevano fuoco e fiamme. Gli parlai a voce bassa, soffiando le parole fra i denti:

– Se mai ci sarà un giorno in cui sarò gelosa di te, Ricard, quel giorno mi farò levare la pelle piuttosto che venirtelo a dire.

Sbattei la porta con una violenza da lite coniugale e mi lanciai giù per le scale senza fermarmi a chiamare l'ascensore. Ero infuriata ed enormemente scontenta di me stessa. Quando avevo ormai raggiunto il terzo piano di quella scala vetusta e signorile, sentii un grido, una voce ferma e autoritaria da sergente che gridava il mio nome:

– Petra Delicado!

Rimasi immobile, col sangue che mi si gelava in corpo. Quell'uomo si comportava come un vero pazzo. Lo sentii scendere a tutta velocità. Quando lo ebbi davanti, ansimava. Ci guardammo, l'uno di fronte all'altra, come due animali pronti alla lotta, e allora la luce automatica si spense. Sentii il suo corpo che mi avvolgeva, la sua bocca, calda sul mio collo, il suo torace agitato dall'affanno. Mi sentii venir meno dal desiderio. Ormai non esisteva più niente al mondo che l'odore del suo dopobarba.

12

Sangüesa voleva vederci urgentemente. Ci spuntarono le ali sulla schiena. Garzón, con le sue, sembrava un cupido voluminoso ormai giunto all'età della ragione.

– Caspita, capo, da come parlava l'ispettore deve aver scoperto qualcosa di grosso all'ufficio delle imposte!

– Lo sa che detesto che mi chiami capo.

– Perché?

– Perché è volgare.

– Stiamo per risolvere un caso con tre morti ammazzati e non le viene niente di meglio da dire.

– Non bisogna dimenticare le forme. Io non lo faccio mai – mentii. – E poi, che stiamo per risolvere il caso lo dice lei. Stiamo per metterci in un ginepraio di numeri, e sono i numeri che devono parlare...

– I numeri parlano chiaro, non è così che si dice? Lasci fare all'ispettore Sangüesa, lui è il migliore.

Storsi un po' il naso. Mi fanno paura i reati finanziari, dove se è vero che i numeri parlano chiaro, difficilmente portano a una conclusione definitiva.

Il rapporto di Sangüesa, però, era convincente e facile da capire: Arcadio Flores aveva presentato la dichiarazione dei redditi in base al suo stipendio di direttore tecnico della Fondazione Uguaglianza e Pace. Circa trecentomila pesetas al mese. Tutto assolutamente regolare. Non risultava nulla circa le somme registrate nei libri contabili trovati in casa sua. La F, evidentemente, corrispondeva alla parola Fondazione.

– C'è da impazzire! – esclamò il viceispettore. – E che cavolo è la Fondazione Uguaglianza e Pace?

Sangüesa ci porse un foglio.

– Qui c'è l'indirizzo della sede sociale e il numero di identificazione fiscale, del resto occupatevi voi. Comunque, che questo tizio lavorasse per una fondazione è molto promettente.

– Che cosa vuoi dire?

– Le fondazioni sono opache dal punto di vista fiscale e presentano un sacco di vantaggi economici: sono esenti da imposte, godono di una presunzione di buona fede, non hanno soci, a volte hanno sedi soltanto nominali, i responsabili non sono sottoposti a controlli, sono protette dallo Stato, che praticamente non mette becco... Insomma, una persona priva di scrupoli può servirsene come copertura per movimenti di denaro sporco, evasioni fiscali o affari illeciti.

– Incredibile.

– Credici pure, Petra, perché è la verità. L'unico obbligo è presentare una lista di investimenti a scopo culturale o umanitario, a seconda del genere di fondazione, e nessuno ci ficcherà mai il naso. Siamo sicuri che molte fondazioni nascondano traffici poco puliti, ma visto che non abbiamo la legge dalla nostra parte, possiamo fare ben poco.

– Credi che questa fondazione fosse dedita al raggiro?

– I conti di Arcadio Flores potevano avere carattere personale. Intendo dire: magari approfittava del suo posto di direttore tecnico per farsi gli affari suoi.

– Questa è stata la nostra ipotesi di lavoro. D'altra parte, chi assumerebbe come direttore tecnico un tizio che ha dei precedenti per truffa?

– Le possibilità sono tre. Una, che chi gli ha dato il lavoro non sapesse niente del suo passato. Un'altra, visto che si tratta quasi sicuramente di una fondazione benefica, che volesse dargli un'opportunità per redimersi.

– E la terza che anche lui avesse qualcosa da nascondere, e quindi gli andasse molto bene una persona con un passato poco chiaro che non l'avrebbe mai denunciato.

– L'hai detto, cara collega. E ora non mi resta che augurarvi buona fortuna. Se è una fondazione di copertura non sarà facile dimostrare qualcosa.

– Grazie, Sangüesa, sei sempre il numero uno.

– Lascia perdere. Come direbbe il numero uno dei cretini: faccio semplicemente il mio dovere.

Ci lasciò soli, immersi nella confusione.

– Cosa ne pensa, ispettore?

– Mi sembra che torni. La fondazione assume Arcadio Flores e lui organizza una rete di piccole truffe per conto suo.

– E già che c'è, intasca alcune donazioni che la fondazione avrebbe dovuto devolvere ai poveri.

– Vero, ma visto che non è un uomo di grandi risorse intellettuali, ha bisogno di qualcuno che gli amministri tutto quanto.

– E quel qualcuno è la nostra prima vittima: Tomás il Saggio. Un uomo intelligente che di contabilità è piuttosto esperto.

– Ma il cui unico difetto è lo squilibrio mentale e l'emarginazione. Dopo un po', infatti, qualcosa lo porta a ribellarsi contro Arcadio e a dirgli che rivelerà i suoi traffici.

– E questo gli costa la vita. Poi, il povero Anselmo fa la stessa fine perché lo vedono parlare con noi e temono che sappia qualcosa. Fin qui tutto quadra.

– Tutto quadrerebbe se Arcadio Flores fosse ancora vivo, ma le ricordo che non è così. C'è qualcun altro in questa storia.

– Bisogna verificare alcune cose su questa fondazione.

Garzón lesse per la prima volta il foglio che ci aveva dato Sangüesa.

– Guardi, ispettore, la sede sociale si trova in calle Balmes. Può essere un caso, ma mi sembra che il numero civico si trovi non lontano dall'incrocio con calle Sanjuanistas, dove si sono infilati i due che trascinavano il cadavere di Flores.

– Io ho smesso di credere al caso molto tempo fa. E lei, Garzón?

La Fondazione Uguaglianza e Pace era intestata a un certo Adolfo Ayguals Escudero, prospero imprenditore tessile della città, che l'aveva creata a titolo personale per svolgere un'attività filantropica in favore dei poveri e degli emarginati. I dipendenti erano solo tre: due impiegate e Arcadio Flores.

Ci mettemmo esattamente due minuti a raggiungere la sede, ma una volta lì ci sentimmo dire da una delle impiegate che il signor Ayguals non compariva spesso alla fondazione. Lei stessa ci diede l'indirizzo della Ayguals Textiles S.A., la cui sede centrale si trovava in una zona di palazzi per uffici sull'avenida Diagonal. Già che c'eravamo, facemmo qualche domanda alle impiegate, la prima delle quali fu: – Non sentite la mancanza del signor Arcadio Flores? – La più giovane, ben oltre la quarantina, con l'aria un po' spersa e un vestito fuori moda, rispose:

– Ma certo. Sono giorni che non si fa vedere. L'abbiamo detto a don Adolfo, e lui ci ha autorizzate a chiamarlo a casa, ma non ha mai risposto nessuno. Finché un giorno siamo andate a cercarlo personalmente. E non ci ha aperto. Visto che non ha famiglia... probabilmente è partito per un viaggio e si è dimenticato di avvertire. Don Adolfo ci ha detto di chiamare la polizia, se nel giro di qualche giorno non fosse ricomparso, ma l'ha detto tanto per dire, in realtà non pensiamo che gli sia successo niente.

– Che orario faceva?

– Faceva?

– Arcadio Flores è morto, signorina. Assassinato. Noi siamo della polizia.

Spinse indietro la poltrona e portò le mani alla gola. Si mise a tremare come una foglia. L'altra impiegata, che doveva essere prossima alla pensione, le venne vicino.

– Virtudes, cara, per l'amor del cielo!

Le fece vento con una cartellina. Garzón, sempre pronto a soccorrere le dame in pericolo, riempì d'acqua un bicchiere che c'era sul tavolo.

– È molto sensibile, poverina, e visto che la notizia è arrivata così all'improvviso... Avreste potuto prepararci un po', almeno.

Guardai Garzón.

– Si occupi della signora, viceispettore.

Presi per un braccio l'impiegata ancora in grado di intendere e di volere e la condussi in un angolo dell'ufficio.

– Non si preoccupi per la sua collega, è in buone mani. Il viceispettore ha un diploma di primo soccorso. Risponda alle mie domande per favore.

– Anch'io sono piuttosto turbata.

– Si riprenderà. Può dirmi quali erano gli orari di ufficio di Arcadio Flores?

– Il signor Arcadio non aveva un orario fisso. A volte veniva, a volte no. Lavorava molto fuori. Per questo non ci siamo eccessivamente allarmate non vedendolo per qualche giorno.

– Che genere di lavoro svolgeva fuori?

– Il lavoro della fondazione, naturalmente! Andava a trovare gente bisognosa, visitava le opere pie, distribuiva denaro e progettava le campagne per la raccolta di fondi.

– Come si chiama lei?

– Manuela Manzano.

– Molto bene, signora Manzano, è importante che

si renda conto che un interrogatorio di polizia non è una normale conversazione. Non mi dica quello che ritiene corretto dire per rispetto ai suoi capi o alla fondazione. Mi deve dire la verità.

– Ma le sto dicendo la verità.

– D'accordo. Crede che il signor Flores potesse trascurare i suoi impegni? Le è mai parso che il suo comportamento fosse sospetto... Diciamo... fuori del comune?

Ci pensò su per un momento. Senza dubbio si sentiva in grande difficoltà.

– Vede, io non posso giudicare il mio prossimo, e il signor Arcadio faceva il suo lavoro ed era sempre gentile con noi, anche se...

– Anche se?

– A volte aveva le sue stranezze, e degli amici che...

– Mi parli di questi amici.

– No, io non so niente, ma un giorno sono venuti a prenderlo due giovanotti, biondi, con un'aria... non so, poco raccomandabile. Non parlavano bene lo spagnolo. Hanno detto che volevano vederlo, e appena lui li ha avuti davanti è diventato tutto rosso e sembrava molto arrabbiato. Li ha portati fuori dall'ufficio, e da qui abbiamo sentito che gli diceva di non ricomparire mai più. È stata una cosa strana.

– Quanto tempo fa è successo?

– Saranno un paio di mesi. Poi non sono più tornati.

– Lei ha riferito questo episodio a Ayguals?

– A don Adolfo? No di certo, non lo avrei mai disturbato per una simile sciocchezza!

– Il signor Ayguals passa spesso qui?

– No, mai, ha molto lavoro nella sua azienda.

– Lui e Flores non si incontravano mai?

– Qui no. Credo lo facessero nell'ufficio dell'azienda, ma io non ne sono al corrente.

– Che cosa sa dirmi di Adolfo Ayguals?

Si tese visibilmente e assunse un atteggiamento rigido e orgoglioso.

– Don Adolfo è un santo, andrebbe messo sull'altare. Un uomo con la sua fortuna e i suoi impegni in genere non si preoccupa degli altri, mentre lui ha creato questa fondazione, che svolge un'opera importante. Basta vedere come si è comportato con Virtudes e con me. Virtudes è nubile e io sono vedova. Abbiamo una certa età e abbiamo lavorato per tutta la vita per la Ayguals Textiles. Lui, invece di metterci in pensione anticipata, in un momento di ristrutturazione e riduzione del personale, ci ha dato questo lavoro. Pochi sarebbero capaci di un gesto simile.

– Mi rendo conto. Abbiamo un mandato per effettuare un sopralluogo negli uffici e per prelevare una copia di tutta la contabilità. Non si allarmi, è una procedura di routine.

– Ma don Adolfo lo sa?

– Fra poco andremo nel suo ufficio e gli parleremo, non si preoccupi.

– Noi, se non abbiamo l'autorizzazione di don Adolfo…

– Persino don Adolfo deve rispettare la legge, signora.

Feci segno a Garzón, che continuava a prodigare le sue premure a quella donna sensibile, e lo presi da parte. Non gli lasciai il tempo di recriminare per le competenze che gli avevo attribuito.

– Primo soccorso, eh? Non c'era mica bisogno di dire una cosa simile.

– Sono sicura che si è comportato molto bene.

– Sì, le ho dato duecento colpetti sulla spalla, ciascuno con il corrispondente «su, su, si calmi».

– Non credo che si potesse fare di più.

– Ma dove le avrà prese quelle due? Sembrano uscite da una campagna per l'impiego della terza età.

– Devono essere l'ideale per l'esercizio della carità, e poi sono cani fedeli. Io direi che sono state scelte con la massima cura.

– Sta pensando che quell'Ayguals...?

– Andiamo a vederlo. Magari ha l'innocenza dipinta sulla faccia.

– Crede che un imprenditore si dipinga?

– Non so, ma dobbiamo muoverci lentamente, con i piedi di piombo. Stiamo parlando di reati finanziari, ma quello che realmente ci riguarda sono due omicidi, forse tre.

– È un po' troppo, per qualunque imprenditore.

– Perfino per un operaio non qualificato, viceispettore.

Effettuammo la consueta ispezione oculare e, anche se erano passati diversi giorni, chiedemmo un intervento della Scientifica per uno scrupoloso sopralluogo in tutte le stanze. Le fedeli segretarie dovettero adeguarsi.

Gli uffici della Ayguals Textiles occupavano un intero piano di un grande palazzo sulla Diagonal. Erano moderni e funzionali, senza nulla che li distinguesse da migliaia di altri uffici moderni e funzionali di Barcellona. Una gentile impiegata si assunse il compito di trasecolare in silenzio quando ci presentammo come poliziotti e chiedemmo di Adolfo Ayguals.

– Il padre o il figlio? – rispose, gettandoci nello sconcerto.

– Il padre, suppongo. Il presidente della Fondazione Uguaglianza e Pace.

– Allora don Adolfo. Aspettate, lo avverto subito.

Ci indicò un angolo provvisto di poltroncine, dal quale la osservammo trasmettere un discreto messaggio per mezzo del telefono interno. Appena ebbe finito, venne verso di noi.

– È in riunione, ma dice che vi riceverà fra un momento. Da questa parte, per favore.

Ci accompagnò in un ufficio molto diverso dagli altri ambienti. Era una stanza pomposa e imponente, con mobili ottocenteschi e poltrone di pelle. Le pareti erano coperte di antichi quadri a olio: paesaggi, marine, qualche ritratto... Garzón si sedette ad aspettare, ma io cominciai a passare in rivista tutto quanto, curiosando fra i mobili. Su un tavolino d'angolo, accanto a qualche numero di una rivista finanziaria, c'erano dei biglietti da visita. Li raccolsi e diedi un'occhiata. Uno era di Anticart, un negozio di *brocanteur*. Identico al biglietto da visita che avevo trovato in casa di Flores. Sentii un rumore di passi e li rimisi a posto precipitosamente. Adolfo Ayguals comparve sulla porta, sorridente.

– Buongiorno, signori. Scusate se vi ho fatto attendere.

Era un uomo sulla settantina, dall'aria distinta e cordiale. Sembrava stanco. Si sedette e mi guardò curioso.

– Stavo ammirando i suoi quadri.

– Ho una certa passione per l'antiquariato. Anche lei?

– Mi piacerebbe, ma è una passione che non posso permettermi.

– A volte è solo questione di saper cercare. Non sempre i bei pezzi sono cari.

– Forse, ma non vorrei rubarle il suo tempo. In realtà siamo qui con un compito piuttosto sgradevole. Lei conosce Arcadio Flores?

– Certamente. Lavora per la mia fondazione. Gli è successo qualcosa?

– Ho paura di sì. È stato trovato morto.

– E come?

– Assassinato. Gli hanno sparato.

Si coprì la faccia con tutte e due le mani. Cosa pessima per noi, perché non ci permetteva di vedere la sua espressione. Rimanemmo in rispettoso silenzio. Dopo un istante abbassò le mani. Il suo aspetto stanco era ancora più evidente.

– Non ci posso credere. Sapete chi è stato?

– Stiamo seguendo diverse piste.

– Per motivi di lavoro gli capitava di frequentare ambienti poco raccomandabili.

– Lo sappiamo. Potremmo farle qualche domanda?

– Sì, certo. Ditemi.

– Dove ha conosciuto Arcadio Flores?

– Lasciatemi pensare... mi pare che fu in modo del tutto casuale, in un bar, in un ristorante... Sì, ora ricordo, fu a una fiera dell'antiquariato! Anche se non saprei dire esattamente quale. Anche lui è... era un appassionato.

– Lei sapeva che Flores aveva precedenti penali?

– Sì, lo sapevo, sapevo che aveva avuto dei problemi con la giustizia anni fa, ma si trattava di cose di scarsa importanza.

– E l'ha assunto ugualmente?

– Diciamo che l'ho assunto proprio per questo. Be', forse non è esatto dirlo in questi termini... Ci incontrammo per caso, come le dico, credo che fossimo interessati entrambi allo stesso pezzo, e attaccammo discorso. Avevamo molti argomenti in comune. Flores era un uomo molto simpatico. Io gli parlai dei primi passi della fondazione. Lui era affascinato dal progetto, diceva che era una cosa che valeva la pena di fare. E allora, visto che il posto di direttore era ancora vacante, mi venne in mente di rivederlo e parlargliene di nuovo.

– Lei sa di cosa si occupasse Flores in quel periodo?

– Sì, mi disse che lavorava come free-lance cercando pezzi d'antiquariato per diversi negozi. Ma per quanto potesse piacergli il suo lavoro, quello che io potevo offrirgli era più sicuro, oltre che più consono al suo spirito umanitario.

– Scommetto che avesse un forte spirito umanitario – si lasciò scappare Garzón, ma Ayguals lo prese perfettamente sul serio.

– Non c'è dubbio. Mi aveva raccontato che era nato in una famiglia molto umile, e che questo l'aveva segnato per sempre. Poi, quando si è parlato seriamente di un'offerta di lavoro, mi confessò sinceramente che aveva avuto dei problemi con la giustizia.

– E lei?

– Io decisi che una fondazione a scopi umanitari non deve mai perdere di vista la filosofia che anima il progetto. Per questo lo sostenni e gli diedi la mia piena fiducia.

– E non ci sono mai stati problemi?

– No, mai. Abbiamo lavorato insieme per quasi due anni e tutto è sempre andato benissimo.

– Lei rivedeva i conti?

Rimase per un attimo interdetto.

– I conti? Be', lui li presentava sempre puntualmente e… le assicuro che non ho mai avuto di che lamentarmi.

– Ma li rivedeva?

– Ecco, potrà sembrarle superficiale da parte mia, ma non li rivedevo a fondo, ho tante altre cose da fare… Ma a vederli così quadravano, andavano bene.

– Lei si assicurava che le opere di beneficenza venissero effettivamente condotte a buon fine?

– Ispettore, per favore, io mi fido della gente che lavora per me. Tutto funzionava nel migliore dei modi. Devo dedurre dalle sue domande che ci sono dei sospetti su Flores?

– Tutto fa pensare che avesse ordito una rete di raggiri sotto la copertura legale della sua fondazione.

– Questo non è possibile!

– Ne siamo sicuri. A parte le attività che poteva avere messo in piedi per conto suo, siamo convinti che si appropriasse personalmente del denaro che la sua azienda versava alla fondazione.

– E in tutto questo tempo non ha svolto nessuna opera umanitaria?

– Qualcosa avrà fatto, ma lo stiamo ancora verificando.

– Mio Dio! Ma è possibile? Sembrava una persona per bene!

– C'è gente fatta in questo modo, signor Ayguals, lei dovrebbe saperlo dopo tanti anni alla guida di un'impresa.

– Sì, immagino che alla mia età dovrei aver perso ogni fiducia nell'essere umano, ma non è così, purtroppo, e ormai non posso più cambiare, malgrado tutte le delusioni.

– Tanto meglio per lei. Dove si tenevano le riunioni con Flores?

– Ci vedevamo molto poco, per lo più parlavamo per telefono.

– Dov'era lei giovedì venticinque a mezzanotte?

– A mezzanotte? A casa mia, naturalmente. Alla mia età cerco di uscire il meno possibile. Solo il venerdì sera vado al Liceo o al Palau de la Música. Perché?

– Semplici formalità. Riteniamo che Flores possa essere stato ucciso negli uffici della fondazione ed è necessario escludere dalla lista dei sospetti tutti coloro che vi si recano di frequente.

– Davvero potete arrivare a supporre che sia stato io?

– Certo che no, signor Ayguals. Senta, che ruolo ha suo figlio nell'azienda?

– Mio figlio? Attualmente è amministratore delegato. Si sta facendo un'idea della gestione per quando dovrà prendere il mio posto.

– Quanti anni ha suo figlio?

– Quaranta. Sì, lo so cosa potete pensare, ma siamo in molti ormai a non essere capaci a ritirarci in tempo. Ad ogni modo, non credo di potercela fare ancora a lungo. Dovrò rassegnarmi a cedere il passo ai giovani.

– Suo figlio vive con lei?

– Sì, da quando ha divorziato. Io sono vedovo. Abbiamo deciso di tornare a condividere, almeno per un po', la casa di famiglia.

– Capisco. In questo caso spero non le dispiaccia se gli chiederemo di confermare la sua dichiarazione sulla notte del delitto, ammesso che fosse in casa anche lui.

– A dir la verità non ricordo se fosse uscito quella sera.

– Può chiedergli di venire un attimo qui?

– Adesso? Non ho idea di dove sia, forse a qualche riunione. Sarebbe meglio se poteste tornare in un altro momento.

– Gli ruberemo solo cinque minuti.

– Molto bene, ma vi avverto che lui della fondazione non sa niente. Non conosceva nemmeno Arcadio Flores.

– Non si erano mai visti?

– Non credo. Aspettate.

Alzò il telefono e chiamò una segretaria. Le chiese di cercare Joan Ayguals.

– Mentre aspettiamo, propongo di fumare una sigaretta. Non sono ancora riuscito a smettere, anche se so che mi fa male.

– Capita a molti.

Sia io che Garzón accettammo una delle sue sigarette.

– Senza filtro! Queste fanno ancora più male – osservò il mio collega.

– Lo so. Posso offrirvi anche un caffè?

Proprio in quel momento entrò il figlio. Era un omone alto quasi uno e novanta, con meno capelli del padre e, naturalmente, molto meno fascino.

– Mi hai fatto chiamare?

– Questi signori sono della polizia e vorrebbero farti delle domande.

– È successo qualcosa?

– Volevamo solo sapere se si trovava in casa con suo padre la sera di giovedì venticinque intorno alla mezzanotte.

Apparve seccato, guardò suo padre come se quello fosse uno scherzo pesante.

– Questa sì che è bella! La sera del venticinque? E io che ne so!

Ayguals padre si preoccupò visibilmente. Gli parlò in tono severo:

– Joan, hanno trovato...

Lo interruppi con un gesto.

– È importante che risponda alla nostra domanda, per favore.

Tirò fuori un'agendina tascabile e si mise a sfogliarla accigliato.

– Non ci capisco niente. Vediamo… venticinque… giovedì…, sì, credo di essere rimasto a casa. Il giorno dopo avevo l'aereo per Madrid alle otto del mattino. No, non sono uscito.

– Anche suo padre era in casa?

– Ma insomma, dove vuole che fosse? In montagna per funghi?

– Joan, per favore.

– Qualcuno vuole avere la cortesia di spiegarmi cosa sta succedendo?

– Glielo spiegherà suo padre. Noi dobbiamo andare. Grazie di tutto, signori. E grazie per la sigaretta, signor Ayguals! A proposito, un'altra piccola richiesta. Le creerebbe qualche problema se i nostri esperti verificassero la contabilità della sua azienda in rapporto alla fondazione?

– Non esiste alcun vincolo fra le due cose.

– In questo caso ce ne accerteremo. È in grado di fornircene una copia?

– Certo, potete fare quello che volete, ma le confesso che non mi piace che la mia azienda si veda coinvolta in questo spiacevole incidente. In realtà la fondazione è una cosa del tutto a parte.

– Non si preoccupi. Le indagini verranno condotte con la massima discrezione.

– Va bene, siete liberi di agire come credete.

Non eravamo ancora arrivati alla macchina quando Garzón tirò la prima freccia.

– Qui c'è qualcosa che puzza. Lei ci crede alla storiella dell'uomo di fiducia conosciuto per puro caso a cui non viene mai chiesto conto di niente?

– Non una parola.

– Bene, neanch'io.

– O sono tutti e due con le mani in pasta, o il padre copre il figlio.

– È evidente che non gli è piaciuto affatto che lo mandassimo a chiamare.

– No di certo.

– La verifica della contabilità può dare qualche risultato?

– Immagino che abbiano tutto perfettamente sotto controllo. Comunque, dica a Sangüesa di fare una verifica a fondo.

– E noi?

– Noi andremo ad annusare in giro come due vecchi cani rognosi.

– Che paragone!

– Inviti le due impiegate della fondazione a prendere il tè in commissariato.

– Senta, ispettore, prima di prendere il tè con chi le pare, dovremmo parlare un po' io e lei, non crede?

– Perché?

– Per cercare di capire quale dei due Ayguals può aver fatto fuori Flores.

– Su questo non intendo dire niente.

– Come mai?

– Perché non lo so.

– Lei ha sempre la risposta pronta.

– Nei limiti concessi dalla situazione. Cosa ne dice se le propongo anche una visita a un antiquario?

– Le direi che lei sa qualcosa che io non so.

– È solo un presentimento, Fermín, ma può funzionare.

– Lei non sa quanto mi piacciono queste cose, ispettore! Un suo presentimento vale più di dodici ore di indagini di Scotland Yard.

Non era la prima volta che andavamo a far visita alla bottega di un antiquario per le nostre indagini, e Garzón continuava a ritenerlo un posto dove non avrebbe mai lasciato un centesimo.

– Non riesco a capire come faccia la gente ad attribuire tanto valore a certe cose per il solo fatto che sono vecchie. Sì, sarà anche arte, d'accordo, ma queste vecchie catinelle, questi attaccapanni che io ho visto buttare nel camino quando ho cominciato a crescere...

– Provi a considerarle come se fossero persone. In fondo lei attribuisce più valore all'esperienza che alla gioventù.

– Appunto! Perché le persone servono a qualcosa, mentre un vecchio catino scrostato non può far altro che starsene in un angolo.

– Pochi la pensano come lei. Gli antiquari guadagnano un sacco di soldi. Hanno dei clienti fissi a cui offrono la loro merce. Come in tutti i campi, gli appassionati di antiquariato formano una specie di setta in cui tutti si conoscono fra loro. Be', in questo caso, almeno, spero che sia così.

– Sì, ma cosa andiamo a cercare in questo negozio?

Lo guardai con falsa tenerezza preparandomi a sferrare una memorabile stoccata. Ma in quel momento suonò il mio cellulare. Guardai il display. Era Ricard. Spensi. Il mio collega, che inalberava più antenne dei tetti di una città, non ci mise un solo istante a domandarmi:

– Come va con lo psichiatra?

– Per il momento non ho ancora bisogno di uno psichiatra, ma non escludo di rivolgermi a uno specialista, un giorno o l'altro.

– Sa perfettamente a cosa mi riferisco. Vi sposerete?

– Sposare uno psichiatra dev'essere come attraversare l'Atlantico con un istruttore di nuoto. Può sempre tornare utile.

– D'accordo, faccia pure la furba, se vuole. Ma non mi piacerebbe venire a sapere da altri del suo nuovo matrimonio.

– Non si preoccupi. Prima di dare la notizia ai giornali ne parlerò con lei.

Anticart era un negozio ai margini del Barrio Gótico. Apparteneva a una coppia di mezz'età, i Salvat. Quando seppero che eravamo della polizia dimostrarono uno zelo nell'occuparsi di noi che mi parve eccessivo. Non manifestammo il motivo per cui ci trovavamo lì, ma loro si diedero da fare per mostrarci i locali e spiegarci il funzionamento dei loro affari. Probabilmente pensavano che stessimo indagando su qualche furto di antichità, come dovevano aver fatto altri colleghi in passato. Quando li informammo che eravamo della squadra omicidi il loro fervore iniziale si placò. Come se questo li tranquillizzasse.

– Conoscevate un uomo chiamato Arcadio Flores?

La moglie, anticipando il marito, disse subito di no. Lui rimase zitto. Capii subito che, di quella coppia, lui era l'elemento più vulnerabile. Lo affrontai direttamente.

– È stato trovato morto, e fra le sue cose c'era un biglietto da visita del vostro negozio.

Rispose la moglie, senza lasciargli il tempo di reagire.

– E da questo deduce che lo conoscessimo? Ispettore, per l'amor di Dio! Sono vent'anni che facciamo questo mestiere, chiunque può avere un nostro biglietto da visita.

– Li distribuite come pubblicità?

– No, però sono a disposizione di tutti negli stand delle fiere e dei mercatini, e li teniamo anche qui in negozio, per i visitatori, ma...

– In questo caso posso mostrarvi una fotografia così mi direte se ricordate questa persona.

La signora Salvat si strofinò le mani, nervosa. Tirai fuori la foto di Arcadio e gliela mostrai. La guardarono entrambi con apprensione.

– Tu te lo ricordi? – chiese la moglie. Il marito scosse la testa.

– No. Deve capire che di qui passa molta gente.

– Eppure credo che questo signore abbia acquistato qualche pezzo da voi. Avete un registro delle vendite, no?

– Ce l'abbiamo, ma...

– Posso vederlo?

L'uomo mi fece un cenno con la mano.

– Prego, da questa parte.

Ci portò in un enorme retrobottega pieno di vecchi mobili, dove c'era una scrivania con un computer. Si sedette, lo accese. Aprì un database, e allora il viceispettore Garzón gli chiese di sedersi al suo posto.

– Permette? Faccio io.

La moglie cominciava a perdere la pazienza.

– Sentite, queste sono cose riservate.

– Stiamo indagando su un omicidio, signora Salvat.

– Questo non vi dà il diritto di... I nostri clienti sono gente importante che può aver deciso di investire ingenti somme e...

– Se preferisce possiamo tornare con un mandato, e nel frattempo il negozio rimarrà chiuso con i sigilli dell'autorità giudiziaria. Di qui non porterete fuori uno spillo.

Il marito prese l'iniziativa per la seconda volta.

– Guardate quel che dovete guardare.

Garzón fece il suo lavoro mentre nella stanza cresceva percettibilmente la tensione.

– Eccolo – disse alla fine. – Arcadio Flores compare nella lista dei clienti. Stando a quel che si dice qui avrebbe fatto tre acquisti in due anni: un tavolino intarsiato e diversi oggetti liberty.

– Be', e allora? – La donna era inviperita.

– Sembrava che non lo conosceste.

– Ed è vero. Crede che possiamo ricordarci la faccia di tutti i nostri clienti? Per non parlare del nome e del cognome!

– Signora Salvat, non capisco perché si agiti tanto.

– Ispettore, voi entrate qui chiedendoci di un perfetto sconosciuto e poi vi mettete a ficcare il naso nel nostro archivio come se niente fosse. Lei come reagirebbe?

– Finiamola, signora. Vendete per caso armi da fuoco?

Si mise a strillare isterica.

– Noi? Ma per chi ci ha presi? Questo è un negozio rispettabile!

– Ripeterò la domanda con più precisione. Vi è mai capitato di avere armi della Guerra Civile che avreste potuto vendere a un collezionista?

La donna stava per mettersi di nuovo a gridare, ma suo marito le strinse un braccio e la fece star zitta.

– Ogni tanto può capitare qualche pezzo, ma si tratta di armi non più in uso per le quali non esistono neppure munizioni. Ad ogni modo, le vendiamo soltanto a chi può presentare un porto d'armi.

– Ne è sicuro?

– Sì.

– Avete venduto una pistola Astra calibro nove corto a Arcadio Flores?

– No, assolutamente.

– Conoscete Adolfo Ayguals Escudero?

Rimasero a bocca aperta. Io li guardavo, prendendo mentalmente nota della loro reazione.

– Sì, certo che lo conosciamo, è uno dei nostri migliori clienti. Ma questo cosa c'entra con...?

– Niente, non c'entra niente. Semplicemente l'uomo su cui vi abbiamo fatto delle domande lavorava per lui. Quindi voi siete sicuri che non avete mai venduto un'arma a Arcadio Flores?

– Può consultare il nostro registro. Vedrà che è tutto perfettamente in regola.

– Certo, non ne dubito.

Non avremmo ottenuto niente di più da quell'interrogatorio. Uscimmo in strada e ci guardammo intorno. C'era un sole splendido. Garzón, sorridendo, disse con perfetta tranquillità:

– Non avevo mai visto nessuno mentire così male.

– Oh, certo, proprio un bel duo. Veda un po' se è vero che sono autorizzati a vendere armi da fuoco.

– Lo consideri già fatto. Comunque è chiaro che, con o senza autorizzazione, hanno venduto una pistola Astra a Flores.

– La pistola che l'ha ucciso.

– Il problema è capire a chi è finita in mano.

– Siamo a un pelo dalla fine e non abbiamo uno straccio di prova. Odio questo tipo di situazioni.

– Lo sa cos'è la cosa migliore in questi casi? Andare a pranzo! Le offro il menu del giorno alla Jarra de Oro.

Il viceispettore finiva sempre per venire a patti con le durezze, tanto del lavoro quanto della vita, davanti a un piatto pieno. E a quanto pare il sistema funzionava. Lo guardavo mentre dava fondo a una *fabada asturiana* e mi domandavo come se la cavasse. Proprio nel momento in cui stava per portarsi alla bocca un pezzo di sanguinaccio fumante, gli domandai:

– Lei è felice, Fermín?

Smise di masticare e inchiodò i suoi occhi vivi su di me.

– Parla sul serio o si sta preparando a qualche presa per il culo?

– Ma non riesce mai a rilassarsi?

– Con lei, no.

– La prego di rispondermi sinceramente.

Raccolse gli ultimi fagioli col cucchiaio e poi mordicchiò un pezzetto di pane, riflettendo.

– Be'... non mi va poi così male. Sono in buona salute, l'appetito non mi manca, ho un lavoro che non mi annoia, amici, un'amante, un appartamento dove mi trovo bene... È vero che potrei essere più giovane, più magro, avere più soldi... Ma vuole che a questo punto della vita mi metta a piangere per quello che non ho? Probabilmente sono abbastanza felice, perché non mi chiedo mai se sono felice.

– A noi donne è stata inculcata l'idea che se non hai un grande amore ti manca qualcosa.

– Sì, a tutti noi, uomini e donne, hanno messo in testa la sciocchezza che dobbiamo essere felici. Quando mio padre e mia madre erano giovani questa storia della felicità non esisteva. C'era da mangiare, avevano una casa, non gli era morto nessun figlio... Questo bastava. Nessuno chiedeva altro. Penso che la felicità sia un'invenzione moderna.

– Un'invenzione per chi non fa la fame.

– Una cosa del genere. E lei, la fa la fame, lei?

– No di certo! Io, a parte il televisore, non mi perdo nessuna delle invenzioni moderne.

Si nascose dietro il tovagliolo per farsi una risata. Lo guardai con affetto.

– Crede che dovrei vivere con qualcuno, viceispettore?

– Con un'amica?

– Se non vuole parlare sul serio, possiamo lasciar perdere.

– Non si offenda, Petra, è che così in teoria... Se si fa tante domande vuol dire che non ne ha veramente bisogno. Lei stessa mi ha detto molte volte che l'ideale, se non c'è un grande amore, è vivere ciascuno a casa propria.

– Il tipo con cui esco vuole a tutti i costi vivere con me.

– Sarà molto innamorato.

– Credo di no. Credo che voglia soltanto vivere con qualcuno.

– Già. Questo proprio perché ci è stato inculcato che stare da soli è una specie di fallimento.

– Che disastro, vero, Garzón?

– Cosa?

– Che ci sentiamo in dovere di fare quel che ci è stato inculcato.

– Sì, un disastro totale. Per questo dobbiamo fare quello che va bene per noi e basta.

– Mi chiedo cosa vada bene per me.

– Le va bene farsi i cavoli suoi. E probabilmente può farlo solo se rimane così com'è. E poi, come farà a darmi rifugio quando mio figlio comparirà qui col suo fidanzato, se si mette a vivere con qualcuno?

– Questo è vero. Ma è anche vero che un giorno sarò vecchia, Garzón.

– Ma sarà altrettanto vecchia sola che accompagnata.

Lo osservai con attenzione. Si sarebbe potuto pensare che non gli importasse granché di quei discorsi, ma non era vero. Garzón non voleva che io mi legassi a nessuno, e non solo per quello strano senso di proprietà che sviluppano gli uomini nei confronti di tutto ciò che li circonda, ma anche perché desiderava che nulla cambiasse. È incredibile fino a che punto ci aggrappiamo all'ordine abituale delle cose. Immagino che evitando di cambiare ci illudiamo di non invecchiare, o forse si tratta di pura e semplice pigrizia. In ogni caso il mio collega non rifletté a lungo sui miei problemi. Come secondo piatto ordinò una bistecca, e la fece sparire in un momento senza dimenticarsi delle patate.

– Non dovrebbe mangiare tanto, Fermín.

– Non me ne importa di essere grasso.

– Non lo dico per questo. È che oggi è in programma una merenda.

– Ah, sì?

– Sì. Con le due stagionate segretarie di Uguaglianza e Pace. Spero che ci raccontino parecchie cosette sul figlio di Ayguals.

– Di sicuro qualcosa sanno, ma ce lo diranno?

– Conto su di lei. Ha molto successo con le signore di una certa età.

– Lasci stare, ispettore, ci manca solo questa!

Dare un appuntamento in un caffè alle due impiegate di Ayguals mi era parso un colpo da maestro dal punto di vista strategico. Avremmo chiacchierato un po' in un'atmosfera tranquilla e, fra una lode e l'altra alla santità del padrone, sarebbe spuntata la figura di suo figlio. Ma mi ero sbagliata, anche se di poco, perché non appena fummo comodamente seduti, la più anziana delle due disse che le sarebbe piaciuto moltissimo vedere com'era fatto dal di dentro un commissariato e venire a parlarci lì.

– Il viceispettore sarà felice di farle fare una visita guidata, non è vero, Garzón?

Il mio sottoposto mi trafisse con lo sguardo e poi farfugliò controvoglia:

– Ma naturalmente, sarà un piacere.

– Certo che la vostra dev'essere una vita piena di avventure. Avrete visto tante di quelle cose…! Virtudes ed io abbiamo sempre lavorato nella stessa azienda, e abbiamo ben poca esperienza del mondo.

– Non ci sono posti dove non si vedano cose interessanti. Dicono che un'azienda sia come un mondo completo in miniatura.

– È vero che vivendo con intensità le cose di tutti i giorni si accumula esperienza.

– Ditemi, l'azienda è sempre andata bene?

– Be', ha avuto i suoi alti e bassi, ma si è sviluppata molto nel corso degli anni.

– E il futuro erede non venderà quando verrà a mancare il signor Ayguals?

Si guardarono con una certa preoccupazione. Forse erano inesperte, ma non sceme. La più giovane mi chiese:

– Per questo ci ha invitate a prendere il tè? Per parlare di Joan Ayguals?

Capii che il mio accuratissimo piano poteva fallire molto facilmente. Presi la parola con una serietà fuori contesto:

– Sentite, né il signor Ayguals né suo figlio sono implicati nel delitto su cui stiamo indagando, ve lo dico con tutta franchezza. Eppure, alcune delle persone che li circondano potrebbero sapere qualcosa di interessante, elementi in grado di chiarire i rapporti fra Arcadio Flores e la fondazione.

– Il signor Ayguals frequenta solo gente per bene. I suoi amici del circolo, alcuni conoscenti che frequentano le sale d'aste, poco di più! Da quando è morta la signora, poveretto…

– E suo figlio?

– Non sappiamo quali rapporti possa avere suo figlio.

– Lo immagino, però potete sapere che tipo è.

– Non è come il signor Ayguals.

– Non è altrettanto irreprensibile?

– Noi non lo conosciamo personalmente. Be', lo conosciamo poco, ma non mi pare corretto parlare male di lui.

La interruppi, usando il massimo della prudenza.

– Naturalmente! Parleremo solo degli aspetti professionali.

Gli sguardi che si scambiarono indicavano che nemmeno questo era un campo sgombro di insidie.

– Ecco, veramente il signor Joan era già subentrato al padre tre anni fa e… si vede che le cose non hanno funzionato come dovevano. C'è stato un crollo piuttosto grave e don Adolfo ha dovuto riprendere le redini dell'azienda.

Adesso uno sguardo significativo corse fra me e Garzón.

– Non è facile gestire un'impresa – osservò Fermín.

– Certo che no!

– E così il povero signor Ayguals non ha potuto ritirarsi.

La più anziana non fu indifferente a questa mia osservazione.

– Non ha avuto fortuna con questo figlio –. Si girò verso la sua collega con aria decisa. Ormai aveva stabilito di parlare, qualunque cosa dovesse succedere. Benedissi mentalmente la sua iniziativa.

– Joan Ayguals non è una cattiva persona, però è stato troppo viziato. Sa, un figlio unico... Ha sempre avuto tutto quello che ha voluto, e ancora di più dopo la morte di sua madre. Aveva sposato una ragazza bellissima, di ottima famiglia, ma per cosa? In capo a tre anni erano già separati. Non è nemmeno riuscito a dare un nipote a don Adolfo. E, naturalmente, anche in azienda è stato un fallimento. Dirigere un'impresa richiede molti sacrifici. E questa è una cosa che i giovani d'oggi purtroppo non sanno fare.

La sua collega la guardava con un certo timore. Ma all'improvviso, come trascinata da quella piccola ribellione verbale, da quel momento di sfogo dopo tanta sopportazione, aggiunse:

– Non che Margarita l'abbia mai aiutato. Era una ragazzina viziata anche lei.

– Chi è Margarita? – chiese Garzón.

– L'ex moglie. Di sicuro l'aveva sposato per amore, perché aveva dieci anni meno di lui, ma poi non ha pensato ad altro che a divertirsi, a comprare vestiti, a godersi la vita e basta.

– Bisogna dire che non si aspettava quel che le sarebbe toccato, con un uomo indolente e bevitore al fianco…! Io non do certo la colpa a lei.

Quella discussione doveva essersi ripetuta molte volte fra loro. Ciascuna si comportava come se sapesse esattamente che cosa avrebbe detto l'altra.

– Avrebbe dovuto capirlo prima di sposarsi, che tipo era, e non lasciarsi incantare!

L'energia con cui parlava quella quarantenne mi fece pensare che in qualche momento della sua vita avesse concepito mire matrimoniali nei confronti dell'erede.

– Sarebbe interessante parlare con lei. Voi avete il suo indirizzo?

– Certo che ce l'abbiamo, e anche il numero di telefono! Si è tenuta quel bellissimo appartamento che avevano nella parte alta della città. Qualcosa ci ha guadagnato, almeno.

– L'appartamento e gli alimenti che le passa tutti i mesi il signor Ayguals.

– E che continuerà a passarle finché lei non si risposa, cosa che non farà. Nemmeno io lo farei. Perché sopportare un uomo se hai tutto quello che ti serve e puoi vivere come una marescialla?

Fu la parola «marescialla» a convincermi che quella donna nutriva qualche tipo di rancore. Bene, niente come il rancore può spingere a parlare a fondo di qualcuno. Garzón era felicissimo quando uscimmo dal caffè, e anch'io. Avevamo ottenuto il recapito di Margarita Llopart, che forse avrebbe avuto buoni motivi per parlare del suo ex marito. Eppure il viceispettore nutriva ancora qualche dubbio sulla nostra linea investigativa.

– Va tutto molto bene, ma a cosa ci servono le indiscrezioni di due vecchie ragazze e tutte le sciocchezze che può raccontarci l'ex moglie?

– Ma Fermín, adesso abbiamo il movente del crimine!

– Riflettiamoci un attimo. Il figlio di Ayguals piomba in azienda come un elefante in una cristalleria e poco tempo dopo i conti sono più in rosso dell'Armata Rossa.

– Perfetto.

– Allora, per tappare il buco, gli viene in mente la storia della fondazione: niente imposte, nessun controllo sui movimenti in nero, nessun contributo agli enti previdenziali...

– Finché suo padre non si accorge di come stanno andando le cose e blocca tutto...

– Sì, però il padre non ha chiuso la fondazione.

– Non poteva farlo senza destare sospetti.

– Allora lei crede che il vecchio Ayguals sia innocente?

– No, indiscutibilmente lui sa cos'è successo, ma ci sono due possibilità: che non fosse al corrente di tutte le manovre di Arcadio Flores e dei suoi affari paralleli, o che, al contrario, li conoscesse benissimo. Nel primo caso sarebbe complice soltanto di un reato finanziario, nel secondo di omicidio.

– Quindi è colpevole in ogni caso.

– Non è lo stesso uccidere qualcuno o coprire il proprio figlio.

– Porca miseria, ispettore, cosa ci tocca fare per questi figli! Non creano altro che complicazioni.

– Non vorrà mettercisi dentro anche lei.

– Dicevo in generale.

– Solo i filosofi parlano in generale.

– I filosofi e il sottoscritto. Allora, andiamo a trovarla questa maresciulla?

– Domani, Garzón, domani. Oggi è già molto tardi. E poi ho una cosa importante da fare. Nella mia vita privata, voglio dire.

– Non c'era bisogno di precisarlo. Non c'è niente di professionalmente importante che lei decida senza di me.

– Parole sante. E visto che considero di somma importanza quel che penserà Coronas sui nuovi sviluppi delle indagini, ritengo opportuno che lei vada a stendere il rapporto di oggi prima di andare a casa.

– Ben mi sta per aver parlato. Adesso mi tocca il toro più bellicoso.

– Le assicuro che, se potessi, cambierei volentieri il mio toro con il suo.

Rimase a guardarmi con una voglia matta di fare domande, ma era un torero esperto in difficili tenzoni, di modo che si trattenne congedandosi cortesemente.

Decisi di chiamare Ricard dal telefono di casa. Prima di farlo mi guardai allo specchio e mi interrogai: era veramente quel che volevo fare? Sì, senza alcun dubbio, conclusi. Nel frattempo mi accorsi che avevo un aspetto disastroso, i capelli in disordine, il trucco sfatto. Non avrei mai potuto presentarmi così a un appuntamento importante.

– Ricard?

– Finalmente! Ogni volta che rispondi a uno dei miei messaggi mi sembra di aver vinto alla lotteria.

– Credo che dobbiamo parlare. Ti invito a cena nel ristorante che preferisci.

– Non sarebbe meglio cenare a casa tua? Porto tutto io.

– Preferisco un terreno neutrale.

Gli avevo lanciato sufficienti segnali perché potesse intravedere l'argomento della nostra conversazione. Meglio così, non volevo trattarlo come un indiziato da cogliere di sorpresa.

Feci una doccia, misi il mio vestito migliore, mi truccai per bene sottolineando gli occhi con un tratto di kohl. Quante volte avrei compiuto ancora quel gesto prima di rinunciare a ogni tipo di vanità? mi chiesi. Forse l'avrei fatto sempre, fino al giorno della mia morte. Era un'importante eredità culturale che non intendevo abbandonare. Come leggere il giornale ogni mattina, come bere un buon vino, come salutare un amico. Abitudini che ti radicano all'interno di un sistema ben noto facendoti sentire più sicura. Inutile domandarsene la funzione, sono gesti che si compiono e basta. Non mi stavo facendo bella per Ricard. Oppure sì?

Una volta ordinata la cena e assaggiato il vino, lui aprì le braccia sorridendo come un monello che si aspetta una sgridata.

– E allora, dica pure.

– È questo quello che dici ai tuoi pazienti al primo colloquio?

– Più o meno.

– E in genere hai già un'idea di cosa tireranno fuori?

– Non anticipo mai i fatti. Aspetto finché non mi vengono spiegati fino in fondo.

– Magnifico. Vediamo, da dove posso cominciare?

– Ti ricordo che non sei una mia paziente. Io sono più la tua malattia che il tuo medico.

Scoppiai a ridere.

– Certo che la metti giù dura.

– Non credere. Sarò anche la malattia, ma non sono incurabile.

– Ricard, io…

Venne il cameriere e ci servì il primo piatto.

– Io…

– Tu hai pensato che è meglio non vivere insieme…

– Non esattamente. Ho pensato che è meglio se non ci vediamo più.

Rimase stupefatto dal mio affondo. Anch'io. Non avevo previsto un attacco così frontale, ma mi rendevo conto che le mezze misure non servivano. Mi versò il vino in silenzio, apparentemente senza nessuna reazione. Cominciò a mangiare. Alzò lo sguardo su di me:

– Mangia. Si raffredda.

– Ricard, tu hai deciso che la tua vita deve cambiare e io…

– Sì, tu passavi di lì per caso, no? E così ti ho scelta.

– Non c'è amore fra noi. Non c'è passione.

– Bisognerebbe rivedere il concetto di amore.

– Non ne abbiamo il tempo. Meglio rivedere il concetto di passione.

– Il concetto di passione non si può rivedere. O la provi o non la provi.

– L'hai detto. Lo so che sono una narcisista, che forse sono spinta ad agire dalla mia immaturità, ma credimi, non funzionerebbe.

– E non vuoi neanche provare a farlo funzionare.

– Non voglio correre il rischio che non funzioni. Ho già due matrimoni alle spalle, una terza convivenza fallita sarebbe...

– Sarebbe cosa? Chi dice dove sta il limite del tollerabile? Che cosa puoi perdere?

– La mia tranquillità.

– Adesso sì che mi hai scocciato, Petra. Da quando ti conosco non ti ho vista fare altro che correre su e giù in uno stato di totale frenesia. E questa tu la chiami tranquillità?

– Mi hai conosciuta nel mezzo di un'indagine.

– E quand'è che non sei nel mezzo di un'indagine?

– Ci sono casi più complicati di altri.

– Già. E quando non sei completamente presa da un caso complicato ti fai in quattro per quel ciccione che ti porti sempre dietro.

– Non mi piace che tu te la prenda con Garzón. È un amico! E poi, perché stiamo parlando della mia vita? Cosa te ne importa della mia vita?

– Sto pensando di condividerla con te, si capisce che me ne importa!

– E allora smetti di pensarci perché ti ho già detto

di no. Cosa c'è? Non riesci a crederci? Devo inginoc-
chiarmi davanti a te e ringraziarti per la meravigliosa
opportunità di essere felice che mi offri?

– Sei una donna ingiusta, brutale, egoista, superficiale... Sei...

– E tu sei uno psichiatra che non sa mantenere l'autocontrollo! Non capisco come qualcuno possa affi-
darti la sua salute mentale!

Avevamo alzato la voce. Tacemmo di colpo. Il cameriere ritirò i piatti. Ricard mi guardò, questa volta
era davvero dispiaciuto.

– Ricominciamo da capo come se non ci fossimo ancora visti?

– D'accordo. Ciao, Ricard, come va? Sai, devo dirti una cosa. Ho deciso di non vederti più.

Il suo sguardo paziente si trasformò in un lampo di
furia.

– Molto bene, Petra, molto bene. Se non vuoi vedermi più non mi vedrai. Me ne vado. È assurdo che
continuiamo a cenare come se niente fosse. Non ho più
voglia di inseguirti per tutta Barcellona, né di lasciarti messaggi a tutte le ore del giorno, né di dormire una
notte qui e una là come viene in mente a te, mentre
tu cerchi di sfuggirmi solo perché il tuo ego non si sente sufficientemente colmato di amore e passione. Forse hai ragione tu, forse sarebbe un grave errore vivere insieme.

Si alzò e se ne andò. Nessuno mi aveva mai fatto una
cosa simile. Arrivò il cameriere col secondo e mi chiese in tono molto professionale:

– Il signore non terminerà la cena?

– Il signore aveva un impegno. Lasci pure. Mangerò anche la sua porzione.

E lo feci, con avidità inusitata, famelica come un cane randagio, come se non avessi mangiato da giorni. Ero arrabbiata, arrabbiata da morire, ero capace di uccidere. E così io ero una narcisista, vero? E cosa poteva dirsi di uno che considerava un errore imperdonabile la decisione di non vivere con lui? Ma quel che più mi mandava in bestia era la lite in sé. Non ero mai riuscita a parlare con Ricard senza irritarmi. Detesto le liti, e ancora di più quelle che rispettano i ruoli prestabiliti: marito e moglie, fidanzato e fidanzata, madre e figlia... Mio Dio, come si fa a raggiungere un minimo di maturità se bisogna accapigliarsi per ogni cosa, gridare, stare in guardia e lanciarsi all'attacco?

Per castigo mi imposi di rinunciare al dolce e chiesi il conto. Il cameriere fece un mezzo sorriso e disse:

– Ha già pagato il signore.

– Come? E conosceva l'importo?

– Ha lasciato il numero di carta di credito.

– Insisto per pagare io.

– Non è possibile, signora. Mi dispiace. Il signore è un cliente abituale e seguiamo le sue indicazioni.

– Ebbene, io sono un poliziotto e pretendo di pagare come qualunque cittadino normale!

– Parlerò con la titolare.

– Lei non parlerà assolutamente con nessuno. Mi dica quanto fa la metà del conto e basta! Chiaro?

389

Si allontanò con la mia carta di credito, facendo una faccia offesa.

Decisi di andare a casa a piedi, forse l'aria fresca mi avrebbe rasserenata. Discussioni, nient'altro che discussioni... La misera esistenza di tutti i giorni ne è disseminata. Avevo avuto ragione a collocare i barboni su un piano superiore. Alteri, aristocratici, non prendono gli autobus, non pagano fatture, non si ritrovano chiusi in un minuscolo mondo piccoloborghese, e come unica illusione nella vita possono sognare un bastimento carico di riso. Un bastimento carico di riso! Una chimera piena di promesse: paelle, risotti, riso alla cantonese, riso alla cubana, dolci creme di riso al latte... L'assurdo al di sopra di una ragione che non funziona neppure nella vita più convenzionale.

13

L'arrabbiatura mi stava ancora rodendo l'anima al risveglio. Ma quando mi ritrovai in cucina, seduta davanti al caffè e al pane integrale, si trasformò in semplice tristezza. Ero stata bene con Ricard. Era un uomo che avrei ricordato, con cui mi sarebbe piaciuto chiacchierare, scambiare esperienze, andare a letto di tanto in tanto. E invece no. A quanto pare per lui l'amore consisteva inevitabilmente nel vivere insieme condividendo frigorifero e malumori. Se ci fossimo innamorati entrambi, se la passione avesse fatto breccia nei nostri cuori al punto da non poterci separare neppure per dormire, allora forse, pur continuando a pensare che la convivenza è un male, l'avrei considerata un male minore. Forse, se l'avessi spiegato a Ricard esattamente in questi termini... Eppure no, lui era fatto così, sarebbe partito in quarta dicendo che il mio desiderio di solitudine era nevrotico, o avrebbe tirato in ballo patologie ancora più gravi. Al diavolo! Se fosse tornato alla carica avrei cercato di dissuaderlo con argomenti generici, meno lesivi per la sua autostima, e se no... Se no la discussione al ristorante non era poi stata una cattiva conclusione, il novanta per cento delle storie finisce così.

Quel ciccione del mio collega, non avrei mai perdonato a Ricard una visione così riduttiva di Garzón, mi stava aspettando in commissariato perfettamente sbarbato e profumato, un vero damerino, e di ottimo umore, per di più.

– Ha dormito bene, ispettore?

– Come un ghiro stecchito.

– Benissimo! Ho già parlato con la marescialla, che ci aspetta nei suoi appartamenti fra mezz'ora.

– Mi complimento per la sua efficienza. Che impressione le ha fatto per telefono?

– Non credo sapesse che stiamo ronzando intorno a suo marito, l'inetto assoluto.

– Se continua a dare soprannomi agli indiziati prima o poi ci vorrà un glossario per capirci.

– La «marescialla». Non mi dica che non suona bene. Se lo immagina un esercito tutto di donne? Marescialle di campo, ammiraglie... E le truppe schierate con le giubbe ben tese sui prosperi petti...

Lo guardai come se fosse ammattito.

– Cosa le è preso, Fermín?

– Sono contento. Si intravede la fine delle indagini e il presunto colpevole mi sta sull'anima che lei non se lo immagina. E poi, anche lei è contenta, e lo sa quanto questo mi riempia di gioia.

Gli lanciai un terribile sguardo di traverso.

– Oh, certo, ne sono convinta. Ad ogni modo, le ricordo che non abbiamo nessuna prova decisiva. E così non credo che il giudice potrà concludere con un rinvio a giudizio.

– Le troveremo, fiorellino mio, non soffra per questo! Troveremo tante di quelle prove che il giudice non solo istruirà il processo ma, assetato di giustizia, si getterà sul colpevole gridando vendetta per i suoi crimini.

Scossi la testa come si fa davanti a un caso irrecuperabile.

– Che assurdità, Garzón. E pensare che dovrò sopportarla per tutta la giornata!

Rideva come un bambino. Poteva essere una coincidenza, ma cominciavo a sospettare che Garzón intuisse quel che stava succedendo: i miei dubbi nei confronti di Ricard e la mia rottura con lui. Ero così trasparente di fronte al mio collega? Forse sì. L'esperienza data dalla vicinanza quotidiana a volte permette di leggere anche i pensieri più reconditi. La cosa mi spaventava, ed era una delle ragioni per cui detestavo convivere con qualcuno. Con i miei due mariti avevo spesso l'impressione che sapessero in anticipo che cosa avrei detto. Una vera condanna! Perché mi è sempre piaciuto sorprendere.

L'appartamento di Margarita Llopart, la «marescialla», come ormai la chiamava Garzón, era piccolo e lussuoso come un astuccio di gioielli. Mobili di design e quadri d'autore creavano un ambiente in cui una giovane donna poteva vivere con qualcosa di più della comodità. L'ex moglie di Ayguals jr. era alta e attraente secondo l'archetipo della sua classe sociale: bionda mesciata, labbra inturgidite dal silicone, abbigliamento discretamente sexy. Ma non sembrava molto disposta a sorridere. Al nostro arrivo stava parlando al telefono, e la domestica ci fece accomodare in soggiorno. Si presentò con la voce leggermente nasale e il tono di sufficienza della ragazza bene. Alle nostre domande non si intimidì.

– Che cosa posso dirvi del mio ex marito? Potete immaginarlo. Non mi stupisce che sia finito in qualche guaio, ve lo dico sinceramente. È un uomo che non sa quello che vuole. Ci conosciamo da sempre, perché le nostre famiglie erano amiche, eppure molti rimasero sorpresi all'annuncio delle nostre nozze. Non riuscivano a credere che io potessi sposare uno come lui.

– Può spiegarci perché?

– Aveva fama di scapolo impenitente, ed era abbastanza incapace. Perfino a prendere uno straccio di laurea ci ha messo anni e anni. Non era molto furbo, e non è migliorato. Ma suo padre me lo vendette come un articolo di prima scelta: dirigerà l'azienda, ormai è un uomo, le sue esperienze le ha fatte, adesso metterà la testa a posto... insomma, un vero affare. Ma poi, a conti fatti, niente di niente, un disastro assoluto! Pensava solo a bere e a dormire. Neanche di uscire la sera aveva voglia, manco fosse un santo o un vecchio rimbambito! E del santo vi assicuro che non aveva proprio niente. Per un po' ho sopportato come potevo, ma poi un giorno gli sto dietro e me lo ritrovo a letto con una puttana. Non una puttana di lusso, macché, una di quelle da sue soldi, di calle Robadors. E a quel punto ho deciso che era finita. Ho detto a mia madre: «Mamma, sarà anche vero che il matrimonio è fatto di sacrifici e sopportazione, ma io questa non la mando giù. A te è mai capitato di trovare papà a letto con una prostituta di quart'ordine?». E a quel punto mia madre mi ha dato ragione.

– E così vi siete separati.

– Be', direi! E le assicuro che non so che cosa stia combinando adesso né me ne importa, ma la sera che vi interessa io ho chiamato molte volte a casa sua e non c'era mai. Anzi, posso perfino dirvi che il cellulare è rimasto spento tutta la notte.

– Un momento, un momento... Lei sa qual è la notte che ci interessa?

– Ma certo! Quando hanno ammazzato quel disgraziato nell'ufficio della fondazione! Me l'ha raccontato mio suocero. Per telefono. Mi ha detto che forse sareste venuti, ma di non preoccuparmi, di raccontare pure tutto quel che avevo da raccontare. Mio suocero è un signore, e siamo rimasti in ottimi rapporti... Be', mi telefona di tanto in tanto per avere mie notizie e si preoccupa che mi vengano pagati gli alimenti, perché se no...

– Quindi la sera del delitto lei ha chiamato più volte il suo ex marito.

– Sì. La prima volta mio suocero mi ha detto che era uscito e che non sapeva dove fosse, di cercarlo sul cellulare. Poi ho provato a chiamarlo di nuovo, più tardi. Allora mio suocero mi ha detto che stava andando a dormire e che avrebbe lasciato la segreteria telefonica in funzione. Di continuare pure a chiamare perché lui non sente il telefono dalla camera da letto.

– Capisco. Ricorda che cosa volesse dire al suo ex marito?

– No, non mi ricordo. Ah, sì, volevo parlargli della vendita dell'unica cosa che abbiamo ancora in comune: un'auto sportiva. Mi avevano fatto una buona offerta, che naturalmente ho perso.

– Mentre eravate sposati, suo marito frequentava gente poco raccomandabile, o si era lasciato coinvolgere in affari poco chiari?

– Figuriamoci! Con le signorine a pagamento ne aveva già abbastanza. Non riusciva neanche ad alzarsi dal letto prima di mezzogiorno. Ancora adesso non la smette mai di chiedermi: quand'è che ti risposi? Non vede l'ora di smettere di pagare. Ma io a sposarmi non ci penso nemmeno! Sto bene come sto.

– Dovrà ripetere la sua deposizione davanti al giudice, Margarita.

– Non c'è problema. Posso ripeterla davanti a chiunque. Ormai non me ne importa più niente, se scoppia uno scandalo, peggio per lui. Vi ricordate dov'è la porta, vero? Scusate se non vi accompagno, ma devo fare delle telefonate e...

Una volta in strada, il viceispettore fischiò.

– Non si scherza, con la marescialla!

– Scommetto che in una settimana spende in telefono quel che noi guadagniamo in un mese.

– Una rovina per qualunque marito!

– Ragione di più perché Joan cercasse disperatamente di uscire dal baratro economico in cui era finito.

– Ispettore, si rende conto? Il padre ci aveva confermato che suo figlio era in casa. Ha cercato di coprire il frugoletto. Quello stronzo passerà i prossimi trent'anni in galera, malgrado tutti gli sforzi del papà. E lei avrà vendicato i suoi barboni.

– E chi ci pensa più, Fermín! La rabbia e la sete di giustizia si esauriscono quando le indagini durano così a lungo.

– È come la passione nei matrimoni.

– Devo dire che i miei non sono mai durati troppo tempo, quindi non posso dirlo. Senta, Garzón, è arrivato il rapporto della Scientifica sui campioni prelevati negli uffici della fondazione?

– Sì, da tre giorni. Le solite cose: polvere e un mucchietto di capelli. Stanno facendo il test del DNA, ma fino a domani non avremo i risultati.

– Chiami il laboratorio e dica che si sbrighino. Adesso avremo degli altri capelli con cui fare un confronto.

– Quelli del signorino Ayguals jr.

– Non mi sembra bello che faccia tanta ironia sul colpevole.

– Ha ragione. Dopo aver conosciuto la marescialla, comincio quasi a compatirlo. Mai giudicare un uomo finché non hai visto sua moglie.

– Molto divertente. Si aspetta che rida?

– Almeno un sorrisetto.

Stirai le labbra, e Garzón rise come un bambino. Non avrebbe mai smesso di giocare con me alla guerra dei sessi, era il gioco che lo divertiva di più.

– E adesso andiamo a cercare il bell'addormentato!

– È importante che si senta sotto tiro, ma dobbiamo agire con cautela. Non voglio che se ne scappi in Svizzera o faccia qualche altra sciocchezza.

– Lo interroghiamo in azienda?

– Neanche per sogno, lo faccia venire in commissariato. Non andiamogli incontro.

Immaginai che quello di Joan Ayguals fosse il tipico caso del ragazzo con padre onnipotente che finisce per annullarne la personalità. Non che uno schema del genere ci fosse di grande aiuto nelle indagini. Potevamo servircene solo per ipotizzare un movente più elaborato dal punto di vista psicologico: il figlio vuole dimostrare il suo valore, e per cavarsi fuori dai guai che lui stesso ha creato, escogita un piano. Il piano, naturalmente, si risolve in un disastro.

In base a quel poco che avevo appreso sulla sua vita e personalità, i tratti del volto di Joan Ayguals acquistarono per me un nuovo significato rivelatore: bocca carnosa con le labbra pendule, palpebre spesse, occhi gonfi, peli lisci e spenti intorno alle orecchie e sulla nuca... Sì, aveva un fisico molle e indolente. E nemmeno i suoi modi erano brillanti. Ci stava aspettando nel mio ufficio, e subito disse:

– Credevo che non ci saremmo più incontrati.

– La vita è imprevedibile, signor Ayguals.

Garzón aprì il suo taccuino e condusse l'interrogatorio.

– Vogliamo farle qualche domanda.

– Chiedete pure quello che volete, ma sappiate che io non ho niente a che vedere con la morte di Flores.

– Ricorda dov'era la notte del delitto?

– In casa, ve l'ho già detto.

– Cominciamo male, signor Ayguals. C'è qualcuno

che assicura di averla cercata per telefono più volte, quella sera, senza trovarla.

– Chi?

– Un testimone. Non importa per il momento che lei sappia chi.

– Ha detto questo? Be', sarà vero. La casa è grande e non ho un telefono in camera da letto. Possono aver chiamato senza che io sentissi. Credevo di avervelo già detto l'altro giorno, o no?

– Se non le dispiace, è meglio che lo ripeta. Abbiamo avuto poco tempo per parlare, l'altro giorno. Lei conosceva il signor Flores?

– L'avrò visto una volta, al massimo.

– Dove?

– Un giorno che era venuto in azienda a parlare con mio padre.

– Questo non capitava con molta frequenza, vero?

– Non ne ho idea. Non credo.

– Lei non andava mai alla fondazione?

– No. Non sono nemmeno stato negli uffici.

– Perché?

– Era una cosa che non mi interessava.

Mentre lo ascoltavo in silenzio avevo voglia di strangolarlo. Cavargli fuori una parola era difficilissimo. Sembrava che parlare per lui fosse una fatica immane.

– Non le interessava la fondazione?

– No.

– Può essere un po' più esplicito e spiegarmene le ragioni, per favore? – lo incalzai, con i nervi a fior di pelle.

– Sentite, per me questa storia della fondazione è una mania di mio padre e basta. Le aziende non sono fatte per fare la carità. Può anche darsi che lui sia un santo, ma io no. Quindi, per quanto mi riguarda, tutti i poveri del mondo possono sfangarsela da soli.

– Lei non ignora, però, che le fondazioni presentano vantaggi fiscali che possono essere interessanti per un'impresa.

– Io non so niente di fondazioni. Ho diretto l'azienda per due anni e adesso sono nel consiglio di amministrazione. Mi interroghi sul mio lavoro, se vuole.

– Qual è stato l'andamento economico dell'azienda nel periodo della sua gestione?

– Non ho i dati sottomano.

– Ce lo dica in termini generali. Non è vero che si registrarono importanti perdite?

Per la prima volta il suo cattivo umore, che pareva congenito, salì di qualche grado, trasformandosi in ira repressa.

– Due anni non è un periodo sufficiente per fare delle valutazioni! Le aziende attraversano dei cicli di crescita e di crisi, e a me è toccata una fase di crisi.

– Ma suo padre la sollevò dall'incarico.

– Mio padre si spaventò. È una persona anziana e a volte ha paura anche quando non ce n'è motivo.

Garzón era lanciato, aveva la situazione in mano, era molto sicuro di se stesso.

– Le sue dimissioni dal posto di direttore generale coincisero col momento in cui fu creata la fondazione?

– Sì, mi pare di sì, non ne sono sicuro. Vi ho già

detto che a me di quella fondazione non è mai importato niente. Fu una cosa che si mise in testa mio padre.

– Per quale motivo?

– Lo chieda a lui.

– Dove passò la notte del venticinque, signor Ayguals? Alzò la voce:

– Di nuovo? Non ci posso credere! Ero a casa mia, dormivo, e c'era anche mio padre! Quante volte devo dirlo? Se il telefono ha suonato, io non l'ho sentito.

– E il suo cellulare?

– L'avevo spento.

– Lei conosce un certo Tomás Calatrava Villalba?

– Non ho la minima idea di chi sia.

– Ha mai assunto personale al di fuori dell'azienda, guardaspalle o qualcuno del genere?

– No, perché? Crede che ne abbia bisogno?

– Potrebbe fornirmi una lista completa delle persone che lavorano nell'azienda e nella fondazione?

– Ai documenti della fondazione ha accesso esclusivamente mio padre. Chi state cercando?

– Due stranieri, forse originari dell'Europa dell'est, giovani, alti e robusti.

Sorrise.

– Non è il tipo di gente che in genere assumiamo, glielo assicuro.

– Va bene, signor Ayguals, può andare.

– Spero che non mi chiamiate più, sono molto occupato.

– Cercheremo di non farlo.

Garzón mi cedette il turno. Preparai con piacere la stoccata finale. Aspettavo quel momento. Ayguals si era già alzato, e si stava incamminando verso la porta. Gli dissi:

– Senta, già che è qui, potrebbe darci uno dei suoi capelli?

Si voltò di scatto, una smorfia gli trasformava la faccia in una maschera grottesca.

– Cos'ha detto?

– Un capello, o un campione di saliva, se preferisce. È per un confronto del DNA. Abbiamo dei capelli rinvenuti negli uffici della fondazione, dove lei sa che è stato ucciso Flores.

– Vi ho detto mille volte che non sono mai stato in quegli uffici.

– Si tratta di semplici accertamenti. Se non c'è mai stato, certamente i capelli non saranno suoi.

– È costituzionale, questo? Chiedere capelli alla gente?

– Può rifiutarsi, naturalmente, ma il suo rifiuto risulterà nel verbale dell'interrogatorio, che passerà nelle mani del giudice.

– Si risparmi tanti discorsi. Non voglio casini. Tenete, eccovi il capello – e se ne strappò uno dalla testa in modo violento. – Siete contenti, adesso? Potete fare tutti i test che volete, anche quello di paternità. Immagino che perdere il tempo così vi serva a sentirvi meno in colpa quando prendete lo stipendio.

– Che non è molto elevato, mi creda.

Presi il capello dalle sue dita con una pinzetta e lo misi in una bustina per i campioni. Poi gli sorrisi.

– Fatto. Adesso può andare.

La porta sbatté come una mazzata. Garzón si fregò le mani.

– La miccia è accesa.

– È stato bravissimo, Fermín, diretto e controllato. Io l'avrei mandato al diavolo almeno venti volte.

– Un tipo sgradevole, vero? Io direi che mente.

– Perlomeno sta facendo di tutto per non essere messo in rapporto con la fondazione. L'unico momento in cui ho avuto l'impressione che fosse sincero è stato quando mi ha chiesto se avesse bisogno di un guardaspalle. Sembrava spaventato per davvero.

– Figuriamoci! Adesso sì che si spaventerà. Lo facciamo sorvegliare senza dare troppo nell'occhio?

– Chieda a Coronas due uomini che si occupino di lui. Crede che adesso Coronas sia più contento di come stiamo conducendo l'inchiesta?

– Be', visto che gli passo puntualmente i verbali...

– Lei è il mio angelo custode, Fermín.

– E poi è contento perché gli ho promesso che prima del fine settimana gli serviremo il colpevole su un piatto d'argento.

– Mi sa che si è esposto un po' troppo.

– Si sarebbe esposta anche lei se avesse avuto davanti Coronas che gridava come un ossesso.

– Ah, ecco quant'è contento.

– Il capo avrà il suo colpevole, non si preoccupi.

Nel pomeriggio, quando rientrai dalla pausa pranzo mi dissero che Yolanda aveva chiesto di me. Non ricordavo di averle affidato alcun incarico, quindi non diedi molta importanza al messaggio. Eppure, due ore più tardi, mi cercò lei per telefono.

– Ispettore, vorrei parlarle un momento, per favore.

– C'è qualcosa che non va?

– Si tratta di una cosa personale.

– Passa in commissariato, ne avrò ancora per un bel pezzo.

Si presentò in uniforme, ma non era pimpante e disinvolta come sempre. Sembrava preoccupata. Si sedette e le offrii un caffè. Mentre lo prendeva, cominciò a perdersi in complicati preamboli. Non riuscivo a capire lo scopo della sua visita.

– Insomma, Yolanda, non sarebbe meglio che ti decidessi a vuotare il sacco?

Prese fiato come se si preparasse a una lunga immersione in apnea.

– Ispettore, il dottor Crespo, cioè Ricard, lo psichiatra che lei mi ha presentato alla sua festa, be', mi ha chiesto di uscire con lui.

La cosa mi colse così di sorpresa che non diedi segno di aver capito. Lei insistette:

– Vuole portarmi fuori a cena. Dice che potremmo essere amici, e io, ecco… credo che voglia qualcosa di più.

Deglutii e sorrisi nel modo più sciocco. Cercavo solo di prendere tempo per capire in che modo dovevo reagire alla notizia.

– Ma bene! E tu?

– Sa, ispettore, io non vorrei invadere il suo territorio. Mi piacerebbe essere sicura che quell'uomo non esce con lei, insomma, che non state insieme, e che a lei non interessa.

Sapevo che a volte gli uomini fanno cose come quella che Yolanda stava facendo con me: dichiarazioni di solidarietà e avvertimenti prima di lanciarsi alla conquista di una possibile preda comune, ma non avevo mai visto un comportamento simile in campo femminile. Mi accesi una sigaretta cercando di apparire naturale.

– Questo significa che accetterai la sua richiesta.

– È che ho rotto col mio fidanzato, ispettore. Aveva ragione lei, è troppo possessivo e troppo rozzo. Gli ho detto che è finita per sempre. Non ci crede ancora del tutto, ma prima o poi lo capirà che non c'è niente da fare. Sa... visto che non sono troppo di buon umore... pensavo che uscire con un altro mi potesse aiutare. E poi sono stufa dei ragazzini che non vanno più in là del proprio naso. Questa volta vorrei un uomo maturo, più esperto della vita, con una certa cultura.

– Capisco.

– Certo che se lei mi dice che sta uscendo con lui o che le piace...

Risi, da attrice dilettante in un teatro di provincia.

– Ma figuriamoci! Ricard ed io abbiamo avuto un piccolo flirt senza importanza, e sono stata io stessa a voler chiudere.

– Lei mi toglie un peso dalla coscienza, ispettore.

– Ma non è un po' troppo vecchio per te?

– Non voglio mica sposarlo.

– Non esserne tanto sicura.

– Sarei la prima ad esserne sorpresa. Anche se è vero: mai dire mai.

Balzò in piedi leggera come il vento. Mi sorrise in modo incantevole e mi salutò in un simpatico tono fra il confidenziale e il militaresco. Le feci un ridicolo cenno d'addio con la mano.

Rimasta sola, mi accesi una sigaretta con mano tremante. Mi sentivo malissimo, umiliata e in collera. Cosa voleva, Ricard? Farmi ingelosire? Convincermi a tornare sui miei passi? Improbabile. Lui non poteva sapere come si sarebbe comportata Yolanda con me. Di sicuro credeva che non avrei mai saputo nulla dei suoi inviti galanti. No. Quello che era successo era la prova che i sospetti per cui l'avevo mandato al diavolo erano fondati. Per lui una donna valeva l'altra. Lo sapevo già, ma non mi aspettavo di ricevere un simile colpo al mio orgoglio. Eppure, che cosa potevo desiderare dopo quell'ultima serata al ristorante? Che, disperato, si buttasse dal quinto piano? Che entrasse in un monastero? Che dopo essere passato fra le mie inebrianti braccia non conoscesse più altra donna? Suvvia, era ora che la smettessi di comportarmi come chi ha in mano tutte le carte vincenti, come Cleopatra, come una Venere da adorare finché non sarà lei a pronunciare la parola fine! E che modo assurdo di reagire con Yolanda: «un piccolo flirt senza importanza»! Dove avevo imparato questo linguaggio da romanzetto rosa? «Insomma, Petra» mi dissi, «te lo sei meritato». Il primo errore era stato credermi irresistibile. Ma il peggiore era quello di avere anche solo considerato la possibilità di avere un amante fisso. Se non volevo vivere con nessuno, la cosa più prudente era dare al sesso quel che è del sesso e lasciar perdere l'idea di continuità. Concepire l'avventura senza avventura è come fare del trekking in automobile, come bere un cuba libre analcolico, come essere una suora laica: un inutile sotterfugio e una pura contraddizione.

Sebbene quelle riflessioni mi avessero restituito un po' di tranquillità, me ne fuggii alla Jarra de Oro e ordinai un cognacchino. Dicono che aiuti a riprendersi da uno shock.

Al ritorno, l'agente sulla porta mi avvertì che avevo una visita. Chi diavolo poteva cercarmi, e con quali intenzioni?

– È un certo signor Ayguals.

– Il padre o il figlio?

– Dev'essere il padre, perché è piuttosto vecchio.

Era proprio lui, e Domínguez l'aveva già fatto accomodare nel mio ufficio, in onore alla sua età e dignità, di modo che non ebbi il tempo di prepararmi mentalmente all'incontro e di decidere in che termini affrontarlo. Mi affidai al mio intuito e agli effetti stimolanti dell'alcol.

– Ispettore, lei mi scuserà, so che è molto occupata, ma...

Lo pregai di sedersi. Si era alzato cortesemente non appena mi aveva vista entrare.

– Immagino voi sappiate molto bene quello che fate, che abbiate i vostri metodi di indagine e che... Eppure, lei mi perdonerà, ispettore, ma credo stiate commettendo un grave errore.

– Un errore?

– So che intendete eseguire il test del DNA su un capello di mio figlio.

– E questo le pare un errore?

– Vede, ispettore, certamente mio figlio non è mai stato molto brillante, ed è possibile che si sia dimostrato poco collaborativo negli interrogatori, ma posso assicurarle che non è un assassino.

– Nessuno ha detto che lo sia.

– Ma è evidente che un test come quello del DNA viene eseguito solo quando esistono seri sospetti.

– La prenda come una prova scagionante.

– Suvvia, ispettore, non sono nato ieri!

– Signor Ayguals, a che scopo è venuto a trovarmi, esattamente?

– Conosco mio figlio. Negli ultimi tempi ha sviluppato delle idee... sue. Ma non avrebbe mai fatto ricorso all'omicidio in caso di problemi, semplicemente perché non ne ha il coraggio. Sviene se vede due gocce di sangue, mi creda.

– Tutti i genitori dicono così dei propri figli, signor Ayguals, e pochi arrivano a credere che siano degli assassini, perfino se le prove contro di loro sono schiaccianti. Ad ogni modo, credo che stiamo anticipando gli eventi, a meno che... a meno che lei non sappia qualcosa che noi non sappiamo e ritenga opportuno comunicarcelo. Forse può fare qualcosa per lui.

– Mi sta suggerendo di denunciarlo?

– C'è qualcosa per cui potrebbe denunciarlo?

– Lo dico tanto per dire. Non si offenda, ispettore

Delicado, volevo solo pregarvi di essere giusti e di non precipitare le cose, ma speravo di ottenere un po' più di clemenza e comprensione da una donna. Posso solo aggiungere che se commettete un errore accusando mio figlio senza elementi sufficienti, vi perseguirò personalmente fin dove la legge me lo consentirà.

Aveva parlato con la fermezza e la decisione di un uomo forte. Ayguals poteva essere invecchiato, ma era pur sempre un imprenditore che aveva saputo creare la propria azienda e difenderla anche nei momenti peggiori. Era un uomo solido, che malgrado le circostanze manifestava davanti a me la sua natura di padre. Uscì salutando con educazione e orgoglio.

Proprio in quel momento arrivò Garzón.

– L'ha fatto chiamare lei?

– No, è venuto a intercedere per suo figlio, chiedendo comprensione e giurando che non è un assassino.

– Si vede che la cosa non convince neanche lui.

– Il figlio gli ha raccontato del test del DNA.

– Il vecchio deve sapere qualcosa sul suo angioletto che ci sarebbe utilissimo.

– Se è così, non ce lo dirà mai.

– Nemmeno facendo appello al suo onore?

Lo guardai di sbieco:

– Lei farebbe qualcosa per il suo onore?

– Io? Ma per chi mi prende? L'onore è una cosa da mafiosi. Ma visto che Ayguals è un signore all'antica... I signori all'antica sono un caso speciale.

– In teoria. Nella pratica, lo vede anche lei, è venuto di corsa a difendere suo figlio.

– Questa dei figli è una faccenda seria, soprattutto se hai qualcosa da lasciargli in eredità. Proteggendo loro, in realtà proteggi il tuo patrimonio.

Faceva troppo lo spiritoso.

– Lei non penserà mica di lasciare qualcosa in eredità al suo?

– E cosa gli lascio, se nemmeno la pistola è mia? Gli lascerò il fodero. Che senso ha avere dei figli se sei un perfetto sfigato?

– Ma lei non è per niente uno sfigato! Gli lascerà l'esempio delle sue buone opere!

– Sì, bell'esempio!

Ci venne da ridere perché ci sentivamo scemi, stanchi ed esauriti, alla fine di un'indagine che non voleva saperne di chiudersi interamente. Ci venne da ridere perché fra noi c'era, in effetti, una complicità da sfigati, che ci permetteva di ironizzare anche sulle cose più sacre, come il patrimonio, l'eredità, il buon esempio e l'onore.

– Senta, Fermín, che cos'ha fatto il «piccolo» Ayguals da quando l'abbiamo lasciato solo?

– Colpo di scena! È andato a far visita alla sua ex moglie.

– Le pare sospetto?

– Non troppo. Sente che il cerchio gli si sta chiudendo intorno e si muove come un matto in tutte le direzioni. Tipico della bestia presa in trappola.

– Ha sollecitato l'esame del DNA?

– Almeno dieci volte.

– Una dozzina sarebbe stato meglio.

– I colleghi non fanno che ripetermi che lei è una donna troppo impaziente, che è incapace di aspettare il suo turno e che esige sempre un trattamento di favore.

– E lei crede che sia vero?

– Sì.

– Bene, meno male, vuol dire che sto facendo le cose come si deve. Niente di meglio di una critica negativa per confermare che siamo sulla strada giusta.

Sangüesa non riuscì a fornirmi elementi interessanti, almeno non quelli che io avrei voluto. A quanto pare la contabilità della Ayguals Textiles non presentava anomalie di rilievo.

– È vero che da due anni si registrano apporti di capitale la cui provenienza non è pienamente documentata. Se volete posso fare delle verifiche, ma non è facile capire da dove venga il denaro. In genere ci sono delle società fantasma che appartengono alla stesso proprietario, ma non è facile individuarle. Spesso sono intestate a dei prestanome. In ogni caso ci vorrà un po' di tempo prima che possa chiarire definitivamente i conti.

– Miseria! Si possono fare tante porcherie senza nemmeno infrangere la legge?

– Ci puoi scommettere…

– Ecco, e poi…

– No, Petra, per favore, non dirmi che poi un poveraccio ruba una mela e finisce in galera per un anno.

– Sarà anche un luogo comune, ma devi riconoscere che qualcosa di vero c'è.

– Ben poco. Adesso le mele si rubano mediante sistemi informatici altamente sofisticati.

– Puoi giurarci! Guarda quell'Arcadio con le sue piccole truffe alle spalle dei poveri!

– È un buon esempio. Ai vecchi tempi avrebbe rubato gli spiccioli dal cappello di un cieco, e adesso ha una fondazione alle spalle. Cosa faccio, vado avanti con le indagini?

– Non c'è fretta, ma continua pure a cercare. Presto o tardi il tuo lavoro tornerà utile. Sei stato ostacolato dal vecchio Ayguals?

– Certo non gli fa piacere che passi al setaccio la sua contabilità, ma non può fare altro che mandar giù.

– Va bene, Sangüesa, preparami una relazione.

Me l'ero immaginato che attraverso i libri contabili non saremmo riusciti a mettere nel sacco la nostra preda. Era stato tutto studiato con cura, e se Flores non avesse avviato i suoi traffici paralleli, probabilmente gli imbrogli della fondazione non sarebbero mai venuti a galla.

Dal mio computer aprii il fascicolo generale del caso. Qualcuno aveva sparso dei punti interrogativi qua e là. Di sicuro era stato Coronas. Se con questo voleva demoralizzarmi, stava fresco, era più di una settimana che non scrivevo neanche una riga. Assaporai la prosa fiorita del viceispettore, nel suo stile più genuinamente poliziesco. Non era stata una cattiva idea affidare a Garzón il compito di stendere i rapporti. Usava con naturalezza espressioni come «portarsi sul luogo del delitto», «aggressione commessa da ignoti» o «ispezione oculare», che a me facevano ancora arrossire.

A un tratto, Domínguez bussò alla porta, e aprendo uno spiraglio di pochi centimetri, sporse il naso dalla fessura.

– Ispettore, il signor Ayguals vuole vederla.

– Di nuovo?

– Stavolta dev'essere il figlio, perché non è vecchio come quello di prima.

– E allora lo dica, Domínguez, che bisogno c'è di creare tutta questa suspense?

Se «l'angioletto» era venuto a confessare, lì finivano tutti i nostri travagli. Era così nervoso quando entrò che cominciai col crederlo davvero.

– Ispettore, ho bisogno di parlarle.

– Si accomodi, Ayguals.

Cominciò a parlare a raffica, ancora prima di essersi seduto. Sembrava che avesse imparato a memoria una lezione.

– Guardi, ispettore, devo dirle che in questi giorni mi sono guardato bene intorno, ho cominciato a capire certe cose e...

Spalancai bene gli occhi.

– E allora?

– Mi addolora molto doverlo dire, ma temo che mio padre si sia messo in qualche pasticcio. Non so precisamente di cosa si tratti, ma ho questa sensazione. Mi è capitato di vedere delle cose strane.

– E lei vede delle cose strane senza sapere cosa sono?

– Sì, ma voglio chiarire, comunque sia, che con gli affari di mio padre io non c'entro. Per tutto il periodo in cui l'azienda è stata sotto la mia direzione ho sempre agito in modo trasparente, secondo la legge. Se c'è qualcosa che non torna, non dia la colpa a me.

Lo fissai.

– Anche suo padre è venuto a parlarmi, ma solo per difendere lei! Il suo è un atteggiamento ben diverso!

– Difendermi? Difendermi da cosa? Io non ho nessun bisogno di essere difeso perché non ho fatto niente.

– Perché non lo dice direttamente a lui?

– Perché lo rispetto.

– O magari perché ha paura che se la prenda con lei e la butti fuori dall'azienda, no?

– Questo non ha niente a che vedere col motivo che mi ha portato qui. Io non ho fatto niente, ispettore, glielo ripeto, e se l'impresa è coinvolta in qualcosa che non va, ciò dipende da decisioni prese a mia insaputa.

– Lei ha causato gravi perdite all'azienda.

– Questo non è un reato.

– No, non lo è, ma dovendo rimediare alla disperata…

– Le giuro che non è così, glielo giuro. Io non ne posso più di quell'azienda, ispettore! In fondo non mi è servita ad altro che a guadagnarmi il disprezzo di tutti. Nessuno potrebbe mai valere un soldo in confronto a mio padre!

– Joan, mi ascolti bene. Da un momento all'altro riceveremo i risultati del test del DNA. Lei ha ancora una chance per raccontarmi cos'è successo in realtà. Con-

414

tinua a sostenere che non ha mai messo piede negli uffici della fondazione?

– No, non ci sono mai stato.

– In questo caso, non credo ci sia altro da dire.

Si alzò con i muscoli della faccia contratti, la fronte sudata, lo sguardo cupo.

– Non mi crederete mai. Questo è chiaro. Posso solo sperare che la verità venga fuori da sé.

Quando uscì dal mio ufficio sembrava insieme un uomo ferito nella sua dignità e un bambino indifeso. Presi un portacenere dal tavolo e lo scagliai con furia nel cestino della carta straccia. Il bersaglio ideale sarebbe stata la testa di quel quarantenne malcresciuto. Come osava presentarsi davanti a me esibendo i suoi stupidi complessi familiari non risolti, accusando indirettamente suo padre, chiedendo comprensione ad ogni costo? Perché non era uscito dall'orbita familiare, se davvero si sentiva così oppresso? Per la miseria! Avrei dovuto organizzare un bel confronto fra padre e figlio, raccontare al vecchio Ayguals come il suo rampollo si chiamava fuori da qualunque sua iniziativa! Ma chi me lo faceva fare? Impartire la giustizia divina non è compito mio! Ripescai il portacenere dal cestino, lo rimisi al suo posto e mi preparai ad andarmene. Una bella doccia e un bicchiere di vino, nell'ordine, mi avrebbero restituito una certa tranquillità.

Mentre guidavo verso casa, però, cominciai a vedere le cose per il verso peggiore. Ormai tutte le strade portavano in linea retta verso la Ayguals Textiles, su questo non c'erano dubbi. E se tutta la faccenda fosse stata nelle mani di qualcuno che non era né il padre né il figlio, ma che apparteneva al loro ambiente: una delle due segretarie fedeli, l'ex moglie di Joan? In questo caso le indagini non erano affatto finite, forse ci sarebbero voluti ancora dei mesi per venire a capo di qualcosa. Inorridii. Eppure a tempi brevi il mio piano rimaneva invariato, solo che invece di un bicchiere me ne se sarei bevuti due.

Trovai parcheggio a un isolato da casa. Scesi dalla macchina e mi avviai a passo spedito. Qualcuno mi chiamò dall'ombra.

– Ispettore Delicado, non si spaventi, per favore.

Mi voltai impugnando la pistola nella tasca. Davanti a me era comparso un ragazzo con la testa rapata. Di nuovo l'incubo degli skin?

– Altolà! Non si avvicini.

– Ispettore, non mi riconosce? Sono Sergio!

– Sergio...?

– Sergio, il fidanzato di Yolanda!

– Si può sapere cosa fai qui?

– Ispettore, mi scusi, adesso le spiego. Non avevo il suo numero di telefono, ma sapevo dove abitava perché ho seguito Yolanda quand'è venuta alla sua festa. Ho solo aspettato che arrivasse, ma non volevo spaventarla.

– E perché non sei venuto in commissariato?

– Veramente volevo parlarle in privato.

Lanciando maledizioni sottovoce, aprii la porta e accesi la luce. Lo vidi chiaramente. Sì, me lo ricordavo, più o meno: alto e robusto, spalle larghe, non un grammo di grasso sul torace muscoloso, non un grammo di cervello sotto la bella fronte da antico romano.

– Be', entra. Cosa ti succede?

– Non mi fa neanche sedere, ispettore? Non sono mica un delinquente.

Lo guardai e sospirai.

– Sergio, sono stanca. Ho avuto una giornataccia... Comunque, visto che ci tieni, ti do un quarto d'ora per dire quello che hai da dire. Accomodati.

Sapevo fin troppo bene di cosa voleva parlarmi.

– Ispettore, non so se lei lo sa, ma Yolanda mi ha lasciato.

– Non ne sapevo niente – mentii.

– Ha trovato un altro, una specie di dottore.

– Un dottore?

– Psichiatra. Un vecchio. Cioè, uno molto più vecchio di lei.

Mi chiesi fino a che punto fosse informato. Lo osservai in silenzio, lasciandolo parlare.

– Per me quello lì vuole soltanto approfittare di lei, e poi mollarla appena si stufa, ma lei non capisce più un cazzo, scusi l'espressione. Dice che quel tipo ha molta cultura e molta classe, non come me che non ho neanche il diploma. Io monto i tendoni dei bar e dei balconi. Non sarò medico, ma mi pagano bene.

– Magari per Yolanda questo non ha molta importanza.

– Ah, no? E allora perché è tanto soddisfatta adesso che esce con uno che i quattrini ce li ha?

– Magari non si sentiva a suo agio con te. Oggi noi donne siamo diventate più esigenti.

– Può darsi che io ogni tanto faccia la voce grossa, ma poi alla fine era lei ad averla sempre vinta.

– Mi dispiace per quel che è successo, Sergio, ma in ogni caso ti assicuro che io non c'entro niente. Quindi non credo che parlare con me possa servirti a qualcosa.

– Lei ha molta influenza su Yolanda, ispettore. È per lei che ha deciso di diventare poliziotto.

– Ma questo è assurdo.

– È la pura verità! Un giorno mi ha detto che lei era la donna che ammirava di più al mondo.

– Si riferiva agli aspetti professionali.

– No, ha detto che lei aveva classe e cultura, e che era bellissima.

– Non vedo cosa c'entri questo con...

– Sì che c'entra, invece. Perché quello che le sto chiedendo, per favore, è di parlare con Yolanda, di farla pensare, perché capisca che si sta sbagliando, che quel tipo non la ama. È per il suo bene, non voglio che nessuno le faccia male, e anche per me. Le dica che torni, che io... be', che io sono capace di fare una sciocchezza se la perdo, che...

Si interruppe bruscamente e abbassò gli occhi a terra, immagino perché non vedessi che gli si stavano riempiendo di lacrime. Osservai le sue folte ciglia nere, il naso diritto, le labbra piene. Si coprì la faccia con una mano, una mano forte, percorsa da vene in rilievo.

– Niente è così terribile come può sembrare, sai? È

una cosa che ho imparato con gli anni. A volte la vita ti risarcisce in modo imprevisto, o ti dimostra che non tutti i mali vengono per nuocere. E adesso cerca di calmarti un po'. Vado a prendere un paio di birre. Buttare giù qualcosa non ti farà male.

Il mattino dopo fui svegliata da uno squillo incisivo e gelido come una pugnalata. Era il telefono.

– Ispettore Petra Delicado?

– Sono io. Chi parla?

– Ciao, Petra. Sono Juan Sánchez, tenente medico della Scientifica. Mi hanno detto che avevi molta fretta riguardo a certi risultati.

– Effettivamente. Dimmi. Ci sono novità?

– Poi ti passo la perizia e la commentiamo, ma volevo farti sapere subito che i capelli trovati sul luogo del delitto e il campione che ci hai portato hanno lo stesso DNA.

Mormorai un «grazie» e riattaccai senza neanche lasciarlo finire. Cominciai a vestirmi in fretta e furia e chiamai Garzón.

– Garzón, disponga tutto quanto per l'arresto di Joan Ayguals. Dica agli agenti che lo sorvegliano di impedirgli qualunque spostamento.

– Il DNA coincide?

– Sì. La aspetto in commissariato.

Non feci neanche la doccia, non presi il caffè, anche se ne avrei avuto più bisogno del solito. Quando arrivai in commissariato Garzón aveva già due agenti a disposizione, e il mandato del giudice stava arrivando.

– Andiamo? – gli chiesi, senza neanche dirgli buongiorno.

– C'è un problema – rispose lui preoccupato. – Gli uomini che seguivano Ayguals dicono che in casa non c'è.

– Come?

– Hanno passato tutta la notte davanti al suo domicilio e stamattina hanno visto uscire il vecchio Ayguals, come sempre, ma non il figlio. Quando lei mi ha chiamato ho dato ordine di salire in casa, e la donna di servizio ha detto che non c'era.

– E dove cavolo è?

– Dev'essere uscito di nascosto durante la notte. Magari ha approfittato del passaggio del camion della spazzatura... qualcosa del genere.

– Insomma, se lo sono fatto scappare...! Ma è assurdo, Garzón, è inammissibile! Come si può essere così incapaci? Non so chi sia il responsabile, ma le assicuro che quei due mammalucchi si beccheranno un provvedimento disciplinare da non uscirne vivi.

– Non se la prenda così, ispettore, che queste cose succedono anche a Scotland Yard.

– Ma nemmeno alla guardia giurata di una banca di paese succede una cosa simile! Come si può lavorare con gente tanto idiota?

– Lo sa, a volte ci sono degli imprevisti che...

– Perché diavolo li difende, adesso? Li avrà mica scelti lei?

– Io? Cosa c'entro io, ispettore? È stato Coronas ad affidargli l'incarico, personalmente.

– Complimenti, bel risultato ha ottenuto, quel coglione!

– Ispettore, guardi che la sentono.

– E che mi sentano pure! Vediamo se qualcuno si rende conto prima o poi che i buoni poliziotti non crescono sugli alberi!

– Va bene, ispettore, ma a parte questo, le viene in mente che cosa possiamo fare?

– Andare alla Ayguals Textiles, naturalmente. Quel vecchio stronzo lo sa di sicuro dove si è ficcato suo figlio.

– Aspettavo solo che dicesse anche questo. Presto, muoviamoci!

– Senta, Garzón, non mi sottovaluti.

– Come?

– Conosco molte più parolacce di quelle che ha appena sentito. Ma non escludo che prima della fine della giornata io abbia dato fondo al mio repertorio.

Scosse la testa e rise, ma sottovoce, data la drammaticità del momento.

Facemmo irruzione alla Ayguals Textiles con una carica degna del Settimo Cavalleggeri. Lasciammo soldati e cavalli alla reception ed entrammo negli uffici. Naturalmente Adolfo Ayguals ci ricevette subito, non era il caso di scherzare.

Io ero una furia, e partii subito all'attacco:

– Signor Ayguals, siamo venuti a cercare suo figlio. Sarà accusato dell'uccisione di Arcadio Flores. È scomparso dal suo domicilio e non mi dica che non sa dov'è perché non siamo disposti a crederle.

La notizia ebbe un notevole impatto sul suo volto. Balbettò:

– Stamattina, quando mi sono alzato, mio figlio era già uscito. Pensavo di trovarlo qui, ma quando sono arrivato...

– Basta, adesso basta! Non vede che ormai non ha via di scampo? Non si rende conto che le prove scientifiche stanno puntando il dito su suo figlio? Se si rifiuta di dirci dov'è, dovrò arrestare anche lei come complice.

Garzón intervenne opportunamente nella parte del poliziotto buono. Riconobbi la sua voce intrisa di comprensione.

– Signor Ayguals, sia ragionevole. Sappiamo perfettamente quali sentimenti uniscono un padre a un figlio, eppure le assicuro che se ci dice dove si trova, gli renderà un gran servizio. Forse è l'unico modo di aiutarlo. Dopotutto Flores può essere stato ucciso accidentalmente, o per legittima difesa, ma se suo figlio si rende latitante non ci sarà alcuna circostanza attenuante in suo favore.

Il volto del vecchio, stanco, solcato di rughe e di dolore, perse tensione di colpo, si afflosciò.

– Mio figlio è un disgraziato, questa è la sola verità. Non ha avuto fortuna nella vita, non ha saputo combinare nulla, o forse siamo stati sua madre ed io a non saperlo educare.

– Ci dica dov'è, la prego – insistette Garzón.

– Fuori città, a Vallvidrera. Abbiamo una casa lì.

– Ci scriva l'indirizzo.

Gli tremava la mano quando prese la penna. Vedendolo scrivere, mi resi conto di quanto gli anni gli pesassero. Quando ebbe finito si tolse gli occhiali e si coprì la faccia con entrambe le mani. Garzón ebbe il tempo di dirgli:

– Grazie. Lei ha fatto tutto il possibile per suo figlio.

Aggiunse un «povero vecchio» sottovoce, mentre scendevamo le scale verso l'uscita.

– Viene con noi a Vallvidrera, ispettore?

– No. Portatelo nel mio ufficio appena arrivate, nel frattempo io preparerò l'interrogatorio e sbrigherò le pratiche giudiziarie.

– Faremo in fretta, non siamo lontani.

Quando aprii la porta del mio ufficio, tutto mi parve vagamente sconosciuto. Ero disorientata, mi girava la testa. Mi ricordai di non aver fatto colazione. Troppe emozioni per una povera donna che non aveva neanche preso un caffè. Mi rimisi l'impermeabile che avevo appena appeso al gancio. Dieci minuti alla Jarra de Oro non avrebbero certo ritardato il concludersi dell'inchiesta. Ma proprio mentre stavo per uscire, un giovane sulla trentina, dall'aspetto piacevole e con occhiali da intellettuale, entrò come se fosse in casa sua.

– Petra Delicado?

– Sì, ma lei chi è? Chi l'ha autorizzata a entrare?

– Sono Sánchez, della Scientifica. Abbiamo parlato stamattina per telefono. Anzi, per essere più precisi, mi hai sbattuto il telefono in faccia.

– Ah, mi spiace tanto! Stavo andando a prendere un caffè, mi fai compagnia?

– Non posso, sono quasi scappato di nascosto per venirti a parlare, ho tanto di quel lavoro che non ti dico. Sai che abbiamo il preciso ordine di non anticipare mai informazioni senza prima aver consegnato la perizia e averla commentata con chi ce l'ha richiesta. Ho trasgredito alle norme per farti un favore, e tu mi attacchi il telefono.

– Sì, perché quello che mi hai detto era fondamentale!

– Ma non potevi far niente senza prima aver parlato con me!

– Sei nuovo in polizia, vero? Ci rimarresti secco se scoprissi quante cose si fanno contravvenendo ai regolamenti.

– Questo non significa che non sia sbagliato farle.

– D'accordo, hai ragione. Ma non farmi la predica, per favore. Ho avuto una mattinata orribile. Perché sei venuto?

– Per portarti il resoconto della perizia.

Mi porse dei fogli, li presi.

– Perfetto, e adesso, se non ti dispiace…

– Leggilo. Devi leggerlo davanti a me, potresti aver bisogno di chiarimenti.

– Miseria, come siete voi della Scientifica! E va bene, vediamo…

Cominciai a leggerlo senza sedermi, e senza invitarlo a sedersi.

– Lo sai, Petra? C'era qualcosa di strano nei primi capelli che abbiamo analizzato.

– Quali? Quelli trovati sul luogo del delitto?

– Sì. Non è stato facile separarli, perché erano coperti da una sostanza appiccicosa, come se fossero molto sporchi. Ho cercato di capire di cosa si trattasse ed era esattamente l'opposto.

– L'opposto?

– Sì, non erano sporchi, ma puliti, perché la sostanza era sapone.

Lo fissai perplessa. Continuava a parlare, ma io non ascoltavo più quel che stava dicendo. Cercai la borsa con lo sguardo e, appena l'ebbi trovata, la afferrai e corsi via.

– Mi dispiace, ma devo andare. Ti chiamo appena posso.

– Ehi, Petra, un momento! Ma dove vai? Sarà mai possibile?

Mentre mi allontanavo sentii che diceva:

– Noi della Scientifica saremo un po' strani, ma voi siete proprio matti da legare. Sul serio.

Don Adolfo non era più alla Ayguals Textiles. La sua segretaria mi disse che era andato agli uffici della fondazione. Ero così agitata che lasciai l'auto e presi un taxi. In quello stato avrei potuto avere un incidente.

Le due segretarie ancestrali mi ricevettero pazze di gioia, come se la mia visita fosse un avvenimento mondano. Cercai di togliermele di torno.

– Sono venuta a cercare il signor Ayguals. Ho molta urgenza di parlargli. Poi faremo quattro chiacchiere fra noi, d'accordo?

Un istante dopo il signor Ayguals mi riceveva, seduto

alla sua imponente scrivania. Sembrava tranquillo. Sorrise.

– Ispettore Delicado! Ultimamente ci vediamo con molta assiduità. Si accomodi. Posso offrirle un caffè?

– Lo gradirei moltissimo, signor Ayguals, ma non so se sia il caso che io accetti.

– E perché mai?

– Perché sono venuta ad arrestarla per l'assassinio di Arcadio Flores.

– Da sola, o ha portato con sé degli agenti?

– Da sola.

– Certo, non c'è bisogno di uomini armati per arrestare un vecchio come me.

– È quello che spero.

– Non si preoccupi, mi comporterò bene. Ad ogni modo insisto per prendere questo caffè in sua compagnia. Lo desidero veramente e alla mia età non è bene privarsi di nulla.

Ordinò due caffè all'interfono. Mi osservò con un sorriso serafico.

– Posso sapere perché sono in arresto? Quali sono le prove a mio carico?

– Alterare gli indizi di un omicidio non è facile. Lei ha cercato di incolpare suo figlio, signor Ayguals. I capelli trovati sul luogo del delitto erano coperti di sapone, e certamente nessuno se ne va in giro con la testa insaponata. Quindi qualcuno li ha portati qui. Qualcuno che potesse raccogliere i capelli nel bagno di casa sua. In definitiva, qualcuno che vivesse con lui.

– Molto bene, ispettore, ottimo. Anzi, centodieci e

426

lode! Non le è stato facile, ma alla fine ha trovato la soluzione, e tutto per uno stupido errore, a dire la verità.

Entrò la segretaria con un vassoio. Mi strizzò l'occhio e uscì. Ayguals versò il caffè come se niente fosse.

– Gradisce un goccio di latte? Guardi, ci hanno portato anche dei croissant! Queste ragazze pensano proprio a tutto! Sono con me da tanti anni e non ho mai avuto motivo di riprenderle. Due autentiche perle, mi creda.

Bevvi il caffè in un sorso. Gli rivolsi un sorriso forzato.

– Signor Ayguals, credo che ora dovremmo andare.

– Dove?

– In commissariato.

– Ah, no, ispettore, prima voglio parlare con lei, raccontarle tutto, con nomi e date…

– Se intende fare una confessione, le ricordo che ha diritto alla presenza del suo avvocato e…

– No, ispettore, mi ascolti. Più tardi parlerò davanti al giudice, davanti al Papa, davanti allo stesso Padreterno se sarà necessario… Lui avrà pietà di me. Ma prima insisto per parlare con lei, qui e ora.

– Va bene. Dica.

– Tutto è cominciato per colpa di mio figlio, come può ben supporre. Quel ragazzo è uno sciagurato. Averlo messo al mondo è qualcosa che Dio non mi perdonerà. Due anni fa credetti giunto il momento di affidargli le redini dell'azienda, mentre io avrei assunto un ruolo secondario, occupandomi di sviluppare nuove idee, dandogli una mano, se necessario. Ma lui non chiese mai il mio aiuto. Ah, no, lui si credeva molto capace, molto autosufficiente! Ma la sua gestione fu assolutamente rovinosa. Così cominciò ad alterare i conti perché io non me ne accorgessi e fece in modo di non dare mai nessuna informazione. Non pensi che facesse niente di illegale, questo no! Per rovinare un'azienda sana lui non ha bisogno di nessun artificio, gli riesce in modo naturale. Quando me ne resi conto era già troppo tardi. Il buco era spaventoso, capace di ingoiare tutto, come quei buchi neri che ci sono nello spazio. Tutta una vita di fatiche stava per finire nel nulla! Terribile, no? Per capirlo dovrebbe sapere che cosa ha significato quest'azienda per me. È stata più di un figlio, più di una famiglia, più della mia vita stessa. Le sembrerà esagerato, perfino mostruoso, ma è così.

«Bene, a quel punto non potevo fare altro che riprendere in mano la situazione e togliermi dai piedi quel bastardo, che per disgrazia non lo è. Se avessi dichiarato pubblicamente la situazione finanziaria in cui ci trovavamo sarebbe stata la fine: nessuna banca mi avrebbe più fatto credito, i clienti sarebbero spariti... la fine.

«Allora pensai alla fondazione. Una fondazione ben amministrata è un buon sistema per superare un momento di difficoltà. Non sono il tipo da combinare pasticci, io. Che lei ci creda o no, pensavo di dare alla fondazione un carattere fraudolento solo finché fosse stato necessario, poi la cosa sarebbe stata perfettamente in regola. Per questo avevo bisogno di un factotum che fingesse di condurre delle iniziative benefiche. La legge non esige molto di più. Lì era il punto debole del piano. Avevo delle impiegate fedeli, un ufficio, degli avvocati che mi consigliavano, ma come potevo fidarmi di una persona onesta per un lavoro così discutibile? Il caso mi mise davanti la soluzione. Conobbi Arcadio Flores da Anticart, un negozio di antiquariato. Era un tipo particolare: loquace, con uno spiccato talento da imbonitore e uno strano miscuglio di eleganza raccogliticcia e di volgarità di fondo. Era molto attratto dagli oggetti antichi, ma, capirà, poteva permettersi solo paccottiglia. Attaccai discorso con lui, gli offrii un caffè... Presto saltò fuori, lui non lo nascondeva, che era stato in carcere. Pensai di aver trovato il mio uomo. Lo invitai a cena e gli esposi il piano. Gli piacque. Flores viveva alla giornata, e avere uno stipendio sostanzioso, diventare direttore di una fondazione, era un bel salto per lui.

«Tutto funzionava. Flores sembrava disponibile, sveglio e assolutamente affidabile. Non mi sarebbe mai venuto in mente, mai, glielo assicuro, che pensasse a crearsi un'organizzazione parallela basata sul raggiro. Ma non ne aveva abbastanza di quello che gli offrivo, il suo lato miserabile e truffaldino era più forte di quanto potessi prevedere. Il colmo fu che si scelse come uomo di fiducia un barbone di strada che, a quanto pare, in gioventù era stato contabile. Era lui ad amministrargli tutto quanto. Riesce a credere a una cosa simile, ispettore? Si può essere così sprovveduti, pur avendo un aspetto normale? Ma questa era la vera natura di Arcadio Flores. Con un nome simile avrei dovuto immaginarmelo. E invece no. Anzi, non mi accorsi di nessuna delle sue manovre finché un giorno non si presentò nel mio ufficio e mi chiese una riunione straordinaria. Cominciò a raccontarmi cose apparentemente senza senso, ma presto capii che non me le avrebbe mai raccontate se non fosse accaduto quel che era accaduto: il barbone, che era mezzo matto, si era ribellato e voleva raccontare tutto quanto alla polizia. In quel momento cominciai a capire cosa c'era sotto. Andai su tutte le furie, ma Flores rimase assolutamente tranquillo. Aveva bisogno di denaro per contrattare due picchiatori, immigrati clandestini provenienti dall'est, e per comprare una pistola. Voleva dare una bella lezione al suo contabile, che lo dissuadesse dai suoi propositi. Naturalmente gli dissi di no, mi arrabbiai, gli giurai che l'avrei denunciato. A quel punto lui mi guardò con sufficienza e mi disse che io ero coinvolto nella faccenda quanto lui, e che se mi fossi azzardato a denunciarlo di cose da dire ne avrebbe avute tante».

Ayguals mi versò dell'altro caffè. Io ero così presa dalle sue parole e così attenta a ogni suo minimo gesto, che non dissi nulla.

– Non gradisce un croissant, ispettore? Le mie segretarie si offenderanno se non li tocchiamo nemmeno. Io, purtroppo, date le circostanze, non riuscirei a mandare giù niente.

Più per incoraggiarlo a proseguire nel suo racconto che per vero appetito, lo accontentai, accorgendomi fin dal primo morso di quanta fame avessi accumulato. Ayguals sorrise nel vedermi mangiare.

– Ebbene, dov'ero rimasto? Ah, sì, la pistola e i pic-chiatori! Gli diedi quello che mi chiedeva, ispettore, che altro potevo fare? Mi aggrappai all'idea assurda che non se ne sarebbe servito per uccidere. Io stesso com-prai la pistola da Anticart, un'Astra della Guerra Ci-vile. Vendono qualche arma senza autorizzazione. Se vuole può procedere contro di loro. Non si trovano fa-cilmente munizioni calibro nove corto, ma i sicari as-soldati da Flores sapevano perfettamente che bastava modificare il nove lungo. A proposito, prima che me ne dimentichi, ispettore, le scrivo qui i nomi di quei due, e l'indirizzo dove può trovarli. Sono in un ap-partamento di mia proprietà, ad Alella, in attesa che si calmino le acque per scappare.

Prese un foglietto, scrisse due righe con la sua gra-fia tremolante, e me lo porse.

– Se permette farei una telefonata – gli dissi, posando sul piattino quel che restava del croissant. – Sarà me-glio che comunichi questi dati in commissariato perché procedano all'arresto. Non possiamo rischiare di per-derli.

– Buona idea!

Presi il cellulare e diedi istruzioni affinché partisse immediatamente una pattuglia. Adolfo Ayguals attese con un sorriso tranquillo e soddisfatto.

– Bene, andiamo avanti. Adesso viene la parte peg-giore, perché ovviamente la lezione fu definitiva. Quan-do lessi la storia sui giornali mi sentii morire. Un uo-mo assassinato con l'arma che io stesso avevo acquistato per dei sicari che avevo pagato io. Quel cretino di Flores aveva manie di grandezza, non gli bastava essere un semplice truffatore, voleva essere un boss mafioso. E naturalmente aveva bisogno di sicari, visto che era incapace di ammazzare personalmente. Ma il suo spirito volgare prevaleva su tutto: quella stupida storia degli skinhead, la mazza da baseball… Che orrore, chissà cosa si credeva! Mi ero sbagliato sul suo conto, un errore che può commettere chiunque. La cosa aveva assunto dimensioni che mi facevano paura, ma ormai non potevo più fare nulla. Flores aveva perso il senso della misura. Si convinse che un altro barbone, un certo Anselmo, stesse per raccontarvi cose che poteva avergli detto Tomás il Saggio. Mi chiese ancora del denaro perché i due sicari dessero una "lezione" anche a lui. Questa volta non potevo più tacitarmi la coscienza dicendomi che non sapevo in cosa consistesse la "lezione". Era il momento di decidermi e scoprire le carte, di venire da voi e confessare la verità. Solo che ormai c'erano due omicidi in quella storia. Come ammettere una cosa tanto terribile se in fin dei conti non avevo premuto io il grilletto? Eppure non potevo lasciare Flores in condizioni di andarsene in giro ad ammazzare altra gente, in combutta con quei due malviventi e capace di dissanguarmi economicamente alla minima opportunità. Allora presi una decisione. Diedi un appuntamento a Flores in questo ufficio, nel cuore della notte, e gli chiesi di portare i suoi "guardaspalle". Non sospettò nulla. Si sedette lì, proprio dov'è seduta lei. Gli chiesi di farmi vedere la pistola. Me la diede, tranquillo. Allora, senza una sola parola, gli sparai. Se le dico che non l'avevo deciso prima, non ci crederà. I due sicari, che erano rimasti fuori ad aspettare, entrarono di corsa. Io gli ordinai di portare via il morto e di abbandonarlo fuori città. Da quel momento in poi ero io a comandare. Per loro era lo stesso, il capo è quello che paga. Gli diedi del denaro e le chiavi dell'appartamento. Quando le cose si fossero calmate, avrei fatto in modo che potessero uscire dal paese.

«Purtroppo, furono sorpresi mentre trascinavano il corpo per la strada. Chi ci crederebbe? Anche quando uno pensa che Barcellona sia completamente deserta, ci sono sempre dei testimoni pronti a complicare la vita agli altri. Ad ogni modo, se avessi dato appuntamento ad Arcadio in qualunque altro posto si sarebbe insospettito. A partire da quel momento era solo questione di fortuna, e di confidare nel fatto che la polizia spagnola fosse inefficiente come tutte le polizie del mondo. Ma non è stato così. Ci avete messo un po', ma ne siete venuti a capo. Mi è venuto in mente di dare la colpa a mio figlio, visto che lui sembrava l'obiettivo principale delle vostre indagini. Immagino che questo la faccia inorridire più di ogni altra cosa, vero, ispettore?».

– Io non inorridisco per niente, signor Ayguals. Mi limito a fare il mio lavoro.

– Mi fa piacere. Non è bello giudicare quando non si conoscono i motivi che muovono una persona. Sa quale fu il mio? L'azienda, ispettore, l'azienda! Non sono assolutamente disposto a lasciarla in mano a mio figlio. Sarebbe una lenta decadenza, fino alla bancarotta, al discredito. Una cosa che non posso permettere.

Io non ho fallito. Preferisco regalarla ai poveri, piuttosto, e che tutti lo sappiano. Come prevedo di fare. Ho depositato un nuovo testamento. Mio figlio non posso diseredarlo, per legge gli spetta un terzo del patrimonio. E questo è quel che riceverà alla mia morte. Ma ho disposto che l'azienda venga messa in vendita e che il ricavato sia devoluto a opere umanitarie. Bene, in questo modo almeno farò la carità. Spero che Dio mi perdoni i peccati commessi.

– Per incolpare suo figlio, lei ha raccolto dei capelli nella doccia e li ha sparsi in questo ufficio, non è così? Lei sapeva che lui avrebbe dichiarato di non essere mai entrato qui dentro, perché era vero.

– Proprio così, ispettore. Quel maledetto sapone vi ha messi sull'avviso. Ma ne sono quasi contento, sinceramente. Sono stanco, mi sento schiacciato dalla gravità di quel che è successo. Non avevo più il coraggio di assistere all'arresto di mio figlio, agli interrogatori… e poi continuare, continuare, fino a dove, ispettore, fino a dove? Tutto ha perso senso, ormai. Sono pentito, scandalizzato dalla mia stessa capacità di fare del male.

Abbassò gli occhi e rimase con la testa affossata fra le spalle. Tutta l'energia che aveva animato il suo racconto era scomparsa. All'improvviso vidi davanti a me un vecchio sopraffatto, solo, superato dalla vita e senza più nulla a cui aggrapparsi. Con uno sforzo, mi guardò con occhi torbidi.

– Manca solo una prova, a completare la mia confessione. L'arma del delitto. Si chiama così, no?

Aprì un cassetto e tirò fuori la pistola, me la mostrò. D'istinto, misi mano alla mia.

– La posi sul tavolo, signor Ayguals. Faccia piano.

– Non tema, ispettore, non ho intenzione di spararle. Quello che è successo mi basta. Adesso è tutto finito. Bella, vero? Un'arma della Guerra Civile, quando si uccideva in nome di un ideale, non per denaro. Ma anche questo è passato, finito, chiuso.

Rivolse la canna verso di sé, senza che io potessi fare un solo gesto per impedirlo, e si sparò in bocca. Fu come un bellissimo fuoco artificiale che esplode in cielo: rosso, brillante, intenso. Il suo sangue e il suo cervello schizzarono cospargendo completamente le pareti, i mobili, la mia stessa faccia. Rimasi inebetita a guardare lo spettacolo, senza pensare, senza reagire. Sentivo il suo sangue caldo scendermi lungo le guance. Si diffuse un odore indefinibile. Entrarono le due segretarie. Una di loro si mise a ululare come un animale ferito. Non la smetteva, inanellava un lamento dopo l'altro, in un grido che sembrava una sirena d'allarme, uno strano rito più bestiale che umano. La più anziana si avvicinò al cadavere di Ayguals e circondò con le mani l'ammasso sanguinolento che era stata la sua testa. Diceva sottovoce:

– Don Adolfo, mio Dio, don Adolfo, cos'ha fatto? Perché?

In quel momento entrò Garzón con due agenti. Venne direttamente verso di me. Col suo corpo robusto mi impedì la visione del disastro. Mi prese per le braccia.

– Andiamocene, ispettore, usciamo di qui.

– Si occupi di queste due donne.

– Hanno solo una crisi isterica, lo farà qualcun altro.

Mi portò fino a un lavandino. Aprì il rubinetto. Mi fece chinare e mi lavò la faccia. L'acqua fresca mi ridiede fiato.

– Sta bene, ispettore? Si sente bene?

Di colpo, qualcosa si ruppe dentro di me e scoppiai in un pianto dirotto. Garzón mi abbracciò. Il suo corpaccione goffo e grassoccio emanava un calore consolatorio, rassicurante.

– Pianga quanto vuole, Petra.

– Sì, bella roba!

– Bella roba cosa?

– Piangere.

– E allora pianga e protesti insieme. Di sicuro lei ne è capace.

Benedissi Fermín Garzón.

Epilogo

Coronas non ci fece le sue congratulazioni, come c'era da aspettarsi. Le indagini erano andate a rilento, io non avevo presentato i rapporti con puntualità né mi ero inginocchiata dinanzi alla sua persona implorando perdono per un tale cumulo di errori. Per di più l'assassino mi si era suicidato sotto gli occhi, circostanza assolutamente malvista negli ambienti polizieschi. L'obiettivo è consegnare il colpevole alla giustizia, se possibile con la testa tutta intera. Ma Garzón non dava peso a tutto questo.

– Un caso risolto è un caso risolto, e se per di più l'assassino si dimostra pentito, tanto meglio.

– Forse qui la dimostrazione è stata un po' troppo categorica, non crede?

– Ognuno agisce secondo la propria coscienza, non ci si può fare niente.

– Ho paura che il commissario non sia così fatalista.

– Ma cosa si aspettava? Una medaglia al valore?

– No, ma mi sento in colpa.

– Lasci perdere. I casi si risolvono come si può. Non siamo mica al cinema. E poi lei ha vendicato i suoi due barboni, o no?

– Una vittoria di Pirro. Non è rimasto vivo nessuno.

– Come in ogni tragedia che si rispetti.

– Neppure Eschilo ne faceva fuori tanti.

– Senta, ispettore, cosa vuole? Che ci percuotiamo il petto? Avevo promesso a Coronas che gli avremmo servito il colpevole su un piatto d'argento, e così abbiamo fatto, no? Un pochettino al sangue.

– È una battuta di cattivo gusto, Fermín.

– D'accordo, la ritiro. Andiamo a pranzo?

– A pranzo?

– O a cena. È la tradizione, ogni volta che risolviamo un caso.

– Non so se riuscirò a mangiare per un po'.

– Ordini solo verdura. Che giorno è oggi?

– Venerdì, perché?

– Vuole che andiamo al ristorante di Genoveva? Mi pare che questo mese il venerdì ci sia *menestra a la bilbaína*. Tutta la verdura che vuole.

– Come fa a saperlo, c'è tornato?

– Ogni tanto, nella pausa. Genoveva è bravissima nella cucina tradizionale. E poi mi tratta molto bene.

– Per questo è ingrassato. Credevo fosse lo stress da indagini.

– Mi trova ingrassato?

– La stavo prendendo in giro, Garzón.

– Tanto per cambiare.

Al ristorante di Genoveva l'ambiente era straordinariamente vitale. Operai in tuta riempivano i tavoli, e Genoveva si muoveva fra loro con la grazia di un'anatra su un lago cristallino. Le raccontammo com'era andata a finire, risparmiandole il suicidio di Adolfo Ayguals, che non era un episodio adatto all'ora di pranzo.

– C'è da non crederci, eh? Gente che ha tutto, che ha studiato, eppure sono capaci di ammazzare, di tradire perfino il proprio figlio. In fondo, come me ne sto bene io qui dentro! Tranquilla, con la mia famiglia, sicura che le cose non possono andarmi troppo male. Sgobbo dal mattino alla sera, ma ho un giorno e mezzo di libertà alla settimana. Sono felice, sul serio, io sono felice!

– Non c'è niente che le sarebbe piaciuto fare e non ha potuto, Genoveva? – le chiesi. Guardò per un attimo il soffitto, assorta, strofinandosi le mani nel grembiule.

– Be'... quand'ero ragazzina mia madre mi diceva sempre: «Mi piacerebbe che un giorno tu diventassi una dama della Croce Rossa. Vederti a un tavolo di beneficenza, tutta elegante, ingioiellata, a fare la carità per quelli che ne hanno bisogno». Mia madre, poveretta, non ha avuto neanche la metà della fortuna che è toccata a me.

– Ma questo era un sogno di sua madre, non suo. Lei non ne ha mai avuti?

– I sogni... i sogni sono per i falliti, e io non sono mica una fallita!

Buttò la testa all'indietro e sorrise.

– Di dolce c'è la crema pasticciera. Fatta da me, naturalmente. Provare per credere!

Si allontanò tra le file di affamati come un generale che passa in rivista le truppe.

– Ha sentito, ispettore? – mi disse Garzón.

– Immagino abbia ragione. Tutti i falliti hanno dei sogni. Le persone di successo hanno aspirazioni.

– Non sognano bastimenti carichi di riso.

– No di certo.

– E lei, ispettore, ce l'ha il suo bastimento carico di riso?

– Non so, mi sarebbe piaciuto essere biologa, o etologa. Vivere nella foresta studiando qualche specie animale.

– Che noia!

Scoppiai a ridere.

– E lei, Fermín? Mi parli del suo bastimento carico di riso.

– Bah, non sono un tipo molto marinaresco, e nemmeno ho grandi aspirazioni. Da piccolo sognavo che la città rimanesse senza un solo abitante, così io potevo entrare indisturbato in tutte le pasticcerie. Ma questo mentre dormivo, da sveglio sapevo benissimo che dovevo accontentarmi di un pasticcino alla domenica e di un pezzo di torrone a natale. E mi accontentavo, cos'altro potevo fare?

– Non esistono sogni per cui valga la pena di lottare troppo. Appena si realizzano non ti dicono più niente. I migliori sono quelli che la vita ti regala senza bisogno di far niente.

– È vero.

Mi chiamarono sul cellulare. Risposi.

– Sì, vieni a prendermi. Qual è l'indirizzo di questo posto, Garzón?

Il viceispettore lo sapeva a memoria e me lo disse.

Riattaccai. Lui mi guardò, curioso. Continuammo a parlare, ordinammo il caffè. Pochi minuti dopo entrò Sergio. Si avvicinò e mi baciò sulle labbra. Salutò Garzón.

– Ho parcheggiato male la moto. Ci metti molto?

– Vengo subito.

– Ti aspetto sull'angolo.

Esitai un po' a guardare il mio collega. Quando alzai gli occhi lo vidi a bocca aperta, come un'allegoria della sorpresa.

– Ma quello non è il fidanzato di Yolanda? – disse, indicando la porta.

– Non lo è più.

– Le ha rubato il fidanzato?

– La storia non è così semplice. Un giorno o l'altro gliela racconto.

– Ma Petra, quel ragazzo non va affatto bene per lei!

– È solo una cosa temporanea. Abbiamo deciso di vederci dieci volte, dieci volte e basta, e poi di sparire l'uno per l'altra. Ha mai provato a fare un patto di questo tipo? È geniale. Dà l'impressione di vivere uno di quei vecchi film in cui gli amanti sanno che la guerra li separerà per sempre o qualcosa del genere. Molto emozionante.

– Vecchi film? Non ci capisco un accidenti.

– A volte uno deve inventarsela, la realtà, viceispettore, per renderla leggera e sopportabile.

– Continuo a non capire.

– Bisogna pur farla qualche pazzia, questo lo capisce o no?

– Lo capisco perfettamente.

– E allora lasciamola così. Be', io vado. Quel ragazzo brutale e impetuoso dev'essere impaziente.

Gli diedi due sonore pacche sulle spalle e lo lasciai lì, con la bocca semiaperta. Raggiunsi Sergio, mi infilai il casco che lui mi porgeva e salii a cavalcioni sulla moto, aggrappandomi alla sua vita muscolosa. Quando passammo davanti al locale di Genoveva, Fermín Garzón era sulla porta, a guardarci, come un pupazzo stupefatto. Lo salutai, e Sergio suonò il clacson, accelerando e facendo un rumore infernale. Il viceispettore scoppiò allora in una gran risata battendosi col palmo sulla coscia. Come se reagisse per la prima volta, ci corse dietro per qualche falcata e gridò:

– Forza, Petra, forza!

Immaginai benissimo che cosa stesse pensando.

Ringraziamenti

A Esther Bartlett e Comic, educatori appartenenti alla Asociación para la Acción Crítica, che mi hanno fornito importanti ragguagli su fenomeni sociali tanto vicini a noi quanto poco noti.

A José María Rodríguez-Ponga, avvocato, che mi ha aperto sulla nostra legislazione spiragli così inquietanti da esserne inquietato lui stesso.

A Agustín Febrer Bosch, esperto in armi da fuoco, che come sempre mi ha sbalordita con la vastità delle sue conoscenze regalandomi frammenti del suo sapere.

A tutti costoro, il pubblico riconoscimento della loro generosità e del loro inestimabile aiuto.

A. G.-B.

Indice

Un bastimento carico di riso

Questo volume è stato stampato
su carta Arena Ivory Smooth
delle Cartiere Fedrigoni
nel mese di gennaio 2024

Stampa: Officine Grafiche soc. coop., Palermo

Legatura: LE.I.MA. s.r.l., Palermo

La memoria